문을 열었네?

악
귀
2

일러두기

- 이 책의 편집은 김은희 작가의 집필 방식을 따랐습니다.
- 드라마 대사는 글말이 아닌 입말임을 감안하여, 한글맞춤법과 다른
  부분이라 해도 그 표현을 살렸습니다. 지문의 경우 한글맞춤법을 최대한
  따르되, 어감을 살리기 위해 고치지 않고 그대로 둔 경우도 있습니다.
- 대사와 지문에 등장하는 말줄임표와 쉼표, 느낌표와 마침표 등의
  문장부호 역시 작가의 집필 의도를 살리기 위해 그대로 실었습니다.
- 장면을 나타내는 'Scene'의 경우, 표준국어대사전에는 '신'으로 등록되어
  있지만 대본에서는 작가의 집필 방식과 현장에서 쓰이는 방식에 따라
  '씬'으로 표시했습니다.
- 이 책은 작가의 최종 대본으로, 방송된 부분과 다를 수 있습니다.

악귀

2

김은희 대본집

용어 정리

씬	장면(Scene)을 의미하며 같은 장소, 같은 시간 내에서 이루어지는 일련의 행동이나 대사가 한 신을 구성한다.
D	그 장면이 이루어지는 시간대를 표시. 낮.
N	그 장면이 이루어지는 시간대를 표시. 밤.
(소리)	등장인물은 나타나지 않고 소리만 나는 경우를 표시.
몽타주	따로따로 촬영한 화면을 붙여서 하나의 새로운 장면이나 내용으로 만드는 일.
인서트	화면의 특정 동작이나 상황을 강조하기 위해 삽입한 화면. 이 장면이 없어도 상황을 이해하는 데는 문제가 없으나 인서트를 삽입함으로써 상황이 더 명확해지고 스토리가 강조되는 효과가 있다.
오미트	대본 최종고에서 씬의 생략을 지시하는 용어.
오버랩	앞 화면에 뒷 화면이 겹쳐지며 장면이 바뀌는 기법. 또는 한 사람의 대사가 끝나기 전에 다른 사람의 대사가 맞물리는 것.
팬	삼각대에 카메라를 장착하고 렌즈를 좌우 수평으로 이동하면서 촬영하는 기법.

차례

이
정
림

작가님을 보면 늘 드는 생각은 '참 외롭겠다'입니다. 저에겐 항상 함께하는 80명의 스태프가 있고 배우들이 있지만, 작가님은 대부분의 시간을 홀로 모니터와 싸우며 보내야 하니까요. 그런 작가의 시간을 거쳐 나온 소중한 대본을 시청자분들이 볼 수 있다고 생각하니 기쁩니다.
한 글자 한 글자 작가님이 꾹꾹 눌러 쓴 글에 누가 되지 않게 최선을 다했습니다.

김은희 작가님과 함께 할 수 있어서 영광이었고, 같이 고생한 모든 스태프분들 그리고 드라마를 재밌게 봐주신 시청자분들께 진심으로 감사드립니다.

이정림

기
획
의
도

청춘

청춘은 인생에서 가장 아름다운 시절이다.

하지만 대한민국에서 사는 청춘들은 대다수가 힘든 삶을 살고 있다.

현실과 이상의 괴리감. 나보다 더 많은 것을 가진 자들에 대한 상대적 박탈감.

남들보다 뒤처지면 어쩌나 싶은 조바심. 더 위로 올라가고자 하는 나약한

마음을 유혹하는 나쁜 어른들.

그럼에도 불구하고 그들은 아름답다. 누구보다 힘든 삶을 살고 있지만

누구보다 더 열심히 살아가는 산영을 통해 여전히 청춘은 아름답다는 걸

보여주려 한다.

어른

다 자라서 자기 일에 책임을 질 수 있는 사람을 가리키는 말 어른.

어른이라면 누구나 사회적 나이와 지위에 어울리는 성숙한 삶을 살고있는 걸까.

어느덧 나도 모르게 어른이 되어버린 해상. 사회적 지위. 재산 등 겉모습은

성숙했지만, 과거의 기억에 붙들려 아직 여물지 못한 해상이 성장하며 진정한

어른이 되어가는 과정을 그려보려 한다.

우리 민족의 정체성, 민속학

우리의 전승 문화를 연구하는 학문, 민속학.

설화, 속담, 세시풍속, 민요, 무속신앙 등 생활상을 연구하는 민속학은 어찌

보면 시대의 생활상을 들여다볼 수 있는 거울이다.

문화재 연구보다 거창하지 않을 수도 있고 역사보다 작은 얘기일 수 있지만,

당시 민중들의 삶이 어땠는지 그래서 우리가 어떤 삶을 이어받았는지 알 수

있게 해준다. 그런 민속학을 통해 금줄, 장독, 된장, 집들이 풍속, 복날 등

주변에서 쉽게 접할 수 있는 것들에 대한 유래 혹은 시초에 접근해 보고자 한다.

돈

'자상한 부모보다 돈 많은 부모가 더 좋다.'

'돈이 있다고 행복한 건 아니지만, 행복하기 위해선 돈이 필요하다.'

학력, 취업, 외모, 건강. 돈이면 뭐든지 다 되는 황금만능주의 세상에 원하는

돈을 가질 수 있는 기회가 주어지고 대신 가장 중요한 것을 포기해야 한다면

어떤 선택을 할까. 인생의 중요한 갈림길에 선 두 주인공들의 선택을 통해 이

시대 돈의 의미에 대해서 고민해보고자 한다.

악귀 인물관계도

김석란 예수정
산영의 할머니

구강모 진선규
민속학 교수
산영의 아빠

?

나병희 김해숙
중현캐피탈 대표
해상의 할머니

김치원 이규회
중현캐피탈
부사장

충성 ←

악귀

오래전
이혼

이용

추적

유일한
혈연

경문 박지영
산영의 엄마

구산영 김태리
귀신 들린 흙수저 청춘

협력

염해상 오정세
귀신 보는 민속학 교수

김우진 김신비
해상의 동거인

의심과
관심

조력관계

고등학교
선후배

서울 강력범죄수사대

백세미 양혜지
산영의 절친
공시생

짝사랑 →

이홍새 홍경
강수대 신입 형사

파트너

서문춘 김원해
강수대
베테랑 형사

7부

악귀는 원하는 걸 이뤄줄 거예요.

그러나 반드시 대가가 따를 겁니다.

믿기지 않는 듯 우진을 바라보는 산영.

산영   악귀를 만든 사람의 이름?.. 그게 누군데..

우진, 여전히 두려운 눈빛으로 산영의 그림자를 바라보다가

우진   ..얘기하면 해상이를 놔줄 거야?
산영   교수님 얘기야..? 너 진짜 누구야..

그림자를 바라보던 우진, 고개 들어 유리창에 비친 산영을 바라보며

우진   ..해상이한텐 비밀로 해줘..

산영, 혼란스러운 눈빛으로 우진을 바라보는데..

우진   최만월이란 여자를 찾아..

순간, 유리창에 비치던 우진의 모습 사라진다.
놀라서 뒤돌아보는 산영, 거실 여기저기 유리창, 거울 등을 바라보지만,
우진은 사라지고 보이지 않는다.

산영   나와! 어딨어?

산영, 주머니에서 손거울을 꺼내 들고 거실 여기저기를 비춰보며 우진을
찾기 시작한다.

거실과 연결된 다이닝룸과 주방 쪽을 찾다가 우진이 보이지 않자, 서재
쪽으로 이동하며

산영   나오라구!

산영, 서재 문을 열고 들어가 여기저기 거울을 비춰보다가 화이트보드에
적힌 글씨를 보고 지나치려다가 멈춰선다. 중앙에 적힌 '배씨댕기'
'푸른 옹기 조각'이란 글씨. '푸른 옹기 조각' 글씨를 갸웃 바라보다가
뒤돌아서려는데 책상 위에 놓인 붉은 댕기와 푸른 옹기 조각을 보고 멈칫.
천천히 다가가 내려보다가 푸른 옹기 조각을 집어드는 순간 눈앞을
스치고 지나가는 화면

— 인서트
— 낮, 어두운 창고 안. 흐느끼는 울음소리. 불투명한 파란 천으로 가려진
　　누군가의 시선으로 보여지는 창고 안의 풍경. 쌓여진 물건들 너머로
　　세로로 세워져 있는 하얀 바탕에 검은색 한문으로 쓰여진 간판. 앞에 쌓인
　　물건들 때문에 정확하게 글씨가 보이진 않는다.
— 밤, 창고 안. 쓰러져 있는 듯한 파란 천 안의 시선. 창고 벽면 높은 곳에
　　달린 창문 너머로 보름달이 보이는데.. 순간, 파란 천 위로 붉은 피가
　　흩뿌려진다.

— 다시 해상의 집 서재로 돌아오면
　　놀라서 눈을 뜨는 산영. 떨리는 눈빛으로 푸른 옹기 조각을 내려다보는데..

은명과 마주 앉아 얘기 중인 해상. 손에 들린 엄마의 사진을 보여주며

해상	이분이 구강모 교수와 같이 왔다구요? 어떻게 아는 사이였대요?
은명	지역조사를 하던 중에 우연히 만나셨다고 들었어요.
해상	또 다른 건 없나요?
은명	두 분에 대해 아는 건 그것뿐입니다.
해상	..작은 거라도 좋으니까 기억해주세요. 그분.. 제 어머니입니다.

은명, 가만히 해상을 바라보다가

은명	떠나기 전에 저한테 부탁을 하나 하셨어요.
해상	...
은명	죽은 아이를 위해서 경을 읽어달라고 하시더군요.

은명, 일어서서 장부들을 꽂아놓은 책장으로 가서 '1995년'이라고 적힌
장부를 꺼낸다. 빛바랜 장부를 한 장 두 장 넘기면 독경을 의뢰받은 듯한
사람들의 이름, 생년월일들이 적혀있는데..
그런 장부 중 한 페이지에 멈추며. 해상에게 보여준다.

은명	이 이름이었어요.

염해진, 사망 일시 1995년, 3월 17일

해상, '염해진'이란 이름에 눈빛 흔들리면서 종이를 바라보는데..

은명   배 속에서 태어나지 못하고 죽은 아이라고 하셨어요. 자기가
          잘못되면 아무도 제사를 지내주지 않을 거라고 말씀하셨죠.

          해상, 더욱 굳은 눈빛으로 종이를 바라보는데..

          — 인서트
          — 4부, 13씬. 경문의 방에 있던 탁상용 달력에 적혀져 있던 출산 예정일.
          — 5부, 30씬. 잠든 경문을 내려다보는 강모.

강모   ..둘째는 죽어야 해.

          — 5부, 52씬, 바닷가 바위에 걸터앉아 잠시 휴식을 취하고 있던 듯한 강모와
            경문.

강모   태자귀를 만들기 위해 희생당하는 애는 꼭 둘째여야 했습니다.

          — 다시 은명의 집으로 돌아오면,
            설마..설마.. 더욱 눈빛이 떨려오는 해상.

씬/3   N, 광천서 창고

          어느새 꽤 많이 살펴본 듯 박스들이 옮겨져 있는 창고 안.
          문춘, 피곤한 듯 돋보기안경을 벗고 눈을 비비다가 다시 마지막 박스를
          열고 안에 있는 서류들을 한 장 두 장 확인하다가 뭔가를 발견하고 놀라서
          멈칫한다, 그때 울리는 전화, 해상이다.

씬/4   N, 경정이의 집 인근 도로 일각

주차된 차를 향해 다가오고 있는 해상, 문춘과 통화 중이다.

해상   어디세요? 제가 갈게요. 꼭 뵙고 드릴 얘기가 있어요.
문춘(소리)   ..나도 얘기할 게 있어. 광천경찰서에 있으니까 이쪽으로 와.
해상   알겠습니다.

전화를 끊고 차에 올라타려는데 또다시 울리는 전화. 산영이다.
가만히 산영의 이름이 뜬 액정화면을 바라보던 해상. 전화를 받는다.

해상   여보세요.
산영(소리)   ...

해상, 산영이 얘기가 없자 의아한 얼굴로

해상   여보세요?
산영(소리)   ..여쭤볼 게 있어서 전화했어요.

씬/5   N, 거리 일각

가라앉은 눈빛으로 전화를 하고 있는 산영.

산영   ..교수님 저한테.. 숨기시는 거 있으세요?

씬/6   N, 경쟁이의 집 인근 도로 일각

해상, 말없이 생각하다가..

해상   그건 왜 물어보는 겁니까?

씬/7   N, 거리 일각

쉽게 입을 열지 못하고 망설이는 산영.

산영   만약에 그런 게 있으시면..
해상(소리)   아뇨. 그런 거 없습니다.

여지를 주지 않는 해상의 건조한 목소리에 산영, 낯빛 어두워지다가

산영   ..알겠습니다.

전화를 끊는 산영.

씬/8   N, 경쟁이의 집 인근 도로 일각

끊긴 핸드폰을 가만히 내려다보는 해상.

핸드폰을 주머니에 넣고 앞으로 걸어가는 산영.
저 앞쪽으로 피시방 간판이 보인다. 피시방 건물 안으로 들어간다.
카운터로 다가가 알바생에게

산영   종이랑 펜 좀 빌릴게요.

— 시간 경과되면
컴퓨터 앞에서 뭔가를 그리고 있는 산영. 아까 본 우진의 교복에 붙어있던
학교 마크다.
인터넷으로 전국 고등학교를 검색해보는 산영. 하나하나씩 떠오르는 학교
마크들과 자신이 그린 우진의 교복 마크를 비교해보는 산영의 모습 위로

산영(소리)   교수님도 그 남자애도 믿을 수 없어.. 걔가 누군지 어떤 아인지
왜 죽었는지 알아내야 해. 그걸 알아내면.. 악귀가 왜 그 애를
가리켜준 건지.. 최만월.. 그 여자가 누군지 알 수 있겠지..

계속해서 검색해나가던 산영, 드디어 우진의 교복마크와 일치하는 학교를
발견한다. '장일고등학교'다. 인터넷에 다시 '장일고등학교 교복'을 쳐본다.
떠오르는 이미지들. 우진이 입고 있던 교복과 일치한다.
가만히 생각에 잠겨 장일고등학교 교복을 바라보는 산영의 모습에서..

1999년, 장일고등학교 교복을 입은 우진과 치원, 거실 현관 앞에

짐가방을 놓고서 어딘가를 바라보고 있다. 소파에 앉아 신문을 보고있는
병희와 무표정한 얼굴로 맞은편에 앉아있는 고등학생 해상이다.
두 사람을 향해 90도로 인사하는 치원. 우진은 화려한 거실이 희한한
듯 둘러보고 있는데 치원, 그런 우진의 고개를 잡아 내리며 억지로
인사시킨다.

치원 부족한 아들놈까지 함께 살게 해주셔서 감사합니다. 이 은혜는
　　　　죽을 때까지 잊지 않겠습니다.

병희 부인 장례는?

치원 덕분에 무사히 치렀습니다.

　　　　병희, 신문을 접고 일어서며

병희 뭐 하고 앉았어? 안 갖고 오고.

　　　　해상, 병희의 말에 거실 한 켠에 놓인 항아리를 가지고 온다.
　　　　병희, 치원과 우진 앞으로 다가가고 해상, 항아리를 가지고 그 뒤를
　　　　따르는데 병희, 항아리 뚜껑을 열어 안에 들어있던 팥과 소금을 치원과
　　　　우진에게 뿌린다.
　　　　치원은 예상하고 있던 듯 표정 하나 바뀌지 않고, 우진, 이게 뭐지? 놀라서
　　　　바라보는데..

병희 (치원에게) 바닥 치워. 앞으로 애 단속 잘하고.

치원 (다시 90도로 인사하며) 명심하겠습니다.

　　　　우진, 놀라서 병희 보다가 해상을 보는데 눈도 마주치지 않는 해상, 항아리를
　　　　원래 있던 자리에 갖다 놓고는 자기 방이 있는 2층으로 올라가 버린다.

씬/11   D, 과거, 동장소

아무도 없는 조용하기만 한 거실로 가방을 메고 들어서는 교복 차림의
해상. 이층으로 올라가려는데 한쪽 방문 삐걱 열리면서 은밀하게 나오는
다른 학교 교복 차림의 우진. 해상, 놀라서 굳은 얼굴로

해상   뭐하냐?

아 깜짝이야. 놀라서 보는 우진.

우진   아 놀랐잖아. (해상 교복 힐긋 보고는) 좋은 학교 다니네. 부잣집
          애는 다르긴 달라.

해상   거기서 왜 나오냐구. 거기 할머니 침실이야.

우진   알아. 별거 없더라구. (다른 방 향해 다가가며) 뭐 재밌는 데 없나?

해상, 어이없다는 듯한 얼굴로 우진 바라보며

해상   너 쫓겨나고 싶어?

우진   지금 집에 아무도 없어. 일하시는 아주머니 장 보러 가셨고,
          왕소금 할머니는 아빠랑 나갔고.

해상   왕소금..? (믿기지 않는 얼굴로) 그거 우리 할머니 말하는 거야?

우진   응. 니네 할머니 대단해. 어떻게 처음 본 사람을 김장을
          담궈버리냐.

우진, 아무렇지 않은 표정으로 또 다른 방문 열고 들어가 버리고
해상, 누가 볼까 놀래서 주변 살피다가 뒤따라 들어간다.

먼지 하나 보이지 않는 잘 정돈된 서재로 들어서는 우진.
여기저기 꽂혀진 책들, 고급스런 책상 위를 우와.. 감탄하며 바라보다가 책
한 권 빼서 살펴보는 우진. 해상, 뒤늦게 들어와 방문 살짝 닫으며 자기도
모르게 낮은 목소리로

해상 야, 미쳤어? 그거 돌아가신 아빠 거야.

다가와서 우진이 보던 책 뺏어서 있던 곳에 꽂아 넣으며

해상 여기 물건 아무것도 건드려선 안 돼. 할아버지 때부터 한 번도
변한 적이 없다구.

우진 물건이란 게 사람이 쓰라고 만든 거잖아. 그걸 왜 보기만 해.

얘기하며 책상 쪽으로 다가와서 이것저것 살펴본다.
해상, 쫓아와서 우진이 본 것 다시 제자리에 각도 맞춰서 내려놓는데
우진, 서랍을 열어보는데 안에 들어있는 카메라를 보고 와..
바라보는 해상, 우진의 손에서 카메라 뺏으려는데
우진, 이쪽 저쪽으로 피하며 카메라 살펴보는

우진 너네 아빠가 쓰던 건가? 아직 필름이 안에 있네.

해상, 미치고 팔짝 뛰겠는 눈빛으로 바라보는데 순간, 문밖에서 들려오는
문 열리는 소리.
뒤이어 치원의 목소리가 들려온다.

병희(소리) (화난) 이 편지 누가 보낸 건지 알아내.

치원(소리) 알겠습니다.

병희(소리) 대답만 하지 말고 지금 당장 알아봐!

들려오는 얘기 소리에 놀라서 시선 마주치는 해상과 우진.

우진 왕소금, 뚜껑 열렸다.

해상, 순간 헛웃음이 터진다. 우진 역시 해상 보며 입을 막고 억지로
웃음을 참는데.. 문밖, 이쪽으로 다가오는 발자국 소리.
해상, 놀래서 우진의 손에서 재빨리 카메라 뺏어 들어 서랍 안에 넣고..
우진은 여기저기 탈출구를 찾다가 창문을 발견, 조심스레 창문을 열고
밖으로 빠져나가며 해상에게 빨리 나오라고 손짓한다.

씬/13 D, 과거, 해상의 본가 정원

창문을 통해 빠져나와 그 아래로 숨는 두 사람. 해상, 안도의 한숨을
내쉬는데.. 역시 숨을 돌리던 우진, 정원 한쪽에 세워진 창고 건물을 보고

우진 저긴 또 뭐야?

해상, 우진 입 막으면서 낮은 목소리로

해상 조용히 좀 해.

우진 (낮은) 저긴 뭐 하는 데냐구.

해상 창고.

악귀 2

우진	안에 뭐가 있는데?
해상	창고에 뭐가 있겠냐. 버릴 잡동사니들이겠지.

우진, 해상을 가만히 보다가

우진	넌 가진 건 많은데 뭘 가졌는지는 모르는구나.

해상, 뭔 말이야? 우진 보다가 멈칫.. 우진의 눈빛이 잠시 붉어졌다가
돌아온다.
두려운 듯 시선 돌려버리는 해상. 그런 해상을 이상한 듯 보는 우진.

우진	왜? 내 얼굴에 뭐가 묻었어?
해상	아냐. 다음부턴 절대 이런 짓 하지 마.

먼저 일어서서 멀어지는 해상.

씬/14   N, 과거, 해상의 본가 서재

은밀한 움직임으로 어두운 서재 안으로 들어서는 우진.
더듬더듬 여기저기 부딪치면서 책상 쪽으로 다가가 스탠드 불빛을 켠다.
카메라가 들어있던 책상 서랍을 열고 카메라를 꺼내서 호기심 가득한
눈빛으로 여기저기를 살펴보다가 서서히 눈빛이 가라앉으면서 한숨.

우진	쓰지도 않을 거면.. 나나 주지..

아쉬운 듯 보다가 다시 카메라를 서랍 안에 넣으려던 우진, 카메라

아래에 깔려있던 듯한 오래되어 보이는 서류에 시선이 간다. 50대 여자의 흑백사진.

이름, 최만월. 출생, 장진리 OO번지. 직업, 무속인 등 인적사항이 적힌 서류, 최만월의 얼굴 사진으로 서서히 다가가는 화면에서

씬/15   N, 현재, 아파트 건물 밖

힘없는 발걸음으로 집으로 돌아오던 홍새. 문득 발걸음을 멈추고 고개 들어 아파트 건물을 바라보다가 옅은 한숨 내쉬며 천천히 아파트 놀이터 의자에 걸터앉는다. 어두운 눈빛으로 주머니에 두 손을 넣고 불 켜진 자신의 집을 바라보는데..

그런 홍새에게 다가오는 구둣발. 치원이다. 치원의 등 뒤쪽에는 치원의 비서가 서 있고..

치원   이홍새 형사님이시죠?

홍새   (의아한) 누구십니까?

― 시간 경과되면

함께 의자에 앉아있는 홍새와 치원.

'중현캐피탈 김치원 부사장'이란 명함을 내려다보고 있는 홍새.

치원   본론부터 말씀드리죠. 파트너인 서문춘 형사님이 뭘 수사하고 계시는지 알려주셨으면 합니다.

홍새, 빤히 치원을 보다가

홍새	내가 왜 그래야 되는데요?
치원	경찰대에서 팀웍을 무시하고 독단적인 행동을 일삼다가 겨우 졸업하셨다면서요.
홍새	(눈빛 험악해진다)
치원	동료들 평가가 최악이긴 하지만 수사 능력 하나만큼은 뛰어나시다고 들었습니다.
홍새	..내 뒷조사하신 거예요?
치원	형사님도 우리 뒷조사 한번 해보시죠. 우린 대부업을 하는 회삽니다. 영향력 있는 고객들이 많죠. 그래서 기업 기밀 사항들도 많이 알고 있습니다. 승진을 할 수 있을 만한 고급정보들이요.

홍새, 순간 눈빛 흔들리지만..

홍새	오늘 얘긴 못 들은 걸로 하겠습니다.

홍새, 자리에서 일어서는데..

치원	이건 뇌물이 아니라 공익적인 제보입니다.

홍새, 멈칫하는..

치원	그냥 서문춘 형사님이 뭘 하고 계시는지만 알려주면 됩니다.

홍새, 치원을 보다가..

홍새	대체 왜 이러시는 겁니까?

치원	...
홍새	뭘 원하는지를 알아야 제대로 알아볼 거 아닙니까.

치원, 가만히 홍새를 바라보다가..

치원	염해상 교수와 관련된 모든 것들을 알려주세요. 염 교수와 서문춘 형사가 만나서 뭘 얘기하는지, 뭘 궁금해하는지, 어떤 정보를 교환하는지 아주 작은 일이라도 모두 알아봐 주시면 됩니다.

해상의 이름이 나오자 홍새, 의외라는 듯 가만히 치원을 바라보는데..

씬/16   N, 광천서 인근 국밥집

늦은 밤, 인적이 드문 국밥집. 한 테이블에 앉아 소주 한잔에 국밥을 먹고 있는 문춘.
문 열리면서 들어서는 해상. 문춘의 맞은편에 앉는다.

문춘	식사는?
해상	괜찮습니다.

문춘, 해상 앞에 소주잔 놓으며 버릇처럼 소주를 따르려는데

해상	술도 괜찮아요.
문춘	웬일이야? 물 마시듯 마시던 사람이?
해상	저한테 동생이 있었어요.

문춘	무슨 얘기야?
해상	태어나지도 못한 동생이 있었다구요.
문춘	...(이해가 가지 않는 얼굴로 바라본다)
해상	(혼란스러운 얼굴로) 둘째는 죽어야 한다.. 둘째여서 악귀한테 죽임을 당한 거예요. 장진리에서 태자귀를 만들 때 둘째 중에서 만들었으니까.. 그 보복을 하는 거예요.
문춘	태자귀.. 이목단 사건 말하는 거야?
해상	(혼란스러움에 문춘의 말에 대답하지 않고 얘기를 이어나가는) 어머니가 어떻게 악귀를 알고 있었는지 왜 악귀를 없애려고 했는지 언제나 궁금했었는데.. 우리 집에.. 악귀가 있었던 것 같아요. 돌아가시기 전에 구강모 교수가 알던 경쟁이한테 금줄을 만들어 달라고 하셨대요.
문춘	어머님이랑 죽은 구강모 교수가 알던 사이였다구?
해상	구강모 교수에 대해 더 알아봐야겠어요. 그때 보여주셨던 구강모 교수 주변에서 벌어졌던 사건 파일들.. 그 사건들을 조사해 봐야겠어요.
문춘	그 사건들은 벌써 내가 충분히 살펴봤어. 그것보다 이거 한번 봐봐.

문춘, 가방 안에서 서류 파일을 꺼내 해상에게 건넨다.

해상	이게 뭡니까?
문춘	어머님 사건 이전에도 손목에 붉은 피멍이 든 채 자살한 사람들이 있었어.

해상, 파일을 열면, 투명 비닐 속지 안에 넣어져 있는 4부, 8씬, 강모의 불탄 노트에서 복원된 목단의 사건 기사다.

해상	(멈칫) 이 사건을 형사님도 알고 계셨어요?
문춘	(보다가) 염 교수도 아는 사건인 것 같으니까 따로 설명하지 않아도 되겠네. 이 기사. 예전에 염 교수가 복원해달라고 했던 그 노트에서 나온 거야.
해상	구강모 교수님 노트 말입니까?
문춘	그래. 그런데 이 기사를 쓴 기자도 그 사건 직후, 손목에 붉은 멍이 든 채 자살했어.
해상	(놀라서 바라보는)
문춘	그런데 한 명이 더 있는 것 같아..

해상, 다음 장으로 넘기면 3씬에서 문춘이 발견한 사건조서들이 낱장으로 속지에 넣어져 있다.

'女兒 拉致 殺人事件 容疑者 崔滿月 事件'이라는 제목. 날짜는 1958년, 0월 0일이다.

* 자막 - 여아 납치 살인사건 용의자 최만월 사건

문춘	당시 그 여자아이 납치 살인 사건의 용의자를 조사한 조서야. 워낙 오래돼서 군데군데 알아보기 힘들긴 하지만 그래도 내용을 알아볼 순 있었어.

파일 다음 장을 넘겨 읽어 내려가는 해상을 바라보며 얘기를 이어가는 문춘.

문춘	경찰이 용의자로 지목한 사람은 인근 지역에서 가장 용하다고 소문난 무속인. 최만월이란 여자였어.

─ 낮, 마을에서 동떨어진 갈대밭 사이 을씨년스럽게 자리잡은 만월의
  신당으로 다가가고 있는 형사들 '계십니까?' 문을 두드려보지만, 대답이
  없다.
  삐꺽 문을 열고 안으로 들어간다.

─ 낮, 널찍한 만월의 신당 안. 벽면 가득 걸려있는 탱화들. 삼면에 설치된
  신단을 빼곡히 메운 향과 초. 원불상들. 색색깔의 지화가 담긴 꽃병,
  쌀불기, 향로과 음식들. 여기저기 걸려있는 무구들과 무복들. 인기척 하나
  없이 조용한 신당 안을 다른 방향으로 갈라져서 훑어보는 형사들. 형사1,
  한쪽 신단 위를 살펴보다가 음식들 사이에 정갈하게 개어져 있는 어린
  여자아이의 옷을 발견하고 멈칫.
  형사2, 다른 쪽 신단을 훑어보면 신단 위에 가지런히 놓여있는 붉은 댕기,
  푸른 옹기 조각, 마치 뭔가를 묶었다가 잘라진 듯 매듭이 지어져 있는
  흑고무줄, 반으로 깨져있는 옥비녀, 붉은색 안료가 담겨있는 초자병이다.
  다른 쪽에서 어린 여자아이의 옷을 바라보던 형사1, 옷 너머 제단 위에
  놓인 물건들 뒤 어둠이 수상한 듯 다가가는데 그 틈 사이로 순간 반짝
  떠지는 만월의 눈. '헉' 형사1, 놀라는 순간 '우당탕' 제단 뒤에 숨어있다가
  튀어나온 만월, 형사1을 덮친다. '으아아악' 괴성과 함께 '여기가 어디라고
  감히 건드려!' 외치며 형사1의 머리를 잡고 패악을 부리는 만월.
  형사2, 놀라서 그런 만월을 제압하기 시작한다. 쪽 찐 머리가 헝클어질
  때까지 발악하는 만월(50대 후반, 여)의 광기 어린 눈빛 위로

문춘(소리) 그 무당의 집에서 사라진 여자아이의 옷가지와 잘린 손가락이
         발견됐어. 범인이 확실했지.

늦은 밤, 다들 퇴근한 듯 텅 빈 사무실. 한쪽에 설치된 유치장 안에는
헝클어진 쪽 찐 머리에 한복 차림의 만월이 갇힌 채 멍하니 앉아있다.
좀 떨어진 책상 위에서 당직 중인 듯한 순경1, 엎드린 채 잠들어 있는데..
문 쪽에서 들려오는 '똑똑똑' 노크 소리. 유치장 안의 만월의 눈빛, 순간
공포심이 엿보이기 시작한다.
여전히 잠들어 있는 순경. 문이 열리지 않자 점점 커지는 문 두드리는
소리. 그 소리에 순경, 잠을 깨고 고개를 드는데 만월, 공포에 젖은
눈빛으로 유치장 철창을 '쾅' 잡으며

만월   안 돼.. 열지 마..

순경, 뭐라는 거야 보다가 연신 문 두드리는 소리가 들려오는 문 쪽으로
다가간다.

만월   열지 말라니까!!

순경, 이상한 듯 보면서 벌컥 문을 여는데 문 너머에 서 있는 양복을 걸친
누군가의 발이 보인다. 순간, 쾅 소리가 들려오는 유치장.
순경, 의아한 듯 유치장 쪽을 바라보는데 유치장 안의 만월, 겁에 질린
눈빛으로 바들바들 떨면서 한복 치마를 찢고 있다. 점점 붉은 멍이 들고
있는 손목으로 창문에 있는 철창에 천을 거는 만월.
순경 놀라서 '뭐하는 거야!' 달려가서 유치장 열쇠를 찾는데 시간이
걸린다. '안 돼! 하지 마!!' 외치면서 '쾅쾅' 유치장 문을 두드리는 순경.
그런 모습에서 서서히 문 쪽을 비추면 서 있는 양복 남의 발.

문춘(소리) 유력한 용의자 최만월이 자살하면서 결국 이 사건은 내사종결
됐어.

씬/19   N, 현재, 광천서 인근 국밥집

'容疑者 崔萬月의 神堂에서 被害者의 옷가지와 切斷된 被害者의 身體
發見' '管內에서 調査중 深夜에 監視가 疏忽한 틈을 타 목을 매어 自殺.
變死者 特異點 손목에 붉은 줄.'

중간중간 흐릿하게 빛이 바랜 조서를 바라보고 있는 해상. 가장 마지막
줄엔 담당 형사 황태현, 이석금.

문춘 이 사건의 용의자도 이 사건을 쓴 기자도 손목에 붉은 멍이 든 채
자살을 했어. 여기서부터 시작하면 염 교수 어머님 사건을 풀 수
있을 것 같아.

해상은 말없이 조서만 내려다보고 있다.

문춘 그때 사건을 담당했던 형사들에 대해서 알아봐달라고 했어.
유가족들을 만나보면 뭐라도 단서가 나오겠지.

해상 최만월..

문춘 (보는)

해상 이 무당의 유가족에 대해서도 알아봐 주실 수 있을까요? 꼭..
물어보고 싶은 게 있습니다.

문춘, 의아한 듯 바라보면, 해상, 다시 조서를 바라본다. 조서에 적혀있는
만월의 신당에서 발견한 물건들 목록. '붉은 댕기, 옹기 조각, 흑고무줄,
옥비녀, 초자병'이다.
목록을 내려다보는 해상의 모습 위로

해상(소리) 다섯 개의 물건..

씬/20 N, 거리 일각

늦은 밤, 홍새, 주변을 두리번거리면서 앞으로 나아가다가 '00피시방'
간판을 발견하고 다가가는데
피시방 건물 앞에서 홍새를 기다리고 있던 듯한 산영과 마주친다.

홍새 게임 좋아해? 이 시간까지 피시방에 있게?
산영 선배님은 이 시간에 갑자기 왜 보자고 하신 건데요?

홍새, 가만히 산영을 보다가

홍새 커피라도 한잔 하자. 내가 살게. 내가 보자고 한 거니까.
산영 제가 살게요. 저도 선배님한테 부탁할 게 있어서요.

씬/21 N, 카페 안

마주 앉아있는 두 사람. 커피를 한 모금 마시고 그 맛을 음미하는 듯
천천히 삼키는 산영.

악귀 2

산영	맛있다..

홍새, 산영을 가만히 바라보다가

홍새	할머니 유산 받았니?
산영	...(낯빛 살짝 보일 듯 말 듯 굳는)
홍새	저번에도 그렇고 오늘도 그렇고 예전보다 풍족해 보여서.
산영	받았어요. 그러면 안 돼요?
홍새	..너 그 사건 용의자야. 잊지 말라고.

산영, 홍새 얘기 듣다가

산영	그래서 용의자는 왜 보자고 하신 건데요?
홍새	..염해상 교수. 어떤 사람이냐?
산영	(의외인 듯 보다가) 선배님, 형사잖아요. 맘 먹고 알아내려면 혼자서도 알아낼 수 있을 텐데 왜 나한테 물어보세요?
홍새	제영대학교 민속학과 교수 같은 정보야 알아내기 쉽지. 인터넷만 쳐봐도 나오니까. 그런데 그 사람이 뭘 생각하는지는 안 나오잖아.
산영	교수님이 왜 알고 싶으신데요?
홍새	윤정이 사건 때도 그렇고. 여러모로 희한한 사람인 것 같아서.
산영	선배님이랑 같이 다니는 형사님한테 여쭤보면 나올 텐데. 두 분이 친한 사이던데요.

문춘의 얘기가 나오자 홍새, 눈빛 멈칫하다가

홍새	얘기하기 싫어? 그 교수에 대해서?

산영	제 부탁 먼저 들어주시면 말씀드릴게요.
홍새	뭔데?
산영	..사람을 찾고 싶어요.
홍새	누군데?
산영	이름은 몰라요.
홍새	(어이없는) 이름을 몰라? 그런 사람을 무슨 수로 찾아?
산영	서울, 장일고등학교 학생이에요.
홍새	장일고? 몇 년도 졸업생인데?
산영	..졸업하진 못했어요.

— 인서트
— 6부, 51씬. 편의점 앞에서 산영에게 얘기하던 해상.

해상	..내가 알던 친구는.. 끊임없이 다른 사람의 것을 탐하다가 그런 자기 자신을 견디지 못하고 자살해버렸어요.

— 6부, 45씬. 해상의 집, 유리창에 비친 고등학교 교복 차림의 붉은 눈빛의 우진.
— 밤, 피시방, 인터넷에 염해상 교수를 검색하는 산영.
   제영대 민속학과 교수. 1983년 출생. 출생 연도를 바라본다.

— 다시 카페로 돌아오면

산영	1999년도에 입학한 학생들 중 한 명이에요.
홍새	정보가 너무 적어. 그 연도에 입학한 학생들 백 명은 넘을걸.

산영	자살했어요.
홍새	(보는)
산영	그때 그 학교를 다니다가 자살로 숨진 학생을 찾아주세요.

홍새, 가만히 산영을 바라보다가

홍새	너 꼭 다른 사람 같다.
산영	..제가 어떤 사람이었는데요?

홍새를 바라보는 산영, 그런 산영을 바라보는 홍새.

홍새	그래. 내가 잘못 알았나 보다.

씬/22   D, 점집 외경

한적한 골목길에 위치한 'OO암' 간판이 붙은 주택.

씬/23   D, 점집

점상 위에 펼쳐진 종이에 적힌 글씨. '壬戌年, 癸丑月, 丁酉日, 丑時'
누군가의 사주를 내려다보는 시선. 30대 후반의 근엄하고 진지해 보이는
점쟁이다.

점쟁이	임술년, 계축월, 정유일, 축시 출생이라.. 물과 쇠가 많은 게 평생 걱정 없고 돈 걱정 없이 살 팔자예요.

점쟁이의 맞은편을 비추면 가만히 앉아서 얘기를 듣고 있는 해상이다.

점쟁이   직업적으로는 한 분야에 몰두할 수 있는 게 딱이네. 교수,
　　　　요리사, 의사 등의 전문 직종이 맞거든요. (해상 보며) 직업이?

해상　　교수요.

점쟁이   운명이네요. 천직을 잘 찾아가셨어요. 초년운 좋고.. 말년운 다
　　　　좋은데 지금이 좀 고비긴 해요..

점쟁이의 얘기를 들으면서 점집 안을 천천히 둘러보는 해상.

점쟁이   운전하시죠?

해상　　예.

점쟁이   사고 조심해요. 특히 비 오는 날, 밤.

해상　　원래 위험하죠. 비 오는 날 밤 운전.

점쟁이   (보다가) 안 믿으시네.. 많이들 그래요. 그러다가 한번 크게
　　　　다치고 나면 다시 찾아오시죠. (사주 보다가) 중년운이 좀 많이
　　　　안 좋으세요. 부부 사이에 이별수도 있구요.

해상　　미혼입니다.

점쟁이   ..다행이네요.

해상　　안 보여요.

점쟁이   예?

해상　　여기 어디에도 당신에게 미래를 얘기해줄 귀신은 없다구요.

점쟁이, 멈칫해서 보는..

해상　　고모할머께 물려받으신 신기는 사라진 겁니까?

점쟁이   당신 누구야.. 고모할머니를 알아요?

해상	..장진리에서 가장 용하다는 무당. 최만월.. 그분 조카 손주시죠?

놀라서 해상을 바라보는 점쟁이.

씬/24   D, 점집 또 다른 방

드르륵 문이 열리면서 문밖에서 쏟아지는 햇빛에 드러나는 방 안. 만월의
사진이 걸려있고, 그 앞에 제사상이 차려져 있다.
먼저 들어선 해상, 방 안을 둘러보는데 긴장한 얼굴로 두리번거리면서 그
뒤를 따르는 점쟁이.

점쟁이	보여요? 고모할머니 귀신이 계십니까?
해상	아뇨.. 아무것도 보이지 않아요.

실망한 듯 한숨 내쉬면서 들어서는 점쟁이. 제단 앞에 털썩 주저앉으며

점쟁이	어렸을 때 그렇게 싫다고 할 땐 죽어도 안 떨어지더니 이젠 아무리 찾아도 귀신 코빼기 하나 볼 수가 없어요. 할 줄 아는 거라곤 이거밖에 없는데 미치겠네요.

해상, 점쟁이의 얘기를 들으면서 제단을 살펴보다가

해상	계속 제사를 지내고 계셨던 거예요?
점쟁이	끔찍한 일을 저지른 죄인이긴 하지만 워낙 용한 무당이셔서 신할머니로 와주시지 않을까 싶어서 지극정성으로 모시고 있어요. 따로 남긴 자식도 없으시고 해서.

제단을 둘러보던 해상, 점쟁이의 맞은편에 앉으며

해상　　이렇게 오랫동안 모셨다면 고모할머니에 대해 잘 알고
　　　　　계시겠네요.

점쟁이　예. 유품들도 다 모시고 있는데요.

해상　　그럼 이 물건들에 대해서도 들어보신 적 있으세요?

해상, 가방 안에서 붉은 댕기를 꺼내서 내려놓고 푸른 옹기 조각도 꺼내려는데
붉은 댕기를 본 점쟁이, 설마하는 눈빛으로

점쟁이　이거.. 혹시 그건가요. 태자귀..

해상　　(멈칫해서 바라보는) 태자귀요?

점쟁이　태자귀를 만들 때 댕기를 쓰셨다고 하셨어요.

씬/25　N, 과거, 장진리 마을 초입

1958년, 나뭇잎들을 스치는 스산한 바람 소리.
오솔길을 지나 장진리로 다가서는 한복 차림의 만월, 저 앞쪽으로 어두운
마을 초입 길에 횃불을 들고 초조한 듯 서 있는 장진리 이장과 마주친다.

만월　　　어떻게 됐어?

장진리 이장　둘째들을 모으라고 얘기해놨습니다.

씬/26   N, 과거, 목단이네 집 앞

집 앞쪽으로 하나둘씩, 남포등을 들고 당산나무로 향하고 있는 어린아이들.
'엄마 졸려..' '잠깐이면 돼' 아이들을 이끌고 있는 부모들도 보이고.. 그
사이에 아직도 잠에서 안 깬 듯 가물가물 바라보는 목단, 누군가의 치마를
꼭 부여잡고 대열에 끼어있다.

씬/27   N, 과거, 장진리 일각

2부 66씬에 이어지는.. 당산나무 아래에 선 아이들에게 다가와 아이들을
한 명 한 명 유심히 살펴보고 지나가던 만월. 목단의 앞에서 우뚝
멈춰서서 천천히 손에 든 붉은 배씨댕기를 건네주는 듯한 모습에서..

씬/28   D, 현재, 점집 또 다른 방

점쟁이의 얘기를 듣고 있던 해상. 손에 들린 붉은 댕기를 바라보며

해상   이 댕기가 태자귀가 될 아이한테 주는 표식이었다구요?
점쟁이   마을을 위해서 희생해야 되는 아이니까, 혼내지도 말고
            잘해줘야 한다는 의미로 쓰였대요..

댕기를 어둡게 가라앉은 눈빛으로 바라보는 해상.

점쟁이   워낙 어려웠던 시절이긴 했지만 그해가 유독 가혹했었나 봐요.
            가뭄에 태풍까지 들었다는군요. 그래서 해서는 안 되는 일까지

저지르신 것 같아요.

해상 어떻게 그렇게 자세하게 알고 계시는 거죠?

점쟁이 고모할머님 유품 중에 그때 남겨두신 기록이 있었거든요.

해상, 멈칫해서 바라보는..

해상 그 기록 보여주실 수 있을까요?

— 시간 경과되면

다락방에 보관하고 있던 듯한 화려한 꽃무늬가 새겨진 큰 대감 상자를
해상의 앞에 내려놓는 점쟁이. 박스를 열어 안에 들어있던 무복과
무구들을 내려놓으며

점쟁이 그런데 고모할머니에 대해서 왜 그렇게 궁금해하시는 거예요?
귀신을 볼 수 있다더니 혹시 개업 준비하시는 겁니까? 동업하실
생각은 없으세요?

해상 없습니다.

점쟁이 (실망하지만) 혹시라도 생각이 바뀌시면 꼭 연락주세요.

상자 안에서 물건들 꺼내던 점쟁이. 오래되어 보이는 작은 수첩을 꺼내
해상에게 건네주며

점쟁이 이겁니다.

해상, 수첩을 받아 들어 조심스럽게 한 장 두 장 넘겨보기 시작한다.
의뢰인의 이름, 사주들이 빼곡히 한문으로 적혀있는 수첩들 사이사이
재수굿, 당굿, 내림굿 등 굿을 올린 날짜, 내용과 답례로 받은 돈, 쌀, 비단

등등의 목록들. 가장 마지막 장을 보면 '장진리 태자귀'라고 적혀있는 항목.
날짜 0월 0일, 그 아래 답례로 받은 듯 '푸른 옹기, 옥비녀'라는 글자 옆에
'일금 십억 환'이라고 적힌 어음이 붙여져 있다. 수첩을 내려다보던 해상의
눈빛에 의구심이 피어오른다.

해상　　이렇게 큰돈을 대가로 받았다구요..

점쟁이　큰돈이 걸렸으니 어린아이를 죽이기까지 했겠죠.

해상　　이 돈은 지금 가치로 환산하면 강남 한복판에 빌딩을 살 수 있을
　　　　　정도예요.

점쟁이　(놀라는) 그 정도로 큰돈이었어요?

해상, 혼란스러운 시선으로 수첩 안에 붙여진 어음을 내려다보며

해상　　가난했던 장진리 사람들이 낼 수 있는 금액이 아니에요.. 대체
　　　　　누가 이런 거금을 지불한 거지..

해상의 시선이 멈추는 곳. 어음에 적혀있는 발행회사 '중현상사'다.
믿기지 않는 듯 '중현상사' 글씨를 바라보던 해상, 수첩과 물건들을 다시
대감 상자 안에 넣으며

해상　　이것 좀 제가 가져가도 되겠습니까?

점쟁이　아니 그게..

해상　　꼭 다시 돌려드릴게요.

산영과 마주 앉은 홍새.

홍새   니가 말한 장일고등학교 1999년도 입학생들 위주로 자살한
변사자가 있는지 찾아봤어.

산영   찾았어요?

홍새   (보다가) 아니. 없었어.

산영   (멈칫) ..정말 없었어요?

홍새   자살한 학생은 없었어.. 그런데..

산영   (보는)

홍새   그때쯤 그 학교에서 이상한 변사사건이 연달아 일어났어.

홍새, 가방 안에서 프린트한 서류들을 꺼내서 내려놓는다. 산영, 프린트한
서류들을 확인한다.

'오환기 장일고 3학년 4반, 야간 자율학습 중 화장실에서 숨진 채로 발견.
외상 없음. 부검 결과 심장마비로 인한 돌연사로 결론.'

'홍지훈 1학년 3반. 점심시간, 학교 운동장에서 사망한 채로 발견.
심장마비로 인한 돌연사.'

변사자들의 서류들과 사인을 확인하던 산영.

산영   내가 찾던 애.. 이 학교 학생이 확실해요. 윤정이 사건이랑
똑같아요. 내가 찾는 애도 윤정이랑 똑같은 아귀가
씌어있었어요. 걔 때문에 쟤네들이 죽은 거예요.

홍새   또 귀신이냐?

산영   (보다가) 염해상 교수님이 어떤 분인지 궁금하다고 했죠.
교수님, 귀신이 보인대요.

홍새	뭐?
산영	나도 처음엔 미친 소리라고 생각했는데 이젠 나도 보여요.
홍새	(어이없는 눈빛으로 보는)
산영	교수님이랑 전 같은 악귀를 쫓고 있어요. 그 악귀를 없애려구요. 선배님은 믿지 못하겠지만 세상엔 귀신이 있어요.

홍새, 가만히 어이없다는 듯 생각하다가

홍새	지금 찾는 고등학생도 염해상 교수랑 쫓는다는 그 악귀인지 뭐시기 때문에 찾는 거야?
산영	..예.

홍새, 하.. 진짜 이걸 믿어야 하나 말아야 하나 하는 얼굴로 헛웃음을 짓는데
산영, 그럴 줄 알았다는 듯 일어서며

산영	못 믿겠으면 됐구요.
홍새	(산영 가로막으며) 어디가려구?
산영	그 학교에 가보려구요. 직접 가서 확인해 봐야겠어요.
홍새	가서 어쩔 건데?
산영	사립학교니까 그때 계셨던 선생님들이 지금도 있을 거예요. 그분들한테 여쭤봐야죠.
홍새	뭘 어떻게 물어볼 건데? 이름도 모르는 귀신 찾아달라 그럴려구?
산영	(말문 막히는)..
홍새	..가자.
산영	같이 가려구요?
홍새	가끔은 경찰신분증이 도움이 될 때도 있어.

씬/30   D, 장일고등학교 외경

씬/31   D, 교감실

'서울청 강력범죄수사대 이홍새 경위' 명함을 경계하는 눈빛으로
살펴보고 있는 50대 후반의 교감. 맞은편에는 산영과 홍새가 앉아있다.

교감   형사님이 저희 학교에는 무슨 볼일로 오신 거죠?
홍새   1999년도에 사망한 이 학교 학생들에 대해서 몇 가지
       여쭤볼 게 있어서요. 외부에 절대 비밀로 할 테니까 협조 좀
       부탁드리겠습니다.

       1999년도 얘기가 나오자 눈빛 가라앉는 교감.

홍새   1999년도에 학생들이 연달아 돌연사로 숨졌습니다.
       기억하십니까?
교감   ..당연히 기억하죠. 다들 정말 착한 애들이었는데.. 너무
       안타까운 일이었어요.. 그런데 그때 일은 왜 물어보시는
       겁니까?
홍새   죽은 아이들 사이에 공통점은 없었나요? 같은 동아리 활동을
       했다거나, 사는 곳이 비슷했다거나..
교감   ..아뇨.. 학년도 달랐고 전혀 모르던 사이였어요.

       산영, 교감의 얘기를 듣다가

산영   죽은 아이들의 소지품들이 사라지지 않았나요?

교감, 놀라서 산영을 보고 홍새 역시 멈칫해서 그런 교감을 본다.

교감   그 얘긴 어디서 들었어요?

산영   소지품을 가져간 아이 찾으셨어요? 키가 이 정도였고, 얼굴이
          하얗고 쌍꺼풀이 있었어요.

교감, 더욱 흔들리는 눈빛으로 산영을 보다가..

교감   우진이를.. 알아요?

씬/32   D, 과거, 1999년 교무실

책상 위 노트북과 핸드폰이 놓여있다. 당시 일반 선생님이었던 교감, 잔뜩
화난 얼굴로 맞은편을 바라보고 있다.
맞은편에는 무슨 생각을 하는지 알 수 없는 무표정한 얼굴의 우진이
고개를 숙이고 있다.

교감   모두 다 네 사물함에서 발견된 거다. 이거 다 니가 가져간 거니?

고개 숙이고 있던 우진, 고개를 끄덕인다.

교감   이건 죽은 네 동기와 선배 거야. 어떻게 이런 짓을 할 수 있니.

우진   ..왜 안 되는데요?

교감   ..뭐라구?

천천히 고개 드는 우진, 눈빛에 적의와 분함이 가득 차 있다.

우진	더 나쁜 짓을 해도 잘 먹고 잘사는 사람들이 많은데.. 왜 나만 안 되는데요?

씬/33 D, 현재, 교감실

프린트된 우진의 생활기록부를 확인하고 있는 산영과 홍새.
산영, 우진의 증명사진을 가만히 바라보고.. 홍새는 우진의 아버지 이름
'김치원'을 보고 눈빛 흔들리다가 주소를 바라보는 시선.

교감	생활기록부를 외부인에게 보여주는 건 엄격히 금지되어 있습니다. 외부에 발설은 절대 삼가주세요.
홍새	(생기부에서 시선 돌려 교감을 바라보며) 그럼요. 약속드리겠습니다.
교감	우진이 처음부터 그런 애는 아니었습니다. 원래는 밝은 성격이었는데 엄마 돌아가시고 힘들었는지 말수도 줄어들고 어두워졌어요.
홍새	그 뒤에 어떻게 됐습니까?
교감	다행히 죽은 아이들 부모님이 용서해 주셔서 훈계 조치로 끝났었는데 갑자기 교통사고를 당해서 결국 안타깝게 세상을 떠났어요.

홍새와 교감의 대화를 듣던 산영, 우진 생활기록부에 적힌 주소, 그리고
전화번호를 바라본다. '02-000-0000'.

악귀 2

씬/34   D, 해상의 본가

인기척이 전혀 없는 텅 빈 해상의 본가 곳곳을 비추는 화면.
조용한 정물화 같은 화면 흘러가다가 순간, 갑자기 '때르릉' 귀청을 울릴
듯 들려오는 전화기 소리.

씬/35   D, 장일고 주차장 일각

주차장 한 켠에 서서 혹시나 하는 얼굴로 전화를 걸고 있는 산영. '따르릉'
'따르릉' 전화음이 계속되지만 아무도 받지 않는다. 핸드폰을 끄려는 듯
귀에서 떼고 액정화면을 바라보는 산영.
'02-000-0000' 우진의 생기부에 적혀있던 전화번호를 보다가 전화를
끊으려는데 희미하게 들려오는 '달칵' 누군가 전화를 받는 소리.
산영, 놀라서 핸드폰을 다시 귓가에 갖다 대며

산영   여보세요?
(소리)   ...
산영   여보세요?

천천히 상대편에서 들려오는 목소리.

병희(소리) 누구시죠?

씬/36   D, 해상의 본가 거실

무표정한 얼굴로 전화를 받고 있는 병희.

병희   무슨 일로 전화하신 겁니까?

씬/37   D, 장일고 주차장 일각

순간, 말문이 막히는 산영.

산영   저기.. 우진이..
병희(소리)   똑바로 용건만 말하세요.

핸드폰 너머에서 들려오는 차가운 병희의 목소리에 산영, 문득 뭔가
떠오른 듯 망설이다가

산영   ..최만월씨라는 분을 찾고 있습니다.
병희(소리)   ...

산영, 다시 '여보세요' 하려는 순간, 핸드폰 너머에서 들려오기 시작하는
찢어질 듯한 짐승 같은 병희의 비명소리. 놀라서 핸드폰을 떨어뜨리는 산영.
정신 차리고 다시 핸드폰을 들어

산영   여보세요?

하지만 이미 '뚜뚜뚜뚜' 끊어진 전화.

놀라서 떨리는 눈빛으로 핸드폰을 바라보는 산영.

씬/38   D, 등기소 건물 외경

씬/39   D, 등기소

서류테이블에서 '폐쇄등기부 등·초본 발급신청서'를 작성하고 있는 해상.
만월의 수첩을 옆에 펼쳐놓고 마지막 장에 붙은 어음 용지를 확인하면서
서류를 작성하고 있다. 상호란에 적어 내려가는 상호명은 '정수상회'

— 시간 경과되면
창구로 가서 직원에게 신청서를 내는 해상. 잠시 뒤 신청한 폐쇄등기부를
해상에게 내어주는 직원. 한자 수기로 적힌 폐쇄등기부를 한장 한장
넘겨가며 확인하는 해상. 그러다가 마지막 정수상회 등기부를 보다가
낯빛이 굳는다. 대표 이름란에 적혀있는 세 글자. '염승옥'이다.

씬/40   D, 장일고 주차장 일각

놀라서 핸드폰을 내려다보고 있던 산영. 뒤쪽에서 들려오는 인기척에
돌아보면 건물에서 나와 주차장 쪽으로 걸어오고 있는 홍새다.
산영, 혼란스러운 얼굴로

산영   김우진이란 아이 집에 가봐야겠어요. 생활기록부에 있던 그
       주소 그대로인 것 같아요.

홍새, 그런 산영을 빤히 보다가

홍새   넌 정말 몰랐던 거야? 그 집이 누구 집인지?

산영   ..그게 무슨 말이에요?

홍새   ..사망한 중현캐피탈 초대 사장 염승옥의 집이었어. 지금은 그의
부인이자 현재 중현캐피탈 사장 나병희가 살고 있지.

산영   그 사람들이 누군데요?

홍새   염해상 교수의 조부모. 그 집 염해상 교수네 집이야.

산영, 놀라서 홍새를 바라보는데..

씬/41 D, 거리 일각 차 안

굳은 얼굴로 차를 운전하고 있는 해상. 울리는 전화, 문춘이다.

해상   네, 저예요.

씬/42 D, 경찰청 건물 주차장

주차장에 주차된 차 안에서 해상과 통화 중인 문춘. 손에는 과거
인사기록부 카피본이 들려있다. 수기로 적힌 인사기록부 형사 황태현
'직권면직' 그 뒷장 넘기면 형사 이석금 '직권면직'

문춘   그 사건을 담당했던 형사들을 알아봤는데 사건이 끝난 바로
뒤에 둘 다 직권면직이 됐어.

해상(소리)　이유가 뭐죠?

문춘　이유까지는 안 적혀있어. 그런데.. 냄새가 나.

해상(소리)　무슨 말씀이세요?

문춘, 손에 들린 과거 인사기록부 카피본을 바라보다가

문춘　뇌물.

씬/43　D, 차 안

운전을 하던 해상의 눈빛이 흔들린다.

문춘(소리)　용의자가 죽었다고 해도 내사종결시킬 만한 사건이 아니잖아.
　　　　　　　장진리 사람들도 그렇고 주변인들 모두 조사도 받지 않았어.

　— 인서트
　— 밤, 1958년, 인적이 드문 으슥한 산. 누군가와 만나고 있는 형사들.
　　형사들에게 어음을 건네는 누군가의 손. 어음을 펼쳐보는 형사들. 어음
　　발행회사는 '정수상회'다. 그런 모습 위로

문춘(소리)　사건을 파헤치던 기자도 죽었고, 용의자도 죽었고 담당
　　　　　　　형사들은 뇌물을 받고 서둘러 사건을 내사종결시켜버린 거지.

　— 다시 차 안으로 돌아오면
　　점점 눈빛 굳어가는 해상의 모습 위로

문춘(소리) 누군가 이 사건의 진실을 가려버린 거야.

해상, 눈빛 어둡게 흔들리다가

해상 제가 다시 전화드릴게요.

전화를 끊는 해상, 더욱 액셀을 밟는 모습 위로 '콰쾅' 천둥소리.

씬/44 D, 또 다른 거리 일각 홍새의 차 안

비가 내리는 정체된 도로 속 신호 대기하고 있는 홍새의 차.
운전석의 홍새. 조수석의 산영.
산영, 홍새가 건네준 듯한 서류봉투 안에서 자료를 꺼내 살펴보고 있다.
'중현상사'라는 제목 아래 일제강점기 시절의 면화와 미곡 산업 분포도
등등과 함께 오래된 목조 건물 앞에 흰 바탕에 검은 한문으로 적힌
'重願商事(중현상사)'라는 푯말.

홍새 거기 나온 중현상사가 중현캐피탈의 시초가 된 회사야.
산영 중현캐피탈이란 회사에 대해서 미리 조사를 한 거예요?
홍새 뭐 사건 수사하다가 좀 알아봤어.
산영 (자료 보면서) 꽤 오래된 회산가 봐요.
홍새 중현상사는 일제강점기 면화와 미곡 등 지역물산 매매와 알선을
하던 회사야. 손대는 사업마다 성공했는데 무리한 사업 확장에
6.25 전쟁까지 겹치면서 자금난에 시달리게 됐나 봐.

산영, 다음 장을 넘기면 해상 집안의 가계도와 함께 사진들 사이에 놓인

조부 염승옥을 비추는 화면.

홍새   중현상사를 물려받은 건 염해상 교수의 조부 염승옥. 운빨이
       좋았던지 다 무너져가던 회사를 일으켜 세웠어.

       산영, 계속 사진 넘기면 중현상호금융 설립연도 등 연혁과 신축 건물
       인수식, '신흥재벌 중현상호금융 사장 염승옥'이란 신문 기사 등등
       중현상호금융에 대한 자료들.

홍새   자금 위기를 벗어난 뒤 대부업체인 중현상호금융을 설립했는데
       그 이후로 날개가 달린 듯 승승장구하면서 신흥 재벌 순위에까지
       들었지. 그 회사가 지금의 중현캐피탈이 된 거야. 그런데.. 업계
       사람들이 이 회사를 뭐라고 불렀는지 알아?
산영   (보면)
홍새   삼도천이라고 불렀대.
산영   삼도천.. 이승과 저승 사이를 흐른다는 강이요?
홍새   넌 알고 있었냐? 난 검색해봤는데..
산영   왜 그렇게 부른 건데요?
홍새   그 회사에 걸림돌이 될 만한 사람들은 모두 다 죽었다는 거야. 그
       회사를 수사했던 검사, 경쟁 관계였던 회사 대표.

       산영, 멈칫해서 홍새를 바라보다가 다시 시선 돌려 자료를 하나하나
       훑어본다.

— 인서트
— 37씬, 주차장에서 통화를 하고 있던 산영.

산영   ..최만월씨라는 분을 찾고 있습니다.

정적이 이어지다가 핸드폰 너머에서 들려오기 시작하는 찢어질 듯한 짐승 같은 병희의 비명소리.

— 다시 홍새의 차 안으로 돌아오면

산영(소리) 그분 최만월이란 이름을 알고 있었어.. 분명히 뭔가 연관이 있는데..

계속 자료를 훑어보던 산영, 중현상호금융 연혁에 시선이 멈춘다.

산영   ..1958년..

— 인서트
— 4부, 26씬. 도서관 마이크로 자료실에서 검색하던 기사 원문 기사 제목 '厭魅(염매)를 만든 非情(비정)한 巫堂(무당)'.

'1958년, 6월, 한 늙은 巫堂이 鄰近 지역의 女兒를 誘拐, 拉致하여 穀氣를 주지않길 十七日이나 하였다. 굶주린 女兒에게 주먹밥을 大竹에 끼어 내민다. 이 女兒의 모든 精神力이 大竹을 잡으려 할 때 칼로 女兒를 쳐 죽인다. 그리고 그 女兒의 손가락을 身體로 삼는다.'

— 다시 홍새의 차 안으로 돌아오면

산영   1958년..
홍새   (이상하게 바라보며) 왜 그래?

산영, 홍새의 얘기가 들리지 않는 듯 다시 자료들을 처음부터 훑어보기
시작하다가 중현상사 건물 사진에서 멈칫.

— 인서트
7부, 1씬. 울음소리가 흐르던 창고 안 물건들 때문에 잘 보이지 않던
세로로 세워진 간판.

— 다시 홍새의 차 안으로 돌아오면
산영, '重願商事' 간판을 바라보다가 천천히 세로로 사진을 돌려서 손으로
일부분을 가려본다. 자신이 봤던 영상의 간판과 정확하게 일치한다.
충격에 휩싸이는 산영.

씬/45   N, 해상의 본가 건물 앞

차를 세우고 내려서 굳은 얼굴로 건물을 향해 뚜벅뚜벅 다가가는 해상.
다가오는 보안 요원1.

보안 요원1   오늘은 아무도 들이지 말라고 하셨습니다.
해상   비켜요.

보안 요원1을 지나쳐서 들어가는 해상. 보안 요원1, 굳은 얼굴로 그 뒤를
따르고..

'안 됩니다' 만류하는 보안 요원1의 목소리, 다가오는 발자국 소리들과
함께 '쾅' 문 열리며 들어서는 해상. 서재 한 켠에 앉아있던 낯빛이 창백한
병희와 시선 마주친다.
해상, 뒤쪽의 보안 요원1에게

해상　내가 부를 때까지 들어오지 마세요.

'쾅' 문 잠가버린 뒤 병희의 앞으로 와서 앉는 해상.

병희　이게 뭐 하는 짓이야.
해상　이번만큼은 진실을 말해주세요.

가방 안에서 댕기를 꺼내서 병희에게 보여주는 해상.

해상　이거 알고 계시죠?

댕기를 보는 병희의 눈빛에 공포가 깃든다.

병희　나가.. 내 집에 그딴 물건 둘 수 없어.. 당장 가지고 나가.
해상　이게 어떤 물건인지 알고 계시네요..

해상을 보는 병희의 눈빛, 차가워지는데..
해상, 가방 안에서 신문 기사에 난 목단이의 사진을 꺼내서 병희에게
보여준다.

해상   이 아이도 알고 계세요?

병희, 가만히 떨리는 눈빛으로 목단이의 사진을 바라보는데..

씬/47   N, 거리 일각 홍새의 차 안

여전히 막혀있는 거리. 충격에 마구 떨리는 눈빛으로 자료 사진을
바라보고 있는 산영.

홍새   너 괜찮아?

순간 '콰쾅' 천둥소리와 함께 번쩍하는 번개 불빛.
순간 산영의 시야, 서서히 좁아지며 암흑으로 변한다. 이게 뭐지?
눈을 깜박거려 보지만 아무것도 보이지 않는다.

산영   눈이..
홍새   왜 그래?

산영, 당황해서 눈을 다시 깜박거리다가 감았다 뜨는데..
순간 다시 보이기 시작하는 시야. 차창 너머 저 앞 사람들 사이로
걸어가고 있는 붉은 댕기를 한 목단이의 뒷모습.

산영   쟤 봤어요?

홍새, 산영의 시선 쫓아가 보지만 오가는 사람들뿐, 목단이는 보이지 않는다.

홍새   너 괜찮아?

코너를 돌아 사라지는 목단이를 보던 산영, 맘이 급한 듯 차에서 내려 그 뒤를 쫓기 시작한다.

씬/48   N, 현재/과거 골목길 일과

목단이를 쫓아 골목길 쪽으로 뛰어 들어오는 산영.
저 앞쪽으로 아장아장 걸어가고 있는 목단. 산영, 그 뒤를 쫓으려다가
문득 이상함을 느낀다. 어느새 빗줄기는 그치고 하늘 위로 휘영청 뜬
하현달. 주변의 모습, 어느새 50년대의 모습으로 변해있다.
저 앞쪽에서 들려오는 목소리.

만월(소리)   서둘러야 된다니까.

산영, 고개 돌려 바라보면 목단이가 쫓아가고 있는 사람, 차가운 눈빛의
만월이다.
목단, 만월의 뒤를 쫓아가며

목단   거기 가면 정말 맛있는 거 많아요?
만월   (보다가 미소 지으며) 그럼.

멀어지는 만월과 목단을 믿기지 않는 듯 바라보는 산영.

산영   안 돼.. 가면 안 돼..

또다시 암흑으로 변하는 산영의 시선, 깜박깜박.. 눈을 감았다 뜨는데 이미
사라진 목단과 만월.
산영, 두리번거리면서 앞으로 나아가는데..

씬/49 N, 해상의 본가 서재

목단의 사진을 바라보며 떨려오는 병희의 눈빛.

해상   이 아이 알고 계시죠?
병희   ...
해상   제가 대신 설명해 드릴까요? 이 아이 이름은 이목단. 너무나
         어린 나이에 태자귀를 만든다는 끔찍한 이유로 살해당했습니다.

고개 들어 해상을 차갑게 바라보는 병희.

해상   누군가의 의뢰를 받아 최만월이란 무당이 그 아이를
         살해했습니다. 보통 사람이라면 지불할 수 없는 어마어마한
         금액이었어요.

씬/50 N, 골목길 일각

사라진 목단과 만월을 찾아 뒤를 쫓는 산영. 그때, 또다시 암흑이
찾아오는 산영의 시선.
어지러운 듯 눈을 감는데 마치 환상처럼 산영의 뇌리를 스치는 화면

— 인서트

— 밤, 1958년, 만월의 뒤를 따라 당시 해상의 집으로 들어가고 있는 목단의
　뒷모습.

— 다시 현재, 골목길로 돌아오면
　정신을 차리고 주변을 두리번거리는 산영. 충격에 환영과 현실이
　구분되지 않는 듯

산영　　하얀 담.. 나무 대문.. 그 집을 찾아야 해..

　　　　　내리는 빗속을 뚫고 주변을 두리번거리면서 앞으로 나아가는 산영.

씬/51　　N, 해상의 집 서재

　　　　　굳은 눈빛으로 병희를 바라보며 얘기를 이어나가는 해상.

해상　　돈을 받은 건 무당만이 아니었어요. 그 사건을 담당했던 형사들.
　　　　　그리고.. 자기의 가족을.. 이웃을 팔아먹은 마을 사람들..

씬/52　　N, 과거, 장진리 일각

— 밤, 1958년, 마을로 트럭이 들어오고 있다. 트럭 위에 가득 쌓인
　쌀가마니를 비롯한 먹을 것들. 뒤이어 들어오는 소, 돼지 등 가축들을
　태운 트럭들.
— 마을 공터. 꿱꿱거리면서 도망 다니고 있는 돼지. 그 뒤를 신이 나서

깔깔거리며 쫓아다니고 있는 아이들. 조금 떨어진 곳에선 불을 때고 있는
가마솥. 그 곁에선 칼을 갈고 있는 어른들.

— 밤, 마을 중앙에 있는 공터에서 잔치가 벌어졌다. 어른들도 아이들도 신이
나서 먹고 마시고 있다.

씬/53   N, 현재, 골목길 일각

목단이가 향한 집을 찾는 듯 앞으로 나아가던 산영, 또다시 환상이 보이기
시작한다.

— 인서트
— 밤, 해상의 본가, 어두 컴컴한 창고 안. 불투명한 파란 천을 뒤집어쓴 채
   힘이 없는 듯 쓰러져 있는 소녀. 가느다랗게 흐느끼는 울음소리. 문밖에서
   들려오기 시작하는 무령 흔드는 소리, 그에 맞춰 경을 읊는 만월의 목소리.
— 밤, 창고 앞, 작은 상 위에 정화수가 담긴 옥수그릇, 촛대에 타오르는
   촛불들. 지화. 단도. 그 앞에 앉아 한 손에 들린 무령을 흔들면서 경문을
   외우고 있는 만월. 그런 모습을 조금 떨어진 집 앞에서 바라보고 있는 두
   사람. 당시의 승옥과 머리에 쪽을 찐 병희.

— 다시 현재, 골목길로 돌아오면
   자신이 본 환상이 믿기지 않는 듯 부들부들 떨고 있는 산영.

산영   안 돼.. 안 돼..

병희와 마주 앉아있는 해상의 눈빛, 진실이 두려운 듯 떨려온다.

해상   죽은 무당이 받은 어음을 봤습니다.. 발행인이 중현상사..
였어요.. 할아버지가.. 우리 집안이 세운 회사 이름이랑..
같더군요..

병희, 한 치의 흔들림도 없이 차가운 눈빛으로 해상을 바라본다.

해상   아닐 거라고.. 같은 이름을 가진 다른 회사일 거라고
생각했어요.. 그래서 등기소에 확인해 봤는데.. 대표 이름이
염승옥.. 할아버님이었어요..

해상, 목단이의 사진을 바라보다가

해상   이 아이.. 정말.. 할아버님이.. 우리 집안이 죽인 건가요?

창고 안에서 들려오는 가느다란 소녀의 울음소리를 듣던 만월.
경을 멈추고 병희와 승옥을 바라보며

만월   대대로 이 집안의 가장들에게 악귀가 물려질 겁니다. 악귀는
당신들과 함께하면서 원하는 걸 이뤄줄 거예요. 그러나 거기엔
반드시 대가가 따를 겁니다.

가만히 울음소리가 들려오는 창고를 바라보는 병희와 승옥.

병희   상관없어요. 우리가 가지고 싶은 걸 가질 수만 있다면.. (승옥 바라보며) 안 그래요?

승옥, 창고 쪽을 차갑게 바라보다가 고개 끄덕인다.

씬/56   N, 현재, 도로 일각

자꾸만 눈앞을 스치는 환상에 어지럽고 혼란스러운 듯 비틀비틀 골목길을 빠져나와 한적한 도로 쪽으로 걸어 나오는 산영.
문득 고개 드는데 저만치 앞쪽, 어둠 속에 우뚝 선 해상의 본가가 보인다.
목단이와 만월이가 들어간 바로 그 집이다.
해상의 본가를 떨리는 눈빛으로 바라보는 산영의 귓가에 또다시 들려오는 경 읊는 소리. 더 이상 듣고 싶지 않은 듯 귀를 막는데

— 인서트
밤, 1958년, 해상의 본가 뒤뜰. 광기가 가득한 눈빛으로 한쪽 손에 칼집에 든 단도를 들고 열린 창고 문을 향해 다가가는 만월.

— 다시 현재 도로 일각으로 돌아오면
귀를 막고 눈을 감아버리는 산영.

산영   하지 마.. 하지 마!!

씬/57　N, 해상의 본가 서재

떨리는 눈빛으로 병희를 바라보는 해상.

해상　말해주세요.. 제발 아니라고 대답해주세요!!
병희　맞아.

뭔가로 얻어맞은 듯 병희를 바라보는 해상.

병희　우리가 그 애를 죽였어.

해상, 모든 게 무너지는 듯 손에 들고 있던 목단이의 사진을 떨어뜨린다.

씬/58　N, 과거, 해상의 본가 뒤뜰 창고 안

창고 안으로 들어서는 만월.
칼집에서 단도를 빼 들어 내려치려는 모습 위로 '아아아아악' 깔리는
산영의 비명소리.

씬/59　N, 현재, 도로 일각

목단이의 마지막을 본 산영, 괴로운 듯 비명을 지르면서 '쿵' 무릎을 꿇고
무너진다.

— 인서트

— 밤, 정원. 창고에서 떨어진 곳에서 창고 건물을 바라보고 있는 병희와 승옥.
창고 입구 쪽에서 흘러나오는 붉은 핏줄기를 바라본다.

— 밤, 창고 안으로 천천히 걸어들어오는 승옥과 병희.
창고에 서 있는 만월을 바라본다. 비녀가 떨어진 듯 쪽 찐 머리가
흐트러져 있고, 흰 한복 여기저기에 피가 튀어있고.. 창고 안쪽에는 푸른
천을 뒤집어쓴 채 쓰러져 있는 소녀..
승옥, 주변을 둘러보다가.. 바닥에 떨어져 있는 붉은 댕기를 바라본다.
천천히 다가와 댕기를 주워드는데.. 순간, 승옥의 그림자, 서서히 머리를
풀어헤친 악귀의 그림자로 변해간다.

— 다시 현재로 돌아오면
쏟아지는 빗속에서 비명을 지르며 눈물을 흘리는 산영의 뒤쪽으로도 길게
늘어진 머리를 풀어헤친 그림자.

7부 끝.

8부

눈 때문에 어쩔 수 없이

악귀를 선택한 거였어요?

비가 내리고 있는 해상의 본가, '쾅' 문이 열리면서 건물을 뛰쳐나와 멈춰
서는 해상.
충격으로 마구 떨려오는 해상의 눈빛.

— 인서트
7부, 57씬에 이어지는.. 차가운 병희의 눈을 믿지 않는 듯 바라보는 해상.

해상   어떻게.. 그럴 수 있어요.
병희   배부른 소리 하지 마. 그때 회사는 기로에 있었어. 우리가
        아니었다면 니가 이런 사치를 누릴 수 있었을 것 같아?
해상   돈이 많아서 행복했던 적 한 번도 없습니다.
병희   돈이 없어서 불행한 게 뭔지 모르는 거겠지.

부들부들 떨려오는 해상의 손.

해상   어머니는요..
병희   그 멍청한 년..
해상   ...
병희   너네 아버지가 죽고 그 악귀는 너한테 씌었어야 했어. 그걸
        막으려다가 되려 당한 거지. 그 년만 아니었으면 우린 더 큰
        부자가 될 수 있었어.

'쾅' 더 이상 들을 수 없다는 듯 자리를 박차고 뛰쳐나가는 해상.

씬/2   N, 해상의 본가 인근 도로/건물 밖

해상의 본가를 향해 서서히 서행하고 있는 홍새의 차.
운전석의 홍새, 산영에게 전화를 걸면서 차창 밖으로 주변을 살피며
산영을 찾고 있다.

홍새   갑자기 어디로 튀어 나간 거야..

저 앞쪽으로 해상의 본가 건물이 보이기 시작하는데, 건물 밖, 내리는
비를 맞으며 주저앉아 있는 산영을 발견하고 놀라서 멈칫. 차를 한쪽에
대고 우산을 가지고 내리는데..
'탕' 건물 문이 열리면서 나오는 해상, 역시 산영을 발견하고 멈춰선다.
천천히 고개를 들어 해상을 차갑게 바라보다가 일어서는 산영. 분노에 찬
눈빛으로 해상을 바라보다가..

산영   좋았어요? 이런 집에 살아서?

해상   ...

산영   당신들이 무슨 짓을 했는지 몰랐어요? 그 어린아이를 끔찍하게
           죽여서 태자귀를 만들고.. 저렇게 좋은 집에서 돈 펑펑 쓰면서
           사니까 행복했냐고!

해상, 그저 말없이 산영을 바라보는데..
산영, 주변을 둘러보다가 한쪽에 놓인 돌을 들어 건물 앞에 세워진 해상의
차 창문 유리를 향해 집어 던진다. 와장창 깨지는 유리. 놀라서 바라보는 홍새.

산영   신고할 거면 신고해요. 나도 돈으로 해결할 테니까.

8부   71

차갑게 해상을 바라보던 산영. 뒤돌아서 슬픈 눈빛으로 뚜벅뚜벅 멀어진다.

해상, 그런 산영의 뒷모습을 바라보다가.. 천천히 한 발 한 발 무거운

발걸음으로 집에서 멀어진다.

조금 떨어진 곳에서 이해하기 힘든 눈빛으로 멀어지는 해상을 바라보는 홍새.

씬/3   N, 해상의 집 건물 밖

집을 향해 멍하니 걸어오던 해상. 버릇처럼 비밀번호를 눌러 집 문을

열려다가 멈칫. 천천히 고개를 들어 호화스러운 집을 올려다본다.

차마 들어가지 못하고 바라보다가.. 천천히 돌아서서 다시 멀어지는데..

어두운 집, 창문 안에서 그런 해상을 어두운 낯빛으로 내려다보는 우진.

씬/4   N, 한강 다리 위

천천히 걸어들어와 중간쯤 멈춰 서서 난간 아래, 흘러가는 강물을

내려다보는 해상. 화면 그 옆을 비추면 어느새 해상의 옆에 서 있는

우진이다.

해상, 우진이 온 것을 알면서도 계속해서 강물만 바라보고 있고.. 우진은

그런 해상을 바라보다가..

우진   ..알았니?

해상   ...

우진   ..결국 알았구나..

슬픈 우진의 눈빛에서..

7부, 14씬에 이어지는.. 스탠드 불빛 아래 '최만월'의 인적사항이 적힌
서류를 내려다보고 있던 우진. 이게 뭐지 보다가 문득 고개 돌리면 책상
아래 어둠 속에 자리 잡은 오래되어 보이는 작은 금고. 금고 문이 살짝
열려있는 걸 본 우진, 눈빛 붉게 변했다 돌아오고.. 카메라를 서류 위에
놓고 서랍을 닫는 우진, 금고 문을 열어보는데 안에는 흰 봉투 하나만이
놓여져 있다. 뭐지? 갸웃하고 바라보는데.. 그때 문밖에서 들려오는
발자국 소리들.
놀라서 스탠드 불빛 끄고 긴장한 얼굴로 문밖의 인기척에 귀를
기울이는데.. 점점 다가오는 발자국 소리에 이어 서재 문고리가 돌아가고
있다. 어디로 피할 새도 없다. 우진, 어찌할 바를 모르다가 책상 아래로
들어가 숨을 삼킨다.
달칵 소리와 함께 불이 켜지는 서재. 걸어들어오는 발자국 소리. 의자에
앉는 듯 끼익하는 소리. 뒤이어 병희의 목소리가 들려온다.

병희(소리)   그래서. 원하는 게 뭐야?

병희의 목소리를 듣자 더욱 숨죽이는 우진의 귓가에 들려오는 목소리.

강모(소리)   ..악귀요.

우진의 모습에서 서서히 화면 이동하면 책상 앞 응접세트에 앉아있는
병희. 맞은편에는 30대 중반의 강모. 테이블 위에는 '서울 종로구
○○번지, 나병희 귀하'라는 편지봉투.
낮은 스탠드 불빛 아래 경계심과 긴장감이 감도는 병희. 강모는 보일 듯
말 듯 절박함과 욕망이 감춰져 있다.

강모	장진리에 지역조사를 갔다가 며느님을 만났습니다. 어린 여자아이를 굶겨 죽여서 악귀를 만들어 이 집안을 일으키셨다면서요. 며느님은 아들한테 그 악귀가 물려지는 걸 막으려고 하셨어요.
병희	그 멍청한 년 얘기 듣고 날 협박한 거야?

강모, 가만히 병희를 바라보다가..

강모	며느님 얘기를 들었을 땐 믿지 않았습니다. 단지 학문적인 호기심으로 장진리에서 벌어진 악습을 조사했었죠. 그러다가 당시 장진리에서 이장직을 맡고 계셨던 어르신을 어렵게 찾아냈습니다.
병희	...
강모	그분이 갖고 계시더군요. 그 일이 사실이었다는 증거를..

병희, 차갑게 강모를 바라보다가 천천히 입을 연다.

병희	다시 묻지. 원하는 게.. 뭐야..
강모	악귀를 없애는 방법은 며느님한테 들었습니다. 그런데 악귀를 가지는 방법은 듣지 못했죠.

병희, 가소롭다는 듯 미소 짓는다.

강모	어떻게 하면 악귀를 가질 수 있습니까? 악귀를 만든 최만월이란 무당을 찾으면 되나요? 아니면 며느님이 가져간 다섯 개의 금줄.. 그걸로 봉인한 물건들을 찾으면 됩니까?
병희	감당할 자신 있어?

강모	...
병희	(일어서며) 집 한 채 사줄 테니까 그 돈 받고 꺼져. 어디 가서 나불거리지도 말고 다시 연락하지도 마. 다시 연락하면.. 그땐.. 죽여버릴 거야..

책상 아래에서 숨죽여 두 사람의 얘기를 듣고 있던 우진의 눈 붉게 물들었다가 다시 되돌아온다.

우진(소리)	그때 알았지.. 이 좋은 집.. 좋은 물건들이 모두 어린 여자아이를 죽여서 생긴 거란 걸..

씬/6   N, 현재, 한강 다리 위

해상, 우진을 가만히 바라보다가..

해상	왜..
우진	...
해상	왜.. 얘기하지 않았어..
우진	..어차피 네가 그 악귀를 찾아내지 못할 거라고 생각했어. 오랫동안 나타나지 않았으니까.. 찾지 않는 게 널 위해서 좋을 거라고 생각했어.. 찾는다면 결국 이렇게 될 줄 알았으니까..

해상, 우진을 바라보다가.. 무력감과 분노에 점차 휩싸이며

해상	재밌었냐?
우진	...

해상   바보처럼 아무것도 모르고 악귀를 찾겠다고 뛰어다니는 거
         보니까 재밌었냐고!

         순간 교량 아래 흘러가던 강물에서 하나둘씩 나타나기 시작하는 물에
         젖은 검은 손자국들.
         다리 위, 우진을 바라보다가 자기 주머니 안에 들어있던 차 키를 강물에
         집어던지는 해상. 계속해서 지갑을 던져버리고 시계마저 풀어서 집어던져
         버린다.

해상   난 아무것도 아니었어. 내 건 아무것도 없었다구.

         교각을 타고 빠르게 올라오기 시작하는 검은 손자국들.

해상   할머니가 물려준 재산이 아니었으면 난 아무것도 아니었어!
         나도 할머니랑 똑같은 사람이었던 거야..

         빠르게 다리 위까지 올라오고 있는 손자국들을 보자, 우진 낯빛이 변한다.

우진   해상아.. 그만해.
해상   이제.. 난 어떻게 살아야 하니.. 내가 뭘 할 수 있겠어..

         해상을 향해 몰려들기 시작하는 검은 손자국들.

우진   저거 안 보여. 빨리 피해.
해상   ..어디로?

         모든 걸 놓은 듯 피할 생각이 없는 해상을 보는 우진.

떨리는 눈빛으로 해상을 보다가 손자국들에게서 해상의 앞을 가로막듯
서는 우진. 우진의 다리, 팔, 어깨를 타고 올라오는 손자국들.

우진　　　내가.. 갈게.

해상, 그런 우진을 놀라서 보는

해상　　　안 돼..

말릴 새도 없이 우진, 검은 손자국들에게 끌려가듯 난간 너머로 사라지기
시작한다.

해상　　　우진아!!

해상, 난간 너머로 손을 뻗어보지만 우진은 이미 사라져 버린 이후다.

우진(소리)　넌 나처럼 바보같이 죽지 마..

우진의 마지막 말이 허공에 흩뿌려지듯 해상의 귓가에 맴돈다.

해상　　　안 돼.. 안 돼!!

난간을 부여잡고 떨리는 눈빛으로 허공을 바라보는 해상. 하지만 사라진
우진은 더 이상 보이지 않는다.

해상　　　가지마.. 나 혼자 두지 마..

우진의 대답은 들려오지 않는다.

다리 위 홀로 남은 해상. 망연자실.. 무너져 버린다.

해상(소리)   이제.. 정말 난.. 어떻게 살아야 하니..

그저 멍하니 다리 위에 주저앉은 해상의 모습 위로 차가운 자동차의
헤드라이트 불빛들만이 지나칠 뿐이다.

씬/7   N, 화원재 정원

비가 그친 화원재로 힘없이 들어서는 산영. 툇마루에 가만히 걸터앉아
있다가..
불빛에 비춰 길게 드리워진 자신의 그림자를 바라본다.

산영   네가 당한 일.. 너무 끔찍해.. 너 많이 무섭고 아팠을 거야.

그저 조용하기만 한 주변. 산영, 잠시 생각에 잠기다가

산영   그런데, 난 그 사람들처럼 살지 않을 거야. 내 주변에 사람들이
죽을 걸 뻔히 알면서 그 돈으로 행복하게 살 순 없어.

미동도 없는 그림자를 바라보는 산영. 서서히 스산한 바람이 불어오기
시작한다.

산영   네 이름.. 네 사연 모두 알아냈어. 이제 니가 있어야 될 곳으로
보내줄게.

벌떡 일어서는 산영, 건물 안으로 사라진다.

씬/8   N, 화원재 경문의 방

방으로 들어와 문을 닫고 불을 켜는 산영. 겉옷을 벗는데 '쿵쿵쿵' 문을
두드리는 소리. 흠칫 놀라 문 쪽을 바라보는 산영.
다시 한번 '쿵쿵쿵' 소리가 들려오는 문. 순간 정원 밖에서도 들려오는
'쿵쿵쿵' 소리. 누군가 대문을 두드리고 있다. 화원재의 모든 문 비추면
밖에서 누군가가 '쿵쿵쿵' 두드리고 있다.
경문의 방 안에서 굳은 눈빛으로 '쿵쿵쿵' 울리고 있는 문을 바라보고 있는
산영. 들려오는 악귀의 목소리.

악귀(소리) 너들이 먼저 날 원했어.

긴장한 눈빛으로 문을 바라보는 산영. 점점 더 커지는 '쿵쿵쿵' 소리.

악귀(소리) 너 아빠가 그랬던 것처럼 너도 날 원하게 될 거야..

긴장과 혼란, 불안감이 감도는 산영의 얼굴로 천천히 다가가는 화면.
순간, 뚝 끊기는 문 두드리는 소리.
뭐지? 문을 가만히 바라보던 산영, 순간 뭔가 이상한 듯 눈을 깜박.
암흑으로 변한 시야다. 낯선 느낌에 다시 한번 눈을 깜박하지만 여전히
아무것도 보이지 않는다. 이게 뭐지? 믿기지 않는 듯 떨려오는 눈빛에서.

모두 퇴근한 듯 조용한 사무실 안으로 검은 비닐 봉투를 들고 들어서는
문춘. 책상에 앉아있던 홍새를 발견하고 멈춰선다.
문춘을 기다렸던 듯 천천히 일어서는 홍새. 미안함과 무안함에 쉽게 할
말을 찾지 못하다가..

홍새   ..그게.. 저.. 죄송합..
문춘   (말 끊으며) 밥 먹었냐?
홍새   예?

— 시간 경과되면
문춘이 사온 듯한 사발면을 앞에 두고 테이블에 마주 앉아있는 두 사람.
문춘, 사발면 뚜껑을 열어 면을 푼 뒤 먹기 시작하는데.. 홍새는 자기 앞에
놓인 사발면을 바라만 볼 뿐이다.

홍새   선배님한테 드릴 말씀이 있습니다.
문춘   먹고 나중에 하라고.
홍새   (문춘 보다가) 누군가 선배님 뒷조사를 해달라고 했어요.

문춘, 아무렇지도 않게 계속해서 사발면을 먹는다.

홍새   ..안 궁금하세요.. 제가 뭐라고 했는지..
문춘   뭐가 궁금해. 니가 선배 팔아먹을 놈이냐.

홍새, 멈칫해서 문춘을 바라보는데..

문춘	누군지 모르겠지만 진짜 할 일 없는 사람인가 보네. 은퇴가 코앞인 강력계 선무당이 뭐가 그렇게 궁금했대?
홍새	중현캐피탈 아시죠? 염해상 교수 본가요.
문춘	(보는) 거기서 내 뒷조사를 해달라고 했다고?
홍새	그 이유까지는 아직 알아내지 못했는데요. 그런데 그 회사 뒷조사를 하다가 이상한 걸 발견했어요.

문춘, 의아한 듯 바라보는데.. 그런 문춘에게 사건자료를 건네는 홍새.

홍새	중현캐피탈에 불이익을 줄 만한 사람들이 연이어 자살을 했다는 소문이 있어서 사건 경위를 조사해 봤거든요.
문춘	그런데?
홍새	다 사실이었어요. 네 명이 자살을 했더라구요. 그런데.. 모두 손목에 붉은 멍이 들어있었어요.

사건자료들을 훑어보는 문춘의 시선 굳는다..

홍새	선배님이 쫓던 사건.. 진짜 단순 자살이 아닌 것 같아요.

씬/10   N, 동장소

화이트보드판을 드르륵 끌고 오는 문춘.
화이트보드판 위쪽 중앙에 1995년도, 그 아래에 중현캐피탈, '염해상 교수 어머니 전애리'라고 적는다.

문춘	난 이런 사건이 1995년에 처음 벌어졌다고 생각했어. 하지만

아냐. 시작은 1958년도였어.

가장 왼쪽 위쪽에 1958년도를 쓰는 문춘. 그 아래에 '이목단 사건'을 쓴다.

문춘   그때 벌어졌던 태자귀 사건. 기억나지?
홍새   예.
문춘   이때 이 태자귀를 만들었던 무당이 처음이었어.

'무당 최만월'이란 이름을 쓰는 문춘.

문춘   경찰 조사를 받던 중 유치장에서 손목에 멍이 든 채 숨졌어.
그리고 그때 그 기사를 썼던 고경호 기자. 너도 같이 들어서
알지. 역시 똑같은 형태로 숨졌지.

'최만월' 아래에 '기자 고경호' 이름을 쓰는 문춘.

문춘   근데 이게 끝이 아냐.

1958년이 적힌 줄에 1965년도를 쓰는 문춘. 그 아래에 '형사 황태현'을 쓰는..

문춘   태자귀 사건을 담당했던 형사, 황태현도 자살을 했어.

다시 1978년도를 쓰고 '장진리 주민, 신승주'를 쓰는 문춘.

문춘   이해에 인근 학교에서 선생으로 일하던 장진리 주민 한 명도
자살로 숨졌어. 똑같이 손목에 붉은 멍이 있었지.
홍새   그건 언제 알아보신 거예요?

문춘	어제, 오늘 나도 바빴어. 이목단 사건, 사건조서를 찾았거든.
홍새	(놀라서) 어떻게요?
문춘	니가 포기한 그 창고에서.

홍새, 머쓱하게 보면..

문춘	너도 찾아냈잖아. 중현캐피탈과 관련된 변사자들.

홍새, 일어나서 화이트보드판으로 다가가며

홍새	이제부턴 제가 쓸게요.

홍새, 펜을 건네받고 문춘은 자리에 앉는다.

홍새	중현상호금융을 이끌었던 염승옥이 사망한 뒤, 그 아들 염재우가 회사를 이어받아 중현캐피탈로 사명을 변경했습니다.

— 인서트

아침, 1979년, '중현캐피탈'이란 사명이 적힌 건물로 와서 멈춰 서는
고급승용차. 재빨리 다가와 승용차 뒷문을 여는 비서. 스물네 살의 재우가
내려서자, 문 앞에 일렬로 도열해 있는 나이가 지긋해 보이는 중역들.
목례를 한다. 제왕처럼 그들을 이끌고 건물로 향하는 재우의 모습 위로

홍새(소리)	취임 직후, 염재우는 큰 위기에 직면합니다. 불법 대출 의혹으로 대대적인 검찰 수사를 받게 됐거든요.

— 이택희 검사의 사건자료들. 이택희 검사의 증명사진.

깔끔하게 정리된 아파트 거실, 창문이 열려있다. 아파트 화단에 투신한 듯
흰 천에 덮여있는 변사체의 손목, 붉은 멍이 들어있다.
그 위로 깔리는 홍새의 목소리.

홍새   그런데 당시 수사 책임자였던 대검찰청 중수부 이택희
부장검사가 숨진 채로 발견되면서 수사는 유야무야.
증거불충분으로 끝나버렸습니다.

— 강수대 사무실, 화이트보드에 '1979년, 이택희 검사'라고 적는 홍새.
뒤이어 다시 '1983년, 최원철'이라고 적는 홍새.

홍새   그 다음은 중현캐피탈과 개발사업권을 두고 경쟁했던 태장건설
최원철 대표.

— 인서트
— 과거, 1983년, 호화스런 저택 주방에서 숨진 최원철의 사진, 역시 손목에
붉은 멍이 들어있다.

— 다시 현재, 강수대 사무실로 돌아오면
화이트보드판에 '1991년, 김주영' '1995년, 심규언'을 적는 홍새.

홍새   그 뒤에도 중현캐피탈이 주도한 건설사업의 현장소장과 브로커,
모두 똑같이 손목에 붉은 멍이 든 채 숨졌어요.

화이트보드판, 그 뒤에는 이미 적어놓은 '1995년, 전애리'를 바라보던 홍새.

홍새   그다음은 구강모 교수 주변에서 사람들이 죽었어요.

'2000년, 교수 서상훈' '2002년, 구강모 교수 장모, 백차골 이옥자'
'2007년, 공무원 황차희' '2022년, 도서관 사서 채서린'

문춘 또 더 있잖아.

홍새 맞아요.

'2022년, 구강모 교수' '2023년, 보이스 피싱범 이옥규' '2023년, 김석란, 구강모 교수 어머니'까지 적은 뒤 뒤로 물러서는 문춘. 함께 화이트보드판을 바라보는 홍새와 문춘.

문춘 ..1958년도부터 2023년까지 사람들을 죽여온 연쇄살인마가 있는 걸까?

대답 없이 가만히 화이트보드판을 바라보던 홍새.

홍새 그런데.. 패턴이 있네요.

화이트보드판으로 다시 다가가는 홍새. 최만월부터 신승주까지 하나의 원을 그리며

홍새 이건 이목단 사건.

뒤이어 이택희부터 전애리까지 하나의 원을 만들며

홍새 이건 중현캐피탈.

서상훈부터 채서린까지 하나의 원.

홍새   이건 구강모 교수.

마지막으로 구강모, 이옥규, 김석란을 묶는다.

홍새   이건.. 구산영..

가만히 화이트보드판을 바라보던 홍새.. 아까 일이 생각나는 듯

홍새   구산영이랑 염해상 교수가 심하게 다투는 걸 봤어요.
어린아이를 죽여서 만든 태자귀로 염해상 교수네 집안이 돈을
벌어들였대요.

문춘   뭐? 그게 무슨 말이야?

홍새   저도 그게 무슨 뜻인지는 잘 모르겠는데.. 만약 그 태자귀가
저 이목단 사건이라면 중현캐피탈, 염해상 교수 집과 관련된
변사자까지 연결고리가 이어지지 않을까요?

문춘, 잠시 생각하다가

문춘   난 이목단 사건을 좀 더 파볼 테니까 넌 중현캐피탈 사건을 좀 더
알아봐.

홍새   예.

문춘, 겉옷과 서류들 챙겨 먼저 나가며

문춘   다음 사건은 니가 정하고.

홍새, 문춘의 뒷모습 보다가 미소 짓는다.

씬/11   D, 학원채 본채

본채 주방. 뜬눈으로 밤을 지새운 듯 식탁에 가만히 앉아있는 산영. 식탁
위에 놓인 강모의 약병이 든 비닐 봉투를 바라보고 있다.
대학병원 이름. OPH 약자. 그 옆에 놓인 핸드폰에는 'OPH' 검색 결과가
떠있다. 'ophthalmology'. 안과학. 그 아래 여러 안과 병원들의 사이트들.
산영, 비닐 봉투에 적혀있는 '배희철'이란 의사의 이름을 바라본다.

씬/12   D, 대학병원 진료실

'배희철 교수'란 명찰을 가운에 달고 있는 희철(50대 후반, 남)과 마주
앉아있는 산영.

희철   구강모 교수님은 매우 희귀한 시신경 위축 질환을 앓고
계셨습니다. (강모의 차트를 보며) 처음 내원하신 1999년도에
증상이 시작되셨죠. 눈앞이 깜깜해졌다가 다시 돌아오는
일과성 흑암시 증상이요. (다시 산영을 바라보며) 지금 구산영
환자분처럼.

— 인서트
— 안저검사 장비에 턱과 이마를 대고 안저검사를 받고 있는 산영.
— 빛 간섭 단층 촬영을 하고 있는 산영.
— 이마, 머리에 전극을 달고 시유발전위 검사를 받고 있는 산영.
— MRI 검사를 받고 있는 산영.

— 다시 대학병원 진료실로 돌아오면

산영	..그러니까 저도 아버지랑 똑같은 병이란 거군요..
희철	예.

산영, 눈빛 떨려오다가.. 마음을 다잡는 듯

산영	치료 방법은요..?
희철	안타깝지만 이 병의 원인은 아직까지 밝혀지지 않았어요. 치료 방법이 현재로선 없습니다.
산영	그럼.. 결국 시력을 잃게 된다는 건가요?
희철	구강모 교수님께는 그렇게 말씀드렸었어요. 병의 진행 속도를 지켜봐야겠지만 짧게는 1~2년, 길게는 5~6년 안에 실명될 가능성이 크다고.. 그런데 제가 틀렸던 것 같아요.
산영	(보면)
희철	작년에 우연히 길거리에서 교수님을 만났어요.

씬/13   D, 과거, 1년 전, 버스정류장/산영의 상상

정류장으로 다가오던 희철. 저 앞쪽 버스정류장에 서 있는 강모를 알아보고 설마.. 하는 얼굴로 천천히 다가가는

희철	구강모 교수님?

희철을 알아보는 강모, 왠지 마주친 게 반갑지 않은 듯 굳은 얼굴로

강모	아.. 예. 잘 지내셨어요?
희철	(반갑게 보는) 안 그래도 오랫동안 안 오셔서 걱정하던

참이었어요. 십 년 넘었죠? 안 오신지?

강모   (이 상황을 피하고 싶은 듯 굳은 미소)

희철   (살펴보다가) 그런데.. 눈이.. 괜찮으신가 봐요?

강모   ..예..

그런 강모의 그림자를 비추는 화면. 머리를 풀어헤친 그림자.

씬/14   D, 대학병원 진료실

산영의 눈빛, 서서히 가라앉는다.

희철   이 질환은 가족력, 유전적인 요인이 큽니다. 아버님이 호전되신
것처럼 환자분도 그렇게 되길 기대해 봅시다.

씬/15   D, 대학병원 건물 밖

무거운 발걸음으로 천천히 걸어 나오는 산영. 뭔가를 보고 멈춰선다.
자기 눈앞에 길게 드리워진 자신의 그림자다.

— 인서트
— 5부, 19씬. 산영에게 얘기하는 객귀가 된 강모.

강모   미안하다.. 나도 어쩔 수 없었어..

— 다시 병원 건물 밖으로 돌아오면 그림자를 바라보는 산영.

산영(소리) 눈 때문에.. 그래서.. 어쩔 수 없이 악귀를 선택한 거였어요..?
나도.. 아빠처럼.. 그래야 하는 거예요..?

어두운 눈빛으로 그림자를 내려다보는 산영의 모습에서..

씬/16   D, 상가건물 공실

그렇게 넓지 않은 상가건물 공실을 둘러보고 있는 산영,
그 뒤에는 화난 얼굴로 산영을 바라보고 있는 경문.

산영 잘 찾았네. 크기도 적당하고.
경문 그동안 어디서 지냈어?
산영 목이 나쁘진 않아. 역세권이기도 하고 유동인구도 많고.. 근데
10분 거리에 복합쇼핑몰이 있어서 옷가게는 좀 경쟁력이 떨어질
것 같긴 한데..
경문 그동안 어딨었냐구?
산영 옷 말고 커피 어때?
경문 뭐?
산영 이 근처엔 다 유명 프랜차이즈 카페밖에 없어서 가격대가
있더라구. 부담 없이 저렴하게 테이크아웃 전문 카페 어때?
경문 (화는 나지만 혹하긴 하는) ..테이크아웃? 카페?
산영 엄마, 바리스타 자격증도 따고 싶어 했잖아.

산영, 바리스타 등록증을 경문에게 건네며

산영 이거 제일 가까운 바리스타 학원. 엄마 이름으로 등록해놨어.

울컥한 눈빛으로 등록증을 받는 경문.

경문   이 놈의 기집애. 이런 건 또 언제 준비했대.. (화가 좀 풀어진) 진짜 그동안 어딨었어?

산영   화원재.

경문   (경악하는) 니네.. 아빠 집? 미쳤어? 내가 너 거기 살라구 유산 받은 줄 알아? 거기 받자마자 팔아버릴려구 받은 거야.

산영   팔려고 부동산에 내놨어.

경문   (보는)

산영   그런데 팔리기 전에 잠시만 거기 있고 싶어.

경문   얘기했잖아. 그 집이 어떤 집인지.

산영   엄마한테 거기가 얼마나 힘든 덴 줄 알아. 그런데 그 집 내가 자란 집이기도 해. 가물가물하긴 하지만 잠시라도 어렸을 때 기억들을 짚어보고 싶어.

경문   (불안한 눈빛으로 보는) 그래두..

산영   집에 손 볼 데도 많고. 어차피 팔 거 비싸게 파는 게 좋잖아.

경문, 가만히 산영 바라보다가

경문   난 돈보다 네가 더 중요해.

산영, 경문 보다가 가만히 경문을 안는다.

산영   걱정하지 마. 금방 집으로 돌아갈게.

경문을 꼭 안는 산영의 어두운 눈빛.

외출복 차림으로 나와 주변을 두리번거리는 세미.
저 앞에서 자신을 기다리고 있는 듯 서 있는 산영을 보고 별반 반갑지
않은 기색으로 심드렁하니 다가가

세미	아 왜 자꾸 전화질이야. 귀찮게.
산영	(보다가 안으려 다가가며) 빽세야~ 보고 싶었어.
세미	(짐짓 손길 뿌리치며) 징그럽게 왜 이래. 재수 없다며?
산영	(미안한 얼굴로 보는) 그때 일은 좀 이따 다 설명해줄게.

산영, 옆에 세워져 있던 소형차 조수석 문 열면서

산영	타. 나랑 오늘 어디 좀 가자.
세미	뭐야. 차 빌렸어? 이게 하루에 얼만데.
산영	샀어. 중고로.
세미	..너 미쳤냐?
산영	한번 해보고 싶었거든. 내 차 모는 거.

화원재로 다가와서 멈추는 산영의 차.
입 쩍 벌리고 차에서 내려 화원재를 바라보는 세미. 뒤이어 내려서는
산영.

세미	이게 진짜 니 거라구? 니 집?

산영	응.
세미	(자기도 모르게 산영 안으며) 와 진짜 구산영 좋겠다! (하다가 정신 차리고 멀어진다) 그렇다고 내가 널 용서한다는 건 아니고.
산영	(웃으며 보다가) 들어가자.

씬/19   N, 화원재 본채

한쪽에 놓인 강모와 석란의 영정사진을 바라보고 있는 산영과 세미.

산영	인사드려. 우리 아빠랑 할머니셔.

세미, 옷매무새 만지며

세미	기집애. 먼저 얘길 했으면 좀 더 이쁘게 하고 왔지.. (공손하게 인사하는) 꾸 친구. 아니.. 산영이 친구 백세미라고 합니다.

인사하는 세미 보다가

산영	인사드렸으면 가자.
세미	또 어딜 가?
산영	우리 빽세 공무원 시험 합격한 거 축하 파티해야지.

씬/20   N, 화원재 별채 마루

이쁜 조명들이 연결돼 있고 중앙에 이쁘게 차려져 있는 테이블 위에는 와인과 안주들이 멋지게 플레이팅이 돼 있다.

산영에게 이끌려 그런 마루로 들어서는 세미. '와와와!' 감격하는 눈빛.

— 시간 경과되면

세미 잔에 와인을 따르고 있는 산영.

세미　　와 진짜 우리 꾸 인생 대박이다. 뭔 집이 이렇게 이뻐.

산영　　뭐하냐. 건배 안 해?

세미　　(술잔 들며) 그래, 이런 날 술이 빠질 순 없지.

산영　　백세미. 공무원 시험 합격 진심으로 축하한다.

세미　　(마지못해 건배해주는 척하며) 고맙긴 한데, 내가 그렇다고 널
　　　　완전 용서한 건 아니다.

산영　　알았어.

술 원샷하고 내려놓는 두 사람.

— 시간 경과되면

여전히 술을 홀짝이고 있는 두 사람.

세미　　그래서 얘기해 봐. 진짜 너 윤정이 결혼식 뒤풀이 때 왜 그런
　　　　거냐?

산영　　아.. 그게.. 사실은.. (눈빛 가라앉다가) 나.. 귀신에 들렸어.

세미　　(가만히 바라보는)

산영　　무서운 악귀야. 벌써 사람을 두 명이나 죽였어.

세미　　(역시 가만히 바라보는)

산영　　그런데.. 난 그 악귀가 필요해.. 어떡하면 좋을까?

세미, 산영의 어두운 얼굴을 가만히 보다가..

세미   ..(기가 막힌) 가지가지 한다. 아주 변명이 창의적이야. 악귀에
      들려서 그랬다구?

산영, 믿지 않을 거라는 걸 짐작한 듯, 쓴웃음을 지으며

산영   그래. 나두 안 믿었는데 너라고 믿기겠니..
세미   그래서 그 악귀가 홍새오빠 꼬시라 그러디?
산영   (어이없이 보는) ..뭐?
세미   그날 너 막 홍새오빠한테 막 이러구 웃구 막 어깨에 기대서 뭐라
      그랬잖아. 아무리 생각해도 그게 제일 용서가 안 돼.
산영   (어이없는 듯 보다가) 그래.. 그래도 내가 너 땜에 웃는다.
세미   얘기 돌리지 말고 똑바로 말해 봐. 너 진짜 홍새오빠 좋아해?
      둘이 무슨 사이야? 사겨?
산영   ..사겨볼까? 지금까지 제대로 된 연애도 못 해봤는데..
세미   야! 너 진짜 죽을래?
산영   농담이야.

산영, 세미 잔에 자기 잔 부딪치며

산영   마시자. 마시고 죽자 오늘.
세미   얘기해 보라고.
산영   말도 안 되는 소리 그만하고 마시라고.
세미   좋아한다고 고백했어? 그 오빠도 너 좋아한대? 그래서 니 코트
      알뜰살뜰 챙겨서 뒤쫓아간 거야? 너네끼리 2차 갔지? 좋았냐?

산영, 답답하고 어이없다. 술 들이켜는 모습에서..

씬/21   N, 경문의 방

술 취해서 잠이 든 세미를 이부자리에 눕히는 산영.
미소를 띠고 잠든 세미를 바라보다가.. 다시 눈빛 어두워진다.

씬/22   N, 별채 마루

세미를 재우고 다시 마루로 나오는 산영.
어지러워진 테이블 위 접시들을 치우려고 하다가 순간 기운이 빠지는
듯 의자에 앉는다. 어두운 표정으로 고개를 떨구는 산영. 가만히 그러고
있다가..

산영   니 말이 맞아.. 난 널 원해..

이런 내 자신이 싫은 듯 얼굴 감싸 안는 산영.

산영   ..내가 뭘 해주면 될까.. 니가 원하는 건 뭐니..

아무 소리 없이 정적에 휩싸인 집 안.
가만히 테이블에 고개를 감싸 안고 앉아있는 산영의 모습에서..

씬/23   D, 동장소

테이블에 엎드린 채 잠이 들어있는 산영. 창문 너머로 들어서는 햇살에
눈이 부신 듯 눈을 뜨다가.. 멈칫한다. 테이블 위 어느새 앞에 놓여 있는
사진. 아귀도 앞에서 찍은 우진의 사진이다. 이게 왜.. 혼란스러운 얼굴로
그 사진을 내려다보는 산영.

씬/24   D, 백차플 북쪽 절벽 위

파도 소리가 들려오는 절벽 위 나무숲 안으로 천천히 걸어들어오는 해상.
밤새 잠도 못 자고 내려온 듯 초췌한 행색. 붉게 충혈된 눈빛. 저 멀리
새로 세운 듯 '북방흑제축귀대장군(北方黑帝逐鬼大將軍)'이라고 적혀있는
깨끗한 북쪽 장승이 보이기 시작한다.
풀숲을 헤치고 다가가 장승 앞에 서는 해상. 주머니 안에서 커터칼을
꺼내든다. 장승을 다시 바라보다가 커터칼로 손바닥을 베어버리는 해상.
흘러나오는 검붉은 피. 아픔도 느끼지 못하는 듯 무표정한 얼굴로 그
피를 다른 손 검지에 찍어 장승 몸통에 '남방적제축귀대장군'이란 글귀를
반복해서 적어 내려가기 시작한다.
피가 굳으면 다시 한번 손바닥을 베면서 자신의 피로 장승 위에 귀신 길을
내는 해상의 모습 위로

— 인서트
— 6부, 67씬. 해상에게 얘기하는 은명.

은명   다섯 개의 물건을 찾고 악귀의 이름을 알아내야 한다.. 그
         말씀만 하셨을 뿐이에요.

— 다시 현재 북쪽 절벽 위로 돌아오면

여기저기 계속해서 장승의 몸통 위에 글씨를 적어 내려가는 해상.

해상(소리) 구강모 교수님을 만나야 해..

점점 흐릿해져 오는 하늘, 거세어지는 바람.
계속해서 커터칼로 손을 긋는 해상. 손에서 뚝뚝 떨어지는 붉은 피.
정신이 나간 듯 그 피로 미친 듯이 글씨를 적어 내려가는 해상.

해상(소리) 내 할아버지.. 아버지가 만든 악귀.. 내가 없앨 거야..

씬/25 D, 감정원 건물 외경

빌딩들 사이 보이는 감정원 간판.

씬/26 D, 감정원

각종 감정 장비 기구로 둘러싸인 사무실로 들어서던 문춘. 책상에서
인센스 스틱을 태우고 있는 정헌기 원장을 보고

문춘 또 향 태우냐. 제삿날이야?
헌기 (문춘 들어서자 인상 쓰며) 아 고기 냄새.
문춘 고기나 사주면서 얘기해.
헌기 (탈취제 뿌리며) 됐고 줘봐요. 뭔지 함 보게.

악귀 2

— 시간 경과되면

목단이 사건의 사건조서가 담긴 파일을 한 장 한 장 넘겨보고 있는 헌기.

헌기　1958년 꺼라고. 쉽진 않겠네.

문춘　뭐 언젠 쉬운 것만 했어? 좀 심혈을 기울여 봐. 예전처럼.

씬/27　D, 고깃집 건물 앞

아직 문을 열지 않은 고깃집 건물로 다가오는 최진호 사장(50대 초반, 남).
고깃집 앞에 서 있는 홍새를 보고 이상한 듯 바라본다.

진호　아직 문 안 열었습니다.

홍새　(명함 꺼내 건네주는) 서울청 강수대에서 나왔습니다.

진호　(경찰이란 말에 멈칫해서 바라보는)

홍새　아버님 변사사건에 대해서 몇 가지 여쭤볼 게 있어서 찾아뵀습니다.

진호, 아버지 사건이란 얘기에 눈빛이 어두워진다.

씬/28　D, 고깃집 안

테이블에 마주 앉아있는 홍새와 진호.

홍새　1983년, 태장건설 대표님이셨던 아버님께서 자택에서 시신으로
발견되셨습니다. 그 사건의 유일한 목격자셨죠. 당시 상황을
말씀해주실 수 있을까요?

진호, 가만히 홍새를 보다가

진호   그때는 그렇게 매달려도 들어주지 않더니.. 몇십 년이 지나서야
찾아온 겁니까?

홍새   그게 무슨 말씀이세요?

진호   우리 아버님은 자살이 아닙니다. 중현캐피탈 염재우 대표
때문에 죽은 겁니다.

씬/29   N, 1983년, 최원철의 집 거실/진호의 회상

밤, 부유해 보이는 거실. 한쪽 소파에서 아빠를 기다리며 잠들어 있는
어린 진호(10, 남), 그 옆쪽에서 서류들을 바라보며 통화 중인 최원철
대표(40대 초반, 남).

원철   염재우 대표 어차피 궁지에 몰려있어요. 조금만 치고 나가면
바로 백기 들 겁니다. 걱정 마세요.

— 시간 경과되면

거실과 연결된 주방 쪽에서 커피를 타고 있는 원철. 진호, 비몽사몽
잠에서 깨어나고 있는데.. 들려오는 '쿵쿵쿵' 현관문 두드리는 소리.
진호, 눈 비비며 일어선다. 주방 쪽에서 커피를 타던 원철도 뒤돌아
보는데.. 다시 '쿵쿵쿵' 문 두드리는 소리에 현관과 가까운 쪽에 있던 진호,
다가가서 문을 여는데.. 어두운 현관 밖에 서 있는 양복 차림의 신사,
염재우(20대 후반, 남).

진호   누구세요?

재우, 진호는 쳐다도 안 보고 주방에서 나와 자신을 바라보는 원철을 보며 씨익 웃는다.

원철   염재우 대표님?

진호, 그 소리에 아빠를 잠시 돌아보다가 현관을 보는데 어느새 사라진 재우. 뒤이어 주방 쪽에서 들려오는 '으으으윽' 억눌린 소리. 놀라서 다시 돌아보면 주방 쪽에서 테이블 위에 있던 김장용 비닐 노끈으로 매듭을 만들어 의자 위에 올라가 천장에 걸고 있는 원철, 공포에 질려서 바들바들 떨고 있다.

진호   아빠..
원철   (겁에 질려) 내가 아냐.. 내가.. 아냐..

순간, '쾅' 매듭에 목을 걸고 의자를 발로 차버리는 원철. 겁에 질려 울음을 터뜨리는 진호.

— 다시 현재, 고깃집으로 돌아오면
그때를 회상하며 아직도 분한 듯 한숨을 내쉬는 진호.

진호   내 말을 믿어주는 사람은 없었어요. 그날 씨씨티브이에도 그 어디에도 염재우 대표는 찍혀있지 않았으니까..

홍새, 얘기를 듣다가..

홍새   그러니까.. 아버님은 자의가 아니라 어떤 다른 힘에 의해서 돌아가셨다는 건가요?
진호   예. 믿기진 않겠지만.. 내 얘긴 사실이에요. 내가 내 눈으로 똑똑히 봤습니다.

진호의 얘기를 듣고 혼란스러운 얼굴로 생각에 잠기는 홍새의 얼굴에서

— 인서트
— 1부, 36씬. 씨씨티브이 속의 문신 남의 모습들.
— 아침, 전 씬 화면에서 실제 화면으로 오버랩되면 공포에 질린 눈빛으로
    돈을 인출하고 있는 문신 남. 기계에서 나오는 오만 원권 지폐들을 바들바들
    떨리는 손으로 가방 안에 쓸어 담는다. 손목에는 검붉은 피멍.
— 3부, 84씬, 수족관 씨씨티비. 겁에 질려 혼자서 마대자루를 들고 수족관을
    깨부수는 사장의 모습.
— 멀리서 그 모습을 지켜보며 미소 짓는 산영의 모습.

씬/30   D, 절 일각

    절 한 켠에 그려진 아귀도를 가만히 바라보고 있는 산영. 손에 들린
    우진이 찍힌 사진과 비교해보면 건물 크기나 위치가 많이 다르다.
    산영, 바라보다가 뒤쪽에 지나가는 승복을 걸친 처사님을 발견하고

산영   잠시만요. 이 절에 아귀도는 여기밖에 없나요?

    처사님, 고개 끄덕끄덕. 산영, 실망하는 얼굴.

씬/31   D, 절 건물 밖 주차장

주차된 차 안에서 수첩에 적혀있는 리스트를 확인해 보는 산영.
'아귀도, 절'이란 제목 아래에 적혀있는 절 이름들, 벌써 절반 이상에 빨간
줄이 그어져 있다. 가만히 수첩을 내려다보다가 다시 우진의 사진을
내려다보는데..
그때 걸려오는 모르는 번호의 전화. 산영, 보다가 전화를 받는다.

산영   여보세요?
이장(소리) 나 기억하는가? 그 백차골 이장인데..
산영   아.. 예. 안녕하세요. 잘 지내셨어요?
이장(소리) 나야 잘 지내는데.. 여기 좀 내려와 줄 수 있겠어?

산영, 영문을 모르겠는 얼굴인데..

— 인서트
— 밤, 백차골 북쪽 절벽 위, 놀란 얼굴로 뛰어 올라가는 이장과 할머니1.

할머니1   오늘 나물 캐러 갔다가 봤다니까.

그런 할머니1을 쫓아 올라가던 이장, 놀라서 바라본다. 여기저기
피투성이가 된 해상이 쓰러져있다.

— 다시 절 주차장으로 돌아오면 여전히 통화 중인 산영.

이장(소리) 어디에 전화를 해야 하나 하다가 아가씨가 생각이 나서.

산영, 잠시 생각하다가 눈빛 가라앉으며

산영   저보다 교수님 댁에 전화해 보세요.

이장(소리) 벌써 해봤지. 그런데 이상한 할머니가 받더니 염 교수 죽든 말든
            상관 안 하겠다는 거야.

산영, 멈칫하다가.. 마음이 흔들리는데.. 손에 들린 우진의 사진에 시선이
멈춘다.

씬/32   D, 백차골 이장의 집 안방

한 손에 붕대를 감은 채 방 한 켠에 몸을 웅크리고 앉아 벽 한 켠의
어둠만을 바라보고 있는 해상. 옆에서 걱정스런 얼굴로 바라보고 있는
할머니1을 비롯한 다른 할머니 몇 명. 그중엔 무표정한 눈빛으로 해상을
바라보는 박씨 할머니도 앉아있고..
죽그릇에서 숟가락으로 죽을 퍼 해상에게 가져다주는 할머니1.

할머니1   염 교수, 이것 좀 먹어 봐봐.

해상, 할머니1의 소리가 들리지 않는 듯 움직임 없이 계속 어두운 벽을
바라보고 있는데..

씬/33   N, 과거, 민박집 복도/해상의 환상

2부, 58씬. 좁은 복도. '쿵쿵쿵' 소리가 들려오는 문을 여는 해상.

악귀(소리)　문을.. 열었네..

조금 열린 문틈 사이로 가로등에 비춰진 머리를 풀어헤친 악귀의 그림자.
그 그림자의 주인은 어린 해상의 모습으로 변한 차가운 표정의 악귀다.
자신과 똑같은 얼굴을 놀라서 바라보는 해상, 겁에 질려 뒤를 돌아보는데
댕기를 든 해상 모. 무섭게 해상을 노려보고 있다.

해상 모　날 죽인 건 너야..

씬/34　D, 현재, 이장의 집 안방

굳은 듯 가만히 어둠만을 바라보고 있는 해상. 어둠이 점점 커지고 있다.
그때 밖에서 들려오는 자동차 소리.

씬/35　D, 이장의 집 건물 밖

누군가 기다리고 있는 듯 서성이고 있는 이장.
다가와 멈추는 산영의 차를 향해 반색하며 다가간다. 차에서 내리는
산영에게

이장　왜 이렇게 늦었어. 같이 좀 들어가 봐.

산영, 잠시 머뭇거리다가 채근하는 이장을 따라 이장의 집으로 향한다.

문 열리며 먼저 들어서는 이장.
안에 모여있던 할머니들 역시 반색하며 '왔어?' 바라보는데

이장 병원에선 큰 이상이 없다는데 저러고만 있네.

들어서는 산영. 가만히 벽면만을 바라보고 있는 해상을 한번 보고 그
시선을 쫓아가다가 멈칫..

산영 벽지는 왜 저래요?

박씨 할머니, 멈칫하며 산영을 바라본다.
산영의 시선으로 보이는 벽지. 한쪽 구석에서부터 점점 어둠이 퍼지고 있다.

이장 뭔 얘기야? 벽지가 왜?

이장의 시선으로 보이는 벽지는 어둠은 보이지 않는 평범한 벽지다.

산영 (당황해서) 저게.. 안 보이세요?

박씨 할머니, 그런 산영을 보다가

박씨 할머니 얘기해 봤자 몰라. 보이지 않으니까.

산영, 뭐지? 놀라서 박씨 할머니를 바라보는데.. 주섬주섬 일어서는 박씨
할머니.

박씨 할머니	난 그만 들어가 볼게. 뭐 머지않은 거 같네.

의아한 얼굴로 그런 박씨 할머니를 바라보는 이장과 할머니들.
점점 어둠이 퍼져나가는 벽지를 보다가 박씨 할머니 뒤를 따라
뛰어나가는 산영.

씬/37   D, 이장의 집 건물 밖

걸어 나오는 박씨 할머니와 그 뒤를 따라 나오는 산영.

산영	그게 무슨 말씀이세요? 뭐가 멀지 않았다는 거예요?
박씨 할머니	너도 봤잖아. 저거.
산영	저게 뭔데요?
박씨 할머니	귀신.

산영, 당황한 듯 집 쪽을 바라보며

산영	저게.. 귀신이라구요? 그럴 리가 없어요.. 거울도 없는데.. 왜..
박씨 할머니	니가 믿건 안 믿건 저건 귀신이야. 어둑시니지.
산영	..어둑시니요?
박씨 할머니	어두운 곳을 계속 바라보면 그 어둠이 점점 커져. 결국 그 어둠에 깔려 집어삼켜져 버리지.
산영	그게 무슨 뜻이에요.. 죽는다는 건가요?
박씨 할머니	..내 딸을 죽게 만들더니 결국 염 교수도 똑같이 귀신한테 당하네..

　　　　　　　　산영, 어떻게 해야 하지.. 당황하다가..

산영　　　막을 순 없나요? 죽을 걸 알면서 가만둘 순 없잖아요.
박씨 할머니　나도 몰라. 어떻게 막을지. 안다고 해도 돕고 싶지 않아.

　　　　　　　　박씨 할머니 차갑게 돌아서다가 해가 지고 있는 하늘을 바라본다.

박씨 할머니　밤이 오네..

　　　　　　　　산영, 불안한 눈빛으로 어두워지는 하늘을 바라보다가 다시 이장의 집
　　　　　　　　쪽으로 향한다.

씬/38　D, 이장의 집 안방

　　　　　　　　안방으로 다시 들어서는 산영. 창문 너머로 들어오는 햇볕이 서서히
　　　　　　　　줄어들고.. 벽을 타고 점점 커져가는 어둠을 불안한 눈빛으로 바라본다.
　　　　　　　　그런 어둠을 뭔가에 홀린 듯 붉게 충혈된 눈빛으로 바라보는 해상.

씬/39　D, 강의실/해상의 환상

　　　　　　　　학생들 앞에서 강의 중인 듯 칠판에 글씨를 쓰고 있는 해상.
　　　　　　　　1부 51씬과 비슷한 산만한 분위기의 강의실. 학생들 중 키득거리면서
　　　　　　　　해상을 보면서 귓속말을 하고 있는 여학생 무리들. '미쳤대' '귀신이
　　　　　　　　보인대' 해상, 무시하고 계속해서 글씨를 적어 내려가는데 순간
　　　　　　　　여학생들의 목소리에 섞여 들려오는 목소리.

악귀(소리) 너희가 날 죽였어.

뒤를 돌아보는 해상. 어느새 학생들의 모습은 사라지고 텅 비어있는
강의실. 놀라서 강의실을 훑어보는 해상. 뭔가 이상함을 느끼고 다시 시선
돌리면 텅 비어있던 강의실 책상에 홀로 앉아있는 누군가.
푸른 불투명한 천을 뒤집어쓰고 있는 작은 소녀다. 해상, 두려움에 찬
눈빛으로 그 소녀를 바라보는데..

씬/40   N, 이장의 집 안방

마치, 굳은 듯 벽 쪽의 어둠만을 바라보고 있는 해상을 걱정스럽게
바라보고 있는 이장과 할머니들, 산영.

이장 어떻게 좀 해봐봐..

산영, 당황한 눈빛으로 벽을 바라본다. 어느새 벽면을 타고 커지는 어둠이
해상을 향해 다가오고 있다.

산영 저도.. 잘.. 어떻게 할지.. (마음이 급하다. 뭐라도 생각해내려
애쓰는) 어둠.. 어둠.. 어둠의 반대.. (하다가 눈빛 멈칫) 어둠의
반대..

산영, 결심한 듯 어르신들에게

산영 교수님을 옮겨야겠어요.

씬/41   N, 국도 일각

'부아앙' 국도를 달리고 있는 산영의 차.
불안한, 뭔가를 회피하는 듯 떨리는 눈빛으로 전면을 응시하며 운전을
하고 있는 산영, 자꾸만 손이 떨려온다. 조수석에는 무표정한 눈빛으로
유리창에 머리를 기대고 창밖을 보고 있는 해상. 해상의 시선으로
드문드문 켜져 있는 가로등들 사이 자리 잡은 짙은 어둠이 보여진다.

씬/42   D, 강의실/해상의 환상

해상, 떨리는 눈빛으로 바라보는데.. 사라진 소녀. 텅 빈 강의실을 가만히
둘러보는데..
이번엔 조금 더 앞자리로 내려와서 앉아있는 푸른 천을 뒤집어쓴 소녀.
놀라서 바라보면 또다시 해상의 바로 앞자리에 앉아있는 소녀.
겁에 질린 듯 뒷걸음질을 치는 해상. '쾅' 강의실 문을 열고 뛰쳐나간다.

씬/43   N, 국도 일각

여전히 빠르게 달리고 있는 산영. 불안한 눈빛으로 룸미러를 바라보는데
마치 어둠이 쫓아오는 듯 자동차 뒤쪽의 가로등들이 하나둘씩 꺼지고
있다. 산영, 더욱 액셀을 밟으며 조수석의 해상에게

산영   교수님! 정신 차려요!

산영의 목소리, 들리지 않는 듯 미동도 없이 창밖 어둠만을 응시하는 해상.

씬/44 D, 대학교 건물 복도/해상의 환상

'쾅' 복도로 뛰쳐나오는 해상. 무작정 복도를 따라 뛰기 시작한다. 뛰면서 뒤를 바라보지만 아무도 따라오지 않는다. 계속해서 앞으로 뛰어가는데 그런 해상이 지나치는 강의실들. 문이 열린 텅 빈 강의실 입구마다 푸른 천을 뒤집어쓴 소녀가 앉아있다.

씬/45 N, 국도 일각

여전히 차를 몰고 달려가고 있는 산영. 룸미러를 보면 더욱 빠른 속도로 꺼지고 있는 가로등 불빛들. 따라붙고 있는 어둠.
더욱 불안해지는 산영. 표지판을 바라본다. '계마곶' 00킬로미터.

— 인서트
2부, 60씬, 산영에게 얘기하고 있는 해상.

해상　　어머님은 계속 동쪽으로 가고 있었어요. 동쪽, 가장 먼저 해가 비치는 곳, 귀신이 싫어하는 곳이죠.

— 다시 국도일각으로 돌아오면 액셀을 밟고 있는 산영.
고개를 들어 창문 너머 하늘을 바라본다. 어스름 밝아지긴 했지만 아직 해가 뜨려면 시간이 남았다. 초조해지는 산영의 눈빛.

씬/46 D, 대학교 건물 복도/해상의 환상

복도를 뛰어 도망치고 있는 해상. 그런데 복도가 끝나지 않는다. 코너를
돌면 계속 같은 복도. 해상이 뛰어 지나치는 강의실 문 안의 푸른 천을
뒤집어쓴 소녀들, 점차 앞으로 기어나오고 있다.

씬/47 N, 국도 일각

달리고 있는 산영의 차. 룸미러를 바라보며 굳어지는 산영의 눈빛,
부감으로 보여지는 모습. 꺼지는 가로등, 쫓아오는 어둠이 산영의 차를
거의 덮칠 듯하다. 저 앞쪽으로 보이는 나무숲으로 향하는 갈래길로
급격하게 차를 틀어버리는 산영.

씬/48 D, 대학교 건물 복도/해상의 환상

복도를 달리고 있던 해상, 뭔가에 발이 걸린 듯 넘어진다.
돌아보면 어느새 기어와 해상의 다리를 잡고 있는 푸른 천을 뒤집어쓴
소녀의 깡마른 손, 검지 손가락이 잘려져 있다.

악귀(소리) 너희가 나를 죽였어..

씬/49 D, 국도 인근 숲 일각

숲 인근 막다른 길에 도달한 산영의 차.

저 앞쪽 나무숲이 있는 절벽 쪽에서 희미하게 붉은 햇볕이 보이기
시작한다. 하지만 나무들 때문에 더 이상 차로 갈 수가 없다.
산영, 뒤를 돌아보면 여전히 쫓아오고 있는 어둠. 다급히 차에서
뛰어내려 조수석으로 가 안전벨트를 풀어 해상을 차에서 끌어내린다.
해상의 몸. 앞으로 휘청하고 산영, 어떡하든 그런 해상의 몸을 부축해
일으켜 보려고 하지만 역부족이다. 아직은 어두운 나무숲 그림자 사이로
다가오고 있는 어둠.

씬/50   D, 대학교 건물 복도/해상의 환상

뒤쪽에서 해상을 잡아끄는 푸른 천을 뒤집어쓴 소녀.
해상, 소녀를 피해 어떡하든 앞으로 기어가 보려 하지만 맘대로 되지 않는다.

악귀(소리) 너희가 날 죽였어.

해상, 결국 힘이 빠진 듯 포기하고 마는데.. 희미하게 들려오는 목소리.

산영(소리) ..아냐..

순간, 해상의 앞쪽에서 튀어나온 누군가의 손이 해상의 손을 잡아 앞으로
끌어당긴다.

씬/51   D, 국도 인근 숲 일각

쓰러진 해상의 손을 잡아 나무숲 끝으로 잡아끌고 있는 산영.

해상의 뒤쪽 나무숲 쪽에서는 여전히 그림자가 다가오고 있는데..
산영, 있는 힘껏 숲 바깥 절벽 위로 해상을 잡아끌면서

산영   당신은 아냐.. 당신은 아니라고!!

마지막 남은 힘을 쥐어짜 숲 바깥쪽 붉은 태양 빛이 닿는 곳으로 해상을
끌어당기는데 힘이 빠진 듯 해상의 손을 잡은 손이 풀려버린다.
순간 그런 산영의 손을 잡는 해상. 산영 보면 붉은 태양 빛이 비춰진
해상의 눈빛, 제정신으로 돌아온 듯 산영을 바라보고 있다.
다시 힘을 내어 해상을 절벽 쪽으로 잡아끈 뒤 바닥에 널브러지는 산영.
해상 역시 그 옆에서 떨리는 눈빛으로 정신을 추스르다가 나무숲 쪽을
바라본다. 어느새 그림자는 사라지고 어두웠던 나무숲 안에도 붉은
태양 빛이 가득하다. 천천히 고개를 돌리는 해상, 떠오르는 붉은 태양을
바라본다. 보일 듯 말 듯 눈빛이 젖어온다.

─ 시간 경과되면
평화로운 파도 소리. 갈매기 소리. 아까보다 조금 더 떠올라있는 아름다운
태양을 바라보고 있는 산영과 해상.

산영   전 교수님이 싫어요..
해상   ...
산영   교수님 잘못이 아닌 거 아는데.. 머리로는 알겠는데.. 여전히
            마음이 풀리지가 않아요.
해상   ...
산영   그런데.. 백차골에서 여기까지 오면서.. 그것들을 봤어요..

— 인서트

— 밤, 국도를 달리고 있는 산영. 저 앞에 보이는 아름드리나무에서
　나뭇잎들을 타고 붉은 피가 뚝뚝뚝 떨어지고 있다. 직감적으로 귀신의
　기운임을 알아채고 두려운 눈빛으로 시선을 피한다.

— 밤, 또 다른 국도 일각. 표지판을 지나는데 표지판 위로 창백한 하얀 팔이
　걸쳐져 있다. 떨리는 눈빛으로 애써 외면하는 산영.

— 밤, 국도 한 켠의 한적한 버스정류장에 서 있는 피투성이의 여자.
　버스정류장 앞을 지나는 산영의 눈빛에 두려움과 함께 슬픔이 배어난다.

— 다시 현재, 국도 인근 숲 일각으로 돌아오면
　가만히 떠오르는 붉은 태양을 바라보며 얘기를 이어나가는 산영.

산영　무섭고.. 두렵고.. 슬펐어요..

해상　...

산영　이런 모습을 계속 보고 사신 거죠..

해상　...

산영　어쩌면.. 교수님은 가족이 저지른 죄를 이런 방식으로 속죄를
　　　　하고 계셨던 게 아닐까요..

해상, 가만히 붉은 태양을 바라보다가

해상　죽어도 된다고 생각했어요.. 그런데.. 그 괴로운 환상을
　　　　보면서.. 살고 싶다는 생각뿐이었어요.. 그때 산영 씨가 내 손을
　　　　잡아줬습니다.. 고마워요..

붉은 태양을 가만히 바라보는 산영과 해상의 모습에서..

산영의 차를 향해 걸어오는 두 사람. 세워놓은 산영의 차를 바라보는 해상.

해상   차 샀어요?
산영   네.

산영, 잠시 생각하다가 차 문을 열고 가방 안에서 우진의 사진을 꺼내
해상에게 보여주며

산영   악귀가 계속 이 사진을 보여줘요. 처음엔 아귀를 가리키는 줄
          알았는데 아무래도 그 절을 가리키는 것 같아요.

해상, 멈칫 놀란 눈빛으로 사진을 내려다본다.

산영   사진 안의 그분, 친구분이시죠. 친구분이 어느 절에서 그 사진을
          찍었는지 짐작 가는 데 없으세요?

해상, 산영을 바라보며

해상   이게 왜 산영 씨한테 있죠. 이 사진은 본가에 있었을 텐데..

산영, 해상을 의아한 듯 보다가..

산영   그건 나도 몰라요. 화원재, 할머니 화장대 서랍 안에 있는 걸
          발견했을 뿐이에요.

혼란스러운 눈빛으로 사진을 내려다보는 해상.

씬/53   D, 탐정사무소

작고 허름한 탐정사무소.
'법인 사무소 헤맴 대표 천일만'이라는 명패가 놓인 책상 앞 소파에 앉아
건강식품을 짜 먹으면서 시계 확인하고 있는 문춘. 그때 문 열리면서 서류
가지고 들어서는 일만.

문춘   찾았어?

일만   (맞은편에 와서 앉으며) 그럼. 내가 누구야. 금천서 강력계 팀장
        천일만 아냐.

문춘   사고 쳐서 짤린 주제에..

일만   그거 밑에 애들이 친 거 내가 총대 메준 거라니까. 아 됐어 됐어.
        호랑이 담배 피던 시절에 죽은 사람들 찾느라고 개고생했구만.
        장진리? 그거 지금 지도에도 안 나온다구. 시간도 개 코딱지만큼
        주고.

문춘   알았어. 팀장님. 찾은 거 줘봐.

일만   (서류 넘기며 거들먹) 1958년도에 그 장진리란 마을 이장님
        서류야. 서울 어디 요양병원에서 치매로 입원했다가 1999년에
        죽었더라구.

문춘, 요양병원 입원 서류 사본 훑어보다가 멈칫한다.
장진리 이장 이름은 '이병건' 보호자란에 이름 '구강모'다.

문춘   ..보호자 이름이.. 구강모야?

일만   직계가족은 없었고 지인이었나 보더라고.

문춘, 입원서류를 넘기면 유품 수령 확인서. 역시 강모의 사인이 적혀있다.

— 인서트
— 'OO요양병원'이라는 상호명이 적힌 사무실.
테이블에 누군가와 마주 앉아있는 간호사. 종이박스를 맞은편으로 밀며

간호사   어르신께서 남기신 물건들입니다. 요양병원 들어오실 때 보관을
맡기셨던 귀중품도 있어요.

강모(소리)   그동안 감사했습니다.

간호사   (서류 내밀며) 거기에 사인하시면 됩니다.

맞은편에서 '유품 수령 확인서' 서류에 사인을 하는 누군가의 손.
'구강모'라는 사인. 서서히 화면 빠지면 강모다.

— 다시 현재, 탐정사무소로 돌아오면
요양병원 관련 서류철 중 유품 수령 확인서에 남겨진 강모의 사인을
혼란스러운 눈빛으로 바라보는 문춘.

일만   왜? 뭐 문제 있어?

그때, 울리는 문춘의 핸드폰 문자음.
'복원 끝났어요. 다 살리진 못했는데 한번 와서 확인 바람'
문춘, 문자를 보자 서류를 챙겨들고 일어서며

문춘   수고비는 계좌로 보내줄게.

일만	형, 내 계좌번호도 모르잖아!!

씬/54 D, 공원 일각

누군가를 찾는 듯 두리번거리면서 들어서는 홍새.
공원 여기저기서 운동기구로 운동을 하고 있는 노인들. 저 앞 벤치에
앉아서 그런 풍경을 바라보고 있는 70대 남을 발견하고 다가가는 홍새.

홍새	(공손하게) 안녕하세요.

누구지? 올려다보는 70대 남에게 명함을 건네는 홍새.

홍새	까마득한 후배 이홍새라고 합니다.

— 시간 경과되면
나란히 벤치에 앉아 대화를 나누고 있는 홍새와 70대 남.

70대 남	1979년, 이택희 검사 변사사건.. 기억나지.
홍새	몇십 년이 지난 사건인데 기억하세요?
70대 남	워낙 이상한 사건이었거든. 당시 사건 정황은 알고 온 거지?
홍새	예. 혼자 살던 아파트에서 투신자살했잖아요. 그런데 이상했다는 게 뭡니까? 의심스러운 부분이 있으셨던 건가요?
70대 남	숨진 이택희 검사 성격이 워낙 깔끔한 양반이었어. 발견됐을 때도 집 안에 먼지 한 톨 없었지. 그런데 현장에서 이상한 지문들이 한가득 발견됐어.
홍새	..설마.. 중현캐피탈 염재우 대표의 지문입니까?

70대 남   (놀라는) 어떻게 알았어?

낯빛이 서서히 굳어져 가는 홍새.

70대 남   하지만 염재우 대표는 그날 지방행사에 참석 중이었어.
목격자만 해도 백 명이 넘었지. 그 전에도 이택희 검사 집에
방문한 적도 없었고. 결국 그 건은 현장 수사가 잘못됐던 걸로
끝나버렸어.

홍새, 70대 남의 얘길 들으면서 더욱 눈빛 흔들린다.

씬/55   D, 거리 일각 홍새의 차 안

홍새, 달리는 차 안에서 문춘과 통화 중이다.

홍새   선배님 말씀처럼 중현캐피탈 사건들을 좀 더 조사해 봤는데요.
보이스 피싱범 변사사건이나 수족관 사장 때랑 정황이 많이
일치해요.

씬/56   D, 감정원

복원된 서류들을 한 손에 들고 통화 중인 문춘.

문춘   그래. 알았어. 사무실에서 만나서 얘기하자.

문춘, 전화를 끊으면서 복원된 서류 훑어보다가

문춘   수고했어. 수고비 계좌로 보내줄게.

감정원을 나가는 문춘 보고 헌기, 한숨 내쉬며

헌기   계좌번호 물어보기라도 해라.

씬/57   D, 사찰 일각 아귀도 앞

절 한 켠에 그려진 아귀도 그림 앞에 서 있는 산영과 해상.
산영, 우진이 찍힌 사진과 비교해 보면 정확히 일치한다. 해상, 아귀도
그림을 바라보며

해상   그 아이는 내 유일한 친구였어요.. 아귀에 들렸다는 걸 알았지만
한동안 얘기하지 못했어요. 또 미쳤다는 소릴 들으면서 친구를
잃을까 봐..

씬/58   D, 과거, 1999년, 해상의 본가 거실

서재 문을 열고 나오는 우진. 손에는 예의 해상 부의 카메라가 들려 있다.
씨익 웃으면서 자기 방으로 조심조심 걸어가려는데 현관 쪽에서 장바구니
들고 들어서던 일하는 아주머니와 시선 마주친다. 우진의 손에 들린
카메라를 보고

아주머니   그거.. 돌아가신 사장님 건데..

우진의 눈 붉게 충혈되기 시작하고.. 순간, 숨이 막히는 듯 장바구니를
놓치고 가슴을 잡는 아주머니..
그때 들려오는 목소리.

해상(소리)   김우진!!

때마침 현관으로 들어서던 해상이다. 자신을 부르는 소리에 눈빛 다시
돌아오는 우진.
아주머니, 콜록콜록 기침을 해대며 정신을 추스르는데..

해상   (아주머니에게) 괜찮으세요?
아주머니   저기.. 저.. 우진 학생이 사장님 물건을..
해상   (우진과 시선 마주치다가) 제가 갖고 오라고 했어요.
아주머니   예?
해상   (우진에게) 뭐해. 카메라 챙겼으면 가자.

우진, 무슨 생각이지.. 가만히 해상을 바라보는

씬/59   D, 과거, 1999년, 사찰 일각 아귀도 앞

아귀도 앞에 서 있는 우진의 모습. '찰칵' 사진을 찍고 있는 해상.
우진, 사진을 찍고 난 뒤 다시 돌아서서 아귀도 그림을 바라본다.

우진   희한한 그림이긴 한데 이거 찍자고 여기까지 끌고 온 거냐?

해상, 머뭇거리다가

해상   ..너네 학교에서 두 명이 죽었다며?

우진   (멈칫해서 바라본다) ...

해상   ..네 잘못 아냐.. 너한테 귀신이 들린 거야..

우진   (보다가 웃음 터뜨린다) 무슨 얘기하는 거야? 귀신이라니..
           (정색하고) 그리고 그 애들 죽은 거 나랑 상관없어.

우진, 돌아서서 걸어가려는데..

해상   그동안 책 보면서 공부를 해봤는데 저 그림에 있는 아귀. 그게
           너한테 씐 귀신이야.

우진   그만해라.

해상   (카메라 우진에게 내밀며) 이거 가져가서 필름 현상해 봐..
           사진을 보면 네 눈이 빨갛게 보일 거야.

우진   그만하라고!

해상   방법이 아예 없는 건 아닌 것 같아. 여기서 아귀들을 구제하는
           우란법회가 열린대.

우진, 화난 얼굴로 다가와 해상을 뒤로 밀어버리며

우진   그만하라고 했다.

돌아서서 성큼성큼 멀어지는 우진을 안타까운 듯 바라보는 해상.
그 위로 깔리는 어른 해상의 목소리.

해상(소리)   얼마 뒤에 우진이는 달려오는 차에 뛰어들어서 자살을

시도했어요. 결국 병원 중환자실에서 생을 마감했죠.

씬/60 D, 현재, 사찰 일각 아귀도 앞

해상, 혼란스러운 눈빛으로 산영을 보며

해상 그때, 그 카메라는 본가 서재에 다시 돌려놨어요. 그런데 그게
왜 구강모 교수님 댁에 있었을까요.. 그리고.. 악귀는 왜 여기로
우릴 보낸 거죠?

산영, 혼란스러운 눈빛으로 사진을 바라보다가..

산영 아빠와 관련이 있는 것 같아요. 장진리도 그랬고 백차골도
그랬잖아요.

해상, 산영의 얘기를 들으며 주변을 둘러보다가 한 곳에 시선이 멈춘다.
사찰 내 홍보 현수막을 건 게시대. 여러 현수막들 중 하나에 시선이
꽂히는 해상.
'OO사 방생법회 일시 0월 0일 장소 OO사 OO저수지' 멈칫하는 해상의
모습 위로

— 인서트
— 5부, 51씬.
거실 테이블 위에 가방 안에서 꺼낸 사건 파일들을 내려놓는 문춘.

해상 이게 뭡니까?

문춘	염 교수 어머님과 같은 케이스들이야. 손목에 붉은 멍 자국이 남은 채 자살한 변사자들이지.

얘기를 이어나가며 사건 파일들을 하나하나 가리키는 문춘.
'2000년, 강남 남부 횟집 자살 사건' '2002년, 서해 백차골 자살 사건'
'2007년, 경기 북부 저수지 자살 사건' 파일이다.
파일을 내려다보는 해상의 시선.

— 다시 현재, 사찰로 돌아오면

해상	경기 북부 저수지 자살 사건.. 구강모 교수님 주변 사람들 중에 이 근처에서 숨진 사람이 있어요.
산영	..그게 무슨 말씀이세요?
해상	머리를 푼 악귀의 기운이 서린 물건은 죽임을 당한 자의 기운으로만 누를 수 있다. 기억나요?
산영	아빠 논문에 있던 얘기잖아요.

— 인서트
— 해상의 서재에 붙어있던 강모의 논문에 '머리를 푼 악귀의 기운이..'
적힌 글귀 위로 들려오는 해상의 목소리.

해상(소리)	죽임을 당한 자의 기운. 악귀 때문에 누군가가 죽은 장소를 말하는 거예요. 그곳에 악귀와 관련된 물건을 봉인하면 악귀의 기운을 누를 수 있다는 거죠.

— 다시 사찰 일각으로 돌아오면

해상   악귀와 관련된 물건이 여기에도 묻혀있을 수 있어요.

        놀라서 해상을 바라보는 산영.

씬/61 D, 또 다른 사찰 일각

        나이가 지긋한 스님 한 분과 마주 서 있는 산영과 해상.
        스님, 강모의 사진을 보고 있다.

스님   그분이시네요.

        산영과 해상, 시선 마주친다.

해상   여기 자주 오시던 분인가요?
스님   작년에 오셔서 꽃나무를 하나 기증하셨어요.
산영   그 꽃나무 어디에 심으셨죠?
스님   근처에 방생법회를 하는 사찰 소유의 저수지가 있어요. 거기에
        직접 심어주셨죠.

씬/62 D, 사찰 인근 저수지 일각

        저수지 옆에 심어진 꽃나무로 다가오는 산영과 해상.
        산영, 다가와 맘이 급한 듯 주변에 있는 돌들 중 하나로 꽃나무 아래를
        파기 시작하는데..
        해상, 그런 산영을 만류하며

해상   삽 같은 거 좀 빌려올게요.

씬/63   N, 동장소

어느새 해가 꽤 내려앉은 저수지. 삽으로 꽃나무 아래를 파 내려가는 해상.
어둑어둑해지는 주변 사위. 산영, 핸드폰 플래시 불빛을 비추어주고 있는데..
흙 사이로 나온 새끼줄을 발견하고 멈칫하는 산영.

산영   교수님.

산영의 부름에 새끼줄을 발견하는 해상. 함께 손으로 그쪽을 파기
시작하면 금줄로 묶인 흑고무줄이 드러난다. 산영, 그런 흑고무줄을 들어
올리는데 또다시 보이는 영상.

— 인서트
— 낮, 58년. 대들보에 흑고무줄로
  목을 맨 중년 여의 뒷모습.
— 낮, 58년. 거친 풍랑이 치고
  있는 바닷가.

— 다시 현재, 저수지로 돌아오면
  흑고무줄을 바라보던 해상의 눈빛, 흔들린다.

해상   붉은 댕기, 푸른 옹기 조각.. 흑고무줄, 옥비녀, 초자병..
산영   옥비녀.. 초자병이요?
해상   구강모 교수님이 그렇게 말씀하셨어요. 다섯 개의 물건을 찾고

악귀의 이름을 알아내야 한다고..

— 인서트
— 낮, 2022년, 백차골, 경문 모의 집. 여기저기 허물어진 폐가 마당.
    삽으로 흙을 파고 있는 강모. 초조한 눈빛으로 하늘을 바라보면 구름이
    몰려오면서 흐려지는 하늘. 더욱 빠르게 땅을 파기 시작한다.
    구덩이 안에 금줄에 묶인 푸른 옹기 조각을 넣는 강모. 깨끗한 흰 종이를
    꺼내든다. 종이 위에는 붓으로 적힌 붉은 글씨 '李木端'. 불을 붙여 소지를
    하는 강모. 허공으로 날아가는 불꽃들. 소지가 끝나자 구덩이를 흙으로
    덮는 강모. 새끼줄 하나가 흙더미 위로 보일 듯 말 듯 나와 있는데..
— 낮, 2022년, 경기 북부 저수지. 포장된 꽃나무 묘목 옆 파여져 있는
    구덩이. 그 옆에서 '李木端'이라고 적힌 흰 종이에 불을 붙여 소지를 하는
    강모. 소지가 끝난 뒤 구덩이에 금줄에 묶인 흑고무줄을 넣고 꽃나무
    묘목을 심기 시작하는 강모.

— 다시 현재로 돌아오면 산영의 손에 들린 흑고무줄을 바라보는 해상.

해상   우리 어머님도 교수님도 그 물건들을 봉인하면서 악귀를
         없애려고 하신 거예요. 그러다가 결국 악귀한테 죽임을 당한 거죠.

         산영, 혼란스러운 눈빛으로 해상을 바라보는

산영   ..아빠가.. 악귀를 없애려다 돌아가셨다구요?
해상   맞아요. 구강모 교수님과 관련된 다른 사건장소들을
         찾아봐야겠어요. 거기에서 옥비녀와 초자병을 찾아야 해요.

         해상, 핸드폰을 꺼내 문춘의 이름을 찾는데, 산영 여전히 혼란스러운

산영   실패하신 거잖아요..

해상   (고개 들어 산영을 바라보는)

산영   두 분 다 악귀를 없애지 못하셨어요.. 다섯 가지 물건과 이름을
          알고 계셨는데 왜 실패하신 거죠?

해상도 산영처럼 혼란에 빠진 눈빛으로 흑고무줄을 바라본다.
가만히 선 두 사람을 향해 불어오는 차가운 바람.

해상   ..나머지 두 개 물건을 찾아봐요. 그러면 그 이유도 알 수 있을
          겁니다.

해상, 핸드폰에서 문춘의 이름을 찾아서 전화를 건다.

씬/64   N, 거리 일각 택시 안

택시 뒷자리에 앉은 문춘, 감정원에서 가지고 온 서류들을 손에 들고
해상과 통화 중이다.

문춘   왜 이렇게 연락이 안 돼. 몇 번이나 전화했는데.. 어디야? 여러
          가지로 좀 물어볼 게 많아. (보고 있던 서류들을 힐긋 보며)
          이목단 사건조서 복원도 끝났으니까 같이 보고 얘기 좀 하자구.

씬/65   N, 사찰 인근 저수지 일각

문춘과 통화 중인 해상을 옆에서 가만히 바라보는 산영의 눈빛.

해상   알겠습니다. 제가 그쪽으로 갈게요.

전화를 끊고 돌아서다가 그런 산영을 보고

해상   산영 씨?

대답 없이 허공을 바라보고 있는 산영.

씬/66   N, 거리 일각 택시 안

전화를 끊는 문춘, 훑어보던 서류를 다시 바라본다.
그중 목단 가족의 호적등본 제목 정도만 보여지는데..

문춘   둘째가 아니네..

그때, 멈춰 서는 택시.

기사   도착하셨습니다.

문춘, 택시에서 내려서서 강수대 건물을 올려다본다. '강력수사대'라는
글씨가 보이고..

가만히 허공을 바라보던 산영의 뇌리에 스치기 시작하는 그림들.

— 인서트
— 밤, 저수지를 빠져나가 국도를 따라 빠르게 멀어지는 악귀의 시선.

— 다시 저수지 일각으로 돌아오면
'헉' 소리와 함께 두려운 눈빛이 되는 산영.

해상 왜 그래요?

산영 ..또.. 시작됐어요.. 또.. 사람이 죽을 거예요.

— 인서트
— 밤, 서울 시내로 접어드는 악귀의 시선.

— 다시 저수지로 돌아오면

산영 서울..

— 인서트
— 밤, 서울 도심을 빠르게 지나가던 악귀의 시선, '강력수사대'라고 적힌
밤건물 앞에 멈춰선다.

— 다시 저수지로 돌아오면

산영 ..경찰서.. 건물 밖에 강력수사대라고 적혀있었어요..

씬/68   N, 강수대 사무실

퇴근 시간이 지난 듯 텅 빈 사무실, 자기 자리로 다가오는 문춘.
책상에 앉아 가지고 온 서류봉투에서 서류들을 꺼내 내려놓는데 울리는
핸드폰. 해상이다. 문춘, 전화 받자마자

해상(소리) 형사님, 어디예요?
문춘   경찰서지. 여기서 보기로 했잖아.

씬/69   N, 거리 일각 차 안

빠르게 속도를 높여 강수대 사무실을 향해 달려가고 있는 차 안.
운전을 하고 있는 산영. 조수석에서 문춘에게 불안한 얼굴로 전화를 하고
있는 해상.

해상   절대 문을 열어주면 안 됩니다.
문춘(소리) 그게 무슨 소리야?
해상   누가 문을 두드리더라도 절대 문을 열어주지 마세요. 제가 가기
            전까지 아무한테도 문을 열어주면 안 됩니다!

씬/70   N, 강수대 사무실

이해가 안 간다는 얼굴로 핸드폰을 바라보던 문춘.

문춘   뭔 소린지는 모르겠는데.. 알았어. 안 열어주면 되는 거지?

전화를 끊는 문춘. 의아한 눈빛으로 문을 바라보는데.. 순간 바람 때문인
듯 덜컹덜컹하는 문.
왠지 불안한 듯 문을 계속 바라보는데 갑자기 '쾅' 문이 열리면서 들어서는
홍새. 자기도 모르게 '어헉!' 놀라던 문춘. 홍새에게

문춘 무슨 문을 그렇게 세게 열어.
홍새 (영문을 모르는) 문이요? 아니.. 그게..
문춘 빨리 문 닫고 들어와.

홍새, 영문을 모르고 문 닫고 들어서는데

문춘 아냐. 아예 잠가버려.

홍새, 이상한 듯 보면서 문을 잠그는데..

씬/71 N, 거리 일과 차 안

불안한 얼굴로 차를 몰고 있는 산영.

산영 누가 죽는지는 보이지 않았어요. 그분이 아닐 수도 있어요.

씬/72 N, 강수대 사무실

강수대 사무실. 여전히 의아한 눈빛으로 핸드폰을 보며 생각에 잠겨있는 문춘.
홍새는 커피 두 잔을 타서 들고 문춘에게 다가오려는데 '쿵쿵쿵' 누군가

문을 두드린다. 뭐지? 고개 들어 문 쪽을 바라보는 문춘.
홍새, 커피 들고 오다가 문을 열려는 듯 테이블에 커피 놓고 문 쪽으로
다가가려는데

문춘 잠깐만.

홍새 예? 밖에 누가 온 것 같은데..

또다시 '쿵쿵쿵' 문을 두드리는 소리.

홍새 열어줘야 하지 않을까요?

문춘 잠깐만 있어 보라고.

그때, 문밖에서 들려오는 해상의 목소리.

(소리) 염해상입니다.

문춘, 자기도 모르게 안도하는 눈빛으로

문춘 열어줘.

홍새, 그런 문춘을 이상한 듯 보고는 잠긴 문을 여는데..
밖에 서 있는 누군가.. 서늘한 미소의 산영의 모습을 한 악귀다.

산영 ..문을 열었네..

8부 끝.

9부

그 달은 누가 본 거지?

너 : 목단이 아니지.

씬/1   N, 강수대 사무실

의아한 눈빛으로 열린 문 너머의 산영을 바라보고 있는 홍새.
그때, 뒤쪽에서 들려오는 '쿵' 소리에 뭐지? 뒤돌아보면 새파랗게 질린
안색으로 비틀거리는 문춘이다. 홍새, 이상한 듯 문춘 바라보며

홍새   선배님. 몸이 안 좋으세요?

홍새, 문춘이 걱정되는 듯 다가가려다 뒤돌아 '너 여기 잠깐 있어'
얘기하려는데 어느새 사라진 산영.
홍새, 의아한 듯 보다가 다시 뒤돌아 문춘을 보면 부들부들 떨리는 손으로
책상 위에 놓인 서류들을 구기듯이 잡는 문춘.

씬/2   N, 강수대 건물 인근 도로 일각/산영의 차 안

저 앞쪽으로 보이는 강수대 건물을 향해 빠르게 차를 몰고 있는 산영.
순간 산영의 뇌리를 스치는 악귀의 시선.

— 인서트
— 강수대 사무실. 악귀의 시선으로 보여지는 새파랗게 질린 문춘. '쾅' 책상
  위에 놓인 자료를 구기듯 잡는 문춘의 손.

— 다시 차 안으로 돌아오면 더욱 불안감이 몰려오는 산영.
  액셀을 밟는데..

씬/3   N, 강수대 사무실

새파랗게 질린 낯빛으로 책상 옆쪽에 있는 창문으로 다가가 창문을 여는 문춘.

홍새   왜 그러세요? 어디 답답하세요?

문춘, 점점 붉게 충혈되며 떨리는 눈빛으로 뒤돌아 홍새를 바라본다.
손목에 검붉은 멍이 들어있다.

문춘   ..염 교수가 맞았어..
홍새   그게.. 무슨 말씀..

순간, 말릴 틈도 없이 창문 밖으로 몸을 던지는 문춘.
정적이 흐르는 사무실. 홍새, 이 상황이 비현실적으로 느껴지는 듯 소리도
지르지 못하고 얼어붙은 채 열린 창문을 바라본다.

씬/4   N, 강수대 건물 앞

빠르게 강수대 건물로 진입해서 멈춰 서는 차.
산영과 해상, 다급하게 차에서 내려서는데 '쿵' 바닥으로 떨어지는 무언가.
놀라서 바라보는 두 사람. 한 줄기 두 줄기 차가운 바닥 위로 흘러내리기
시작하는 붉은 피. 손목에 든 검붉은 멍 자국. 추락해서 숨진 문춘이다.
급격하게 떨려오는 해상의 눈빛. 산영 역시 충격으로 얼어붙는다.
건물 안에서 경비를 서고 있던 경찰1, 2. '쿵' 소리에 놀라 건물을 나서다가
문춘의 시신을 보고 다급히 뛰어오며 '119 불러!!'

건물 다른 사무실에서 근무 중이었던 듯 뭐지? 창문 열고 건물 밖 상황을
확인하고 놀라는 형사1. 하늘 위로 바람을 타고 팔랑팔랑 서류들이 날리고
있지만 아무도 거기에 신경 쓰지 않는다.

씬/5   N, 강수대 건물 복도 일각

'쾅' 사무실 문 열리며 뛰어나오는 형사1. 다른 쪽 사무실 문들 다급히
'쾅쾅' 치고는 계단 쪽으로 뛰어간다. 사무실 문 열리며 나오는 형사2.

형사2   무슨 일이에요?
형사1   누군가 추락했어!

씬/6   N, 강수대 사무실

여전히 얼어붙어서 열린 창문을 바라보고 있는 홍새. 열린 문 너머로
여기저기서 들려오는 '쾅' '쾅' 문 여는 소리. 계단을 뛰어 내려가는 발자국
소리. '누가 뛰어내린 거야?!' 들려오는 소음에 서서히 현실로 돌아오는
듯 부들부들 떨려오기 시작하는 눈빛. 메마른 목소리로 들릴락 말락
'선배님..' 정신을 가다듬고 사무실을 뛰쳐나간다.

씬/7   N, 강수대 건물 복도

계단 쪽으로 미친 듯이 뛰어가는 홍새. 표정은 금방이라도 울 듯하다.

어찌할 바를 모르는 경찰1,2. 건물에서 뛰어나온 형사들이 바닥에 떨어진
문춘의 시신을 둘러싸며 '문춘 선배 아냐!' 형사1, 바로 맥박, 호흡 확인해
보지만 낯빛이 어두워진다.
조금 떨어진 곳에 아까 그 모습 그대로 선 해상, 믿기지 않는 듯 얼어붙은
채 문춘의 손목에 든 검붉은 멍을 바라보고 있고.. 산영은 점차 밀려드는
두려움과 죄책감에 어찌할 바를 모르고 뒤로 물러선다.
형사들 사이에 껴있던 형사2, 경찰들에게

형사2	어떻게 된 겁니까?
경찰1	저희도 확실히 모르겠습니다.
형사2	119는요?
경찰1	곧 도착할 겁니다.

맥박, 호흡, 문춘의 상태를 확인한 형사1, 어두운 낯빛으로 겉옷을 벗어
문춘의 얼굴을 덮어주는데.. 건물 문을 열고 뛰쳐나오는 홍새.

홍새	안 돼요..

형사들, 홍새를 바라본다. 이성을 잃은 듯한 홍새 다가오며

홍새	지금 뭐하시는 거예요.. 선배님 죽지 않았어요..
형사2	(안타까운 얼굴로 막아서며) 이홍새. 진정해.
홍새	(형사2를 뿌리치고 문춘에게 다가서려는) 선배님! 눈 떠봐요!! 선배님!!

형사1, 일어서서 다가오며

형사1   그만해. 이미 늦었어..

홍새, 눈빛 크게 흔들린다.
해상, 알고 있었지만 마음이 내려앉는 듯 눈빛이 흔들리고.. 산영, 문춘의
죽음을 확인하자 더욱 죄책감에 눈빛이 떨려온다. 어찌할 바를 모르던
홍새, 그런 산영을 발견하고

홍새   너.. 뭐야. 너 어떻게 한 거야?!

홍새, 성큼성큼 산영에게 다가가는데
위압적인 홍새의 기세에 형사들, '왜 그래' '진정해' 막아서고

홍새   얘기해 봐! 너 아까 거기 있었잖아! 말해보라고!!

홍새를 막아서던 형사들, 홍새의 말에 모두 산영을 본다.
어찌할 바를 모르고 고개를 떨구던 산영, 천천히 고개를 들어 홍새를
바라보는데 눈빛이 차갑다.

산영   ..사람 하나 죽은 게.. 뭐가 어때서?

홍새도, 형사들도 모두 믿기지 않는 듯 산영을 바라본다.

산영   다 죽어. 사람은.

조금 떨어진 곳에서 산영의 얘기를 듣던 해상. 뚜벅뚜벅 다가가서 산영의

악귀 2

팔을 잡고 건물 밖으로 끌고 간다.

씬/9   N, 강수대 건물 밖 거리 일각

건물에서 산영을 끌고 나온 해상. 차갑게 산영을 밀어낸다. 분노와 슬픔이
뒤섞인 눈빛으로 산영의 그림자를 바라보는데 머리를 풀어헤친 그림자,
그전보다 훨씬 더 커져 있다.
그런 그림자를 바라보다가 천천히 고개 들어 산영을 바라보는 해상.

해상   차라리.. 날 죽이지 그랬니..

산영, 서늘하게 해상을 바라보다가..

산영   아직은.. 아니지.

해상을 차갑게 바라보다가 돌아서서 멀어지는 산영.
저 멀리에서 다가오고 있는 119 앰뷸런스 차량의 경광등 불빛.

씬/10   N, 몽타주

― 강수대 건물 앞. 도착한 119 구급대원들, 과학수사팀들. 이동 침대 위, 흰
천에 덮힌 채 앰뷸런스 차량으로 실리는 문춘의 시신. 멍하니 주저앉아
있는 홍새. 그 옆에서 어두운 표정으로 지켜보고 있는 형사들.

― 강수대 건물 밖 거리 일각. 9씬, 모습 그대로 있는 해상.

떠나지도 들어가지도 못하고 가만히 그곳에 고개를 떨구고 서 있다.

— 거리 일각. 젊은이들이 오가는 유흥가에 서서 주변을 바라보고 있는 산영.
　　낯선 듯 신기한 듯 천천히 걸어가며 길거리의 젊은이들을 본다. 웃음을
　　터뜨리는 여대생들, 데이트 중인 커플. 길거리에 술을 마시고 있는
　　일련의 무리들. 인생네컷 가게에서 사진을 찍고 있는 사람들.
　　그때 저 앞쪽에서 들려오는 강한 비트의 음악. 라이브 바 간판이 보인다.

— 라이브 바 안으로 들어서는 산영. 홀 중앙의 작은 공간에서 춤을 추고
　　있는 사람들. 박수하며 구경하고 있는 관객들 뒤편으로 다가가는 산영.
　　음악 더욱 빨라지면서 더욱 흥겨워지는 분위기. 처음엔 낯설어하던 산영,
　　점차 분위기에 휩쓸리며 웃음을 터뜨린다.

— 강수대 건물 밖 도로 일각, 오가는 사람들 사이 여전히 서 있는 해상. 그런
　　해상을 스치듯이 강수대 건물에서 나와 멀어지는 119구급차.

— 라이브 바, 아까보다 훨씬 더 동화된 듯한 산영. 어설프지만 리듬에 맞춰
　　박수하고, 사람들이 환호할 때 소리도 질러보는 등 신이 나 있다.

— 강수대 건물 앞. 어느새 오가던 사람들도 문춘의 시신도 사라지고 차가운
　　콘크리트 바닥 위 문춘의 검붉은 핏자국만이 남아있다. 고개를 떨구는 홍새.

씬/11　　D, 산영의 집 경문의 방

환한 햇살을 받으며 잠들어 있는 산영. 천천히 잠이 깨는 듯 눈을 뜨는데
들려오는 경문의 목소리.

경문(소리)　깼니?

산영, 예상치 못한 경문의 목소리에 퍼뜩 정신이 난 듯 보면 경문과 함께
이불을 덮고 팔베개를 한 채 누워있다. 산영, 벌떡 일어나

산영	..나.. 언제 여기로 왔어?
경문	(산영 따라 일어나며) 기억 안 나? 어젯밤 자고 있는데 너 들어와선 같이 자겠다구 그랬잖아.

산영, 전혀 기억이 없는 듯 당황하는 눈빛. 경문, 그런 산영을 불안한 눈빛으로 살피는

경문	술 마셨어? 세미랑 합격 파티라도 한 거야?

산영, 불안한 경문의 눈빛을 보고 애써 당황한 기색을 감추며

산영	..응..
경문	정말이지?
산영	..세미 말고 내가 누구랑 술을 마셔..
경문	..(안심하는) 그래.. 잘했다. 근데 너 어젯밤에 무슨 꿈 꿨어?
산영	..왜?
경문	자꾸 울면서 엄마 가지 마 죽지 마.. 계속 그랬어.

산영, 전혀 기억이 없다. 불안한 눈빛.

씬/12 D, 산영의 집 거실/산영의 방

식탁에서 식사를 하고 있는 산영과 경문. 경문, 반찬들 산영 앞에 놔주며

경문	그래도 오랜만에 같이 자니까 좋긴 좋더라.

산영, 어제의 기억에 밝지 않은 낯빛으로 먹는 둥 마는 둥 하고 있는데..

경문 거기.. 화원재. 지낼 만한 거야? 이제 그만 집으로 들어오면 안 돼?

산영 ..(말 돌리며) 바리스타 학원은? 잘 다니고 있지?

경문 어. 나 그거 진짜 하고 싶었던 거잖아. 이번엔 정말 열심히 해
　　　　볼려구. 밥 먹구 내가 커피 한 잔 타 줄게.

경문, 미래에 대한 희망이 부푼 듯

경문 이제 우리 고생은 다 끝난 거 같아. 빨리 그 집 팔구 같이 카페
　　　　하면서 행복하게 살자.

경문의 미소가 산영에게 더욱 죄책감으로 다가온다. 애써 아무렇지 않은
척 일어나며

산영 엄마 나 가봐야겠다.

경문 왜? 어딜 가는데?

산영 화원재. 부동산에서 집 보러 온다는 걸 깜박했어.

산영, 겉옷을 찾는 듯 두리번거리다가 자기 방문을 여는데 멈칫.
침대 위에 보물처럼 예쁘게 진열돼 있는 반짝이는 파티용품들,
아기자기한 소품들. 그리고 엄청나게 많은 양의 인생네컷 사진들. 처음엔
낯설고 놀란 얼굴. 이마만 나오거나 얼굴 일부만 나온 사진들. 신기한
장난감을 손에 넣은 듯 '풋' 웃는 얼굴, 신이 나서 번득이는 눈빛으로
기괴한 웃음을 지은 모습들이 침대 위에 가득 쌓여있다. 산영, 놀라서
바라보는..

산영   이게..

경문   (일어나서 다가오며) 어제 니가 다 가져왔잖아. 세미랑 합격
          파티하구 남은 거 가져온 거 아냐?

          산영, 믿기지 않는 눈빛으로 물건들을 바라본다.

씬/13   D, 산영의 집 앞/인근 도로 일각

          '쾅' 문이 열리면서 걸어 나오는 산영. 슬프고 화나는 눈빛으로 빠르게
          집에서 멀어지기 시작한다.

산영(소리) 어떻게 그럴 수 있어..

          ― 인서트
          ― 9부, 2씬. 차가운 바닥 위로 흘러내리기 시작하는 붉은 피. 손목에 든
            검붉은 멍 자국. 추락해서 숨진 문춘.

          ― 다시 산영의 집 인근 도로로 돌아오면
            더욱 떨려오는 눈빛으로 걷고 있는 산영.

산영(소리) 사람이 죽었는데.. 사람을 죽여놓고.. 어떻게 그럴 수 있어..

          그때 들려오는 악귀의 목소리.

악귀(소리) 넌 내가 필요해.

산영, 순간 우뚝 멈춰 선다. 화나고 슬픈 눈빛으로 뭔가 생각하다가
결심을 내린 듯 어디론가 뚜벅뚜벅 멀어진다.

씬/14   D, 강수대 사무실

멍하니 자리에 앉아있는 홍새. 그 주변에 앉고 서고 홍새를 둘러싼 형사들.

형사1 건물 안, 사무실 씨씨티브이 다 일선서에 넘기면서 확인해
봤는데.. 니가 말한 그 여자는 보이지 않았어. 선배님.. 그냥 혼자
뛰어내리셨어..

홍새 ...

형사1 인사과 직원한테 들었는데 20년 전에 아내분이 지병으로
돌아가시고 쭉 혼자 사셨나 봐. 가족도 없이 사건에만
매달리다가 은퇴가 가까워 오니까 허탈하셨을 수도 있겠지..
그런데.. (홍새 바라보며) 막을 수 없었냐?

홍새 ...

형사1 바로 옆에 있었는데.. 막았어야지..

홍새, 눈빛 더욱 가라앉는데.. 옆에서 말없이 지켜보던 팀장 일어나며

팀장 그만해. 파트너를 눈앞에서 보낸 애야. (홍새 바라보며) 당분간
쉬어. 위에는 내가 얘기해줄게.

팀장, 사무실을 나가려는데..

홍새 상주는 누가 합니까?

홍새를 바라보는 팀장과 형사들.

홍새   가족이 아무도 없다면서요..

낯빛 가라앉는 형사들.

홍새   제가 할게요.. 그럴 자격이 있는지는 모르겠지만.. 제가 하고
싶습니다.

홍새, 가라앉은 낯빛으로 일어서서 사무실을 나선다.

씬/15   D,강수대 건물 앞 거리 일각

정문을 지나 건물을 빠져나오던 홍새.
저 앞쪽 도로에서 불안한 눈빛으로 빠르게 이쪽으로 다가오던 산영,
홍새를 발견하고

산영   저기요..

홍새, 그런 산영을 보고도 눈빛 한번 주지 않고 지나쳐서 멀어진다.
산영, 그런 홍새의 뒤를 절박한 눈빛으로 쫓으며

산영   내가 범인이에요.

우뚝 멈춰 서는 홍새, 차가운 눈빛으로 산영을 돌아본다.

산영	그때 그랬잖아요. 자수할 거면 찾아오라고. 자수할게요. 내가 범인이니까 날 체포하든 가두든 어떻게든 해주세요.

홍새, 산영을 보는 눈빛이 더욱 차가워지다가.. 산영의 손목을 낚아채서 강하게 잡는다.

홍새	이 정도 완력으로 잡아야 손목에 멍이 남아. 니가 이렇게 잡아서 강력계 형사를 창밖으로 집어던져 죽였다고 하면.. 믿어주는 사람이 있을까?

산영의 손목을 차갑게 놓는 홍새.

홍새	게다가 넌 씨씨티브이에도 찍히지 않았어. 내가 널 범인으로 지목하고 니가 니 입으로 자백한다고 해도 물증이 없어. 넌 결국 풀려나겠지.
산영	...
홍새	하지만 난 선배님 돌아가셨을 때.. 널 분명히 봤어. 당분간 내 앞에 나타나지 마. 정말 죽여버릴 것 같으니까.

돌아서서 멀어지는 홍새. 그런 홍새의 뒷모습을 죄책감에 젖은 눈빛으로 바라보는 산영.

씬/16   N, 장례식장 건물 외경

평범한 장례식장 건물 외경

씬/17   N, 장례식장 분향소

문춘의 영정사진이 걸려있는 분향소. 바쁜 일정에 달려온 듯, 잠바 차림의
강력계 형사들이 좁은 분향소를 가득 메운 채 절을 올리고 있다.
절을 올리면서도 얼굴이 시뻘게져서 울음을 참고 있는 형사들. 그런
모습을 묵묵히 옆에서 지켜보고 있는 상복 차림의 홍새.

씬/18   N, 장례식장 빈소

넓은 빈소 안을 가득 메운 전국 각지에서 올라온 강력계 형사들.
'이게 얼마 만이야' '홍원동 사건 때 봤으니까 9년 만이네' '요즘 어떻게
지내?' '부산서로 옮겼어요' 여기저기 각지 사투리로 인사를 나누느라
시끌벅적한 분위기. 그런 식당 한 켠을 비추면 헌기와 광천서 형사와
일선서 형사1이 함께 앉아있다. 소주잔을 기울이고 있는 세 사람.

헌기   (광천서 형사에게) 애는 잘 커요? 내가 형님 애기 돌잔치 때 순금
            반지 해줬잖아.
광천서 형사   작년에 초등학교 들어갔다.
헌기   와 벌써 그렇게 됐나. 그러니까 그렇게 맨날 보자보자 하다가..
            (울컥하는 듯 눈빛 붉어지는).. 결국 이런 날 보네..

씬/19   N, 장례식장 빈소

새벽, 장례식장 빈소 입구에서 술기운이 역력한 조문객들을 배웅하고 있는
홍새. '수고해라' '조심해서 들어가십시오' 손님들을 보내고 난 뒤 다시 빈소

안으로 들어서던 홍새, 뭔가를 보고 멈춰선다. 몇 테이블밖에 남지 않은
한적한 빈소 구석에 혼자 가만히 앉아있는 해상이다. 앞에 차려진 손도 대지
않은 음식들과 술잔. 홍새, 그런 해상을 보다가 천천히 다가가서

홍새   내일 발인입니다.. 이제 인사드리셔야죠.

해상, 홍새 잠시 보다가 고개 떨구며

해상   ..나중에요.. 조금만 더 있다가 드릴게요..

홍새, 가만히 해상 보다가 맞은편에 앉는다.
말없이 다른 곳을 바라보던 홍새. 천천히 입을 연다.

홍새   선배님은요?..
해상   (보는)
홍새   ..귀신을 본다면서요.. 선배님은.. 안 보이세요?

해상, 눈빛 가라앉는다.

홍새   만약에.. 선배님을 뵙게 되면.. 죄송하다고 전해주세요.. 제가
막았어야 했는데.. 그러지 못해서.. 죄송하다고..

그동안 참아왔던 감정이 폭발한 듯 울음을 터뜨리며 무너지는 홍새.
해상, 흐느끼는 홍새를 그저 어두운 눈빛으로 바라본다.
그런 두 사람을 지켜보는 듯 미소를 머금은 영정사진 속 문춘의 모습.

씬/20　N, 장례식장 건물 밖

건물과 조금 떨어진 가로등 아래서 죄책감에 가득한 눈빛으로 장례식장을
바라보고 서 있는 산영. 차마 다가가지 못한 채 고개를 떨군다.

씬/21　D, 문춘의 아파트 복도

푸르른 새벽. 문춘의 집이 있는 허름한 복도식 아파트 복도를 따라
빈 보스턴 백을 들고 걸어오는 해상. 문춘의 집 앞에 멈춰 서서 문을
바라보다가... 천천히 비밀번호를 누르고 들어간다.

씬/22　D, 문춘의 집

좁고 허름한 아파트 안. 한쪽 벽면에 걸려있는 경찰 정복. 여기저기
쌓여있는 먼지들. 한쪽에 펼쳐진 빨랫대에는 짝짝이 양말이 걸려있다.
낡은 식탁 위에는 쌓여있는 사발면 그릇들. 가만히 그런 모습을
바라보다가 보스턴 백을 열고 하나둘씩 소중하게 가방 안에 정리하는 해상.
주변을 둘러보다가 장롱으로 다가가서 문을 여는데 멈칫. 위쪽에
걸려있는 몇 개 안 되는 허름한 옷들 아래쪽으로 소중하게 보관된 듯
쌓여있는 박스들. 포장도 뜯지 않은 새 밥솥. 고급 침구세트, 건강차 세트,
운동화 박스들. 해상, 가만히 그런 박스들을 바라보다가..

해상　..아끼지 말고 쓰시라니까..

눈빛 가라앉는데.. 박스들 앞쪽에 놓인 작은 비닐쇼핑백이 눈에 띈다.

천천히 쇼핑백을 열어보는데 눈빛 떨려온다. 회색 두툼한 새 양말이다.
양말을 내려다보는 해상의 눈빛에서..

— 인서트
— 낮, 1996년, 공동묘지. '전애리의 묘'라고 적힌 묘 앞에서 털썩 주저앉아
  훌쩍훌쩍 울고 있는 어린 해상, 들려오는 바스락 소리에 놀라서 바라보면
  흰 국화 한 송이를 들고 다가오고 있는 20대 후반의 문춘. 서로 의외라는
  듯 마주보는 두 사람.

해상   누구세요?
문춘   나.. 형사야.

— 시간 경과되면
  함께 해상 모의 묘를 바라보고 있는 어린 해상과 문춘. 묘 앞에는
  흰 국화가 놓여있고 그 옆에는 소주 한 병이 놓여있다. 해상, 여전히
  훌쩍거리고 있다.

해상   아무도.. 내 말을 안 들어줘요..엄마가 너무 보고 싶어요..

더욱 눈물이 거세지는 어린 해상을 딱하게 바라보는 문춘. 아이를 대하는
게 어색한 듯 바라보다가 추운 날씨에 드러난 해상의 발목을 보고..

문춘   부잣집 자식이 왜 맨발로 다니고 그러냐..

자기 목에 둘렀던 목도리를 빼서 어찌할지 모르다가 해상의 발목에
둘러준다. 해상, 이상한 듯 바라보고.. 문춘도 어색한 듯 시선 피하는
모습에서..

— 낮, 1999년, 분식집. 문춘과 마주 앉은 해상, 라면을 맛있게 먹고 있다. 잘
   먹는 해상을 귀여운 듯 바라보는 문춘. 주머니에서 포장한 양말 꺼내서
   해상에게 건넨다.

문춘   생일 선물이다.
해상   (피식 웃으며) 또 양말이에요?

— 밤, 해상의 집. 1부 38씬, 대폿집에서 헤어지고 온 해상. 침실로 들어와서
   문춘이 준 선물 포장지를 뜯는다. 회색 두툼한 양말. 엷게 웃다가 서랍을
   여는데 그 안에 가득 들어있는 똑같은 회색 양말들.

— 다시 문춘의 집으로 돌아오면
   가만히 양말을 내려다보던 해상, 울음을 터뜨린다. 문춘의 마지막 선물을
   손에 쥐고 흐느끼는 해상의 모습에서..

씬/23   D, 동장소

문춘의 집 벽면에 붙여지고 있는 강모의 기사, 논문들.
화면 빠지면 어느새 깨끗하게 치워져 있는 문춘의 집. 예의 침착한
눈빛으로 돌아온 해상이 벽면에 악귀와 관련된 자료들을 붙이고 있다.
마치 해상의 서재를 옮겨온 듯 그 옆에는 화이트보드판까지 세워져 있다.
그때 울리는 초인종. 문을 열면 밖에 서 있는 홍새다.

해상   들어오세요.

홍새, 들어서다가 집 안의 풍경을 보고 멈칫..

홍새   ..여기로 집을 옮기신 거예요?

해상   예.

해상, 커피를 준비하고.. 홍새 둘러보다가 한쪽 벽면 원래 있던 곳에
여전히 걸려있는 문춘의 경찰 정복을 가만히 바라본다. 커피를 가지고
다가오던 해상. 홍새의 시선을 쫓아 역시 정복을 바라보다가..

해상   앉으시죠. 얘기할 게 많습니다.

홍새   네. 저도 듣고 싶은 얘기가 많아요.

— 시간 경과되면

식탁에 마주 앉아있는 해상과 홍새.

홍새   선배님, 자살이 아닙니다.

해상   맞아요. 타살이에요.

홍새, 해상을 바라보다가

홍새   선배님이 돌아가시기 전에 그렇게 말씀하셨어요.. 염 교수가
맞았다고.. 그게 무슨 얘깁니까?

해상, 홍새를 바라보다가..

해상   당신과 내가 잡아야 할 범인은 귀신입니다.

홍새, 해상을 보다가 가방 안에서 사건 파일들을 꺼내 테이블에 내려놓는다.

홍새	58년부터 지금까지 사람들을 죽이고 있는 게 귀신이라구요..

해상, 멈칫.. 수많은 사건 파일들을 바라보는..

해상	이렇게 많은 사람들이 죽었나요..
홍새	저희도 최근에 알아냈습니다. 58년도부터 지금까지.. 선배님을 포함해서 열일곱 명이나 죽었습니다. 그 귀신 죽어도 잡아야겠어요.. 어떻게 하면 잡을 수 있습니까?
해상	그 귀신과 관련된 다섯 가지 물건을 찾고 이름을 알아내면 없앨 수 있다고 알고 있습니다.
홍새	그 귀신.. 구산영입니까?
해상	산영 씨가 아닙니다. 사람들을 죽인 건 산영 씨한테 씐 악귀예요. 이목단 사건 알죠? 그 사건에서 숨진 피해자가 악귀가 된 겁니다.
홍새	구산영은 상관없다는 거예요?
해상	산영 씨는 형사님을 죽일 이유가 없었어요. 형사님이 죽은 건 다른 이유가 있었을 거예요.
홍새	그게 무슨 말이에요?
해상	형사님 돌아가시기 전에 옆에 있었다고 했죠. 그때 이상한 일 없었습니까? 작은 거라도 좋으니까 기억해 봐요.

홍새.. 그때를 떠올리는데..

— 인서트
— 9부, 1씬, 부들부들 떨리는 손으로 책상 위에 놓인 서류들을 구기듯이
  잡는 문춘의 모습.

— 다시 해상의 집, 거실로 돌아오면
홍새 뭔가 짚이는 게 있는 눈빛.

홍새 선배님.. 뛰어내리시기 전에 조사해 오신 자료들을 들고
뛰어내리셨어요..

홍새의 말에 해상, 문춘과 마지막 통화를 떠올린다.

— 인서트
— 8부 64씬, 해상과 통화하던 문춘.

문춘 어디야? 여러 가지로 좀 물어볼 게 있는데.. 이목단 사건조서
복원도 끝났으니까 같이 보고 얘기 좀 하자구.

— 다시 해상의 집으로 돌아오면

해상 이목단 사건 자료.. 거기에 어떤 내용이 있었는지 알아요?
홍새 (해상 보다가 일어서며) 이제부터 알아내야죠.

일어나서 겉옷을 들고 현관문을 향해 걸어가는 홍새.

해상 그게 뭔지 알게 되면 형사님도 위험할 수 있습니다.
홍새 상관없습니다.

현관문을 열고 나가는 홍새.
해상, 다시 테이블로 돌아와 사건 파일들을 바라보다가 문득 뭔가를
떠올리는 모습에서

— 인서트

— 2부, 62씬. 해상의 집 서재에서 해상에게 얘기하던 산영.

산영   이상한 노트를 봤어요. / ..보였어요. 할머니가 어떻게
돌아가셨는지..

— 다시 현재, 문춘의 집으로 돌아오면
핸드폰을 들어 산영에게 전화를 거는 해상. 하지만 전화를 받지 않는 산영.
해상, 핸드폰을 보다가 겉옷을 입고 밖으로 나간다.

씬/24 D, 감정원

홍새의 명함을 확인하는 헌기에게 얘기를 하고 있는 홍새.

홍새   선배님이 이목단 사건조서 복원을 여기에 맡겼다고 들었습니다.
그때 복원된 서류들이 뭔지 볼 수 있을까요?

헌기, 난감한 표정으로

헌기   문서 복원은 원본 자체를 복원하는 거라 사본이 없습니다.
홍새   어떤 내용이었습니까? 작업하셨을 때 보셨잖아요.
헌기   특별한 건 없었어요. 피해자 인적사항 정도였던 것 같은데..

씬/25　D, 탐정사무소

홍새 앞에 짜장면 놓고 나무젓가락 뜯어주고 있는 일만.

홍새　전 진짜 괜찮습니다.

일만　아냐. 먹어. 상주하느라고 힘들었을 거 아냐. 고마워. 형님 잘
　　　　보내줘서.

홍새, 눈빛 가라앉는데.. 일만, 책상에서 서류봉투 꺼내서 홍새 앞에
내어놓는다.

일만　형님이 가져간 서류 사본이야. 그리고 앞으로도 누구 찾고
　　　　싶으면 찾아와. 내가 딴 건 못해도 그거 하난 도와줄 수
　　　　있으니까.

붉게 충혈된 눈빛의 일만을 애써 담담히 바라보는 홍새.

씬/26 D, 탐정사무소 건물 앞

주차된 자동차에 올라타는 홍새. 서류봉투에서 서류를 빼서 한 장 두 장
확인해 본다.
보호자란에 구강모. 유품 확인 수령서에 강모의 이름과 사인.
고개를 드는 홍새의 눈빛이 차가워진다.

홍새　구산영.. 또 너냐..

160　　　　　　　　　　　악귀 2

씬/27 D, 화원재 경문의 방

이불도 깔지 않고 방 한구석에 웅크리고 잠들어 있던 산영, 쏟아지는
햇빛에 눈을 뜨고 무거운 몸을 일으키다가 자기 손을 보고 멈칫한다.
두 손이 온통 검댕이 투성이다. 이게 뭐지? 잠들었던 자기 주변에도
여기저기 묻은 검댕이들. 불안한 눈빛으로 일어나 문을 열고 나간다.

씬/28 D, 화원재 별채 복도

복도로 걸어 나오는 산영 주변을 둘러보는데 본채 쪽과 연결된 문 쪽에 나
있는 검댕 자국.
불안한 눈빛으로 그런 자국을 바라보다가 문을 열고 본채 쪽으로 향한다.

씬/29 D, 화원재 본채

본채 안으로 걸어들어오는 산영. 본채 복도 드문드문 나 있는 검댕
자국들을 쫓아 안으로 들어가는데 테이블 주변, 좌식테이블 주변에
드문드문 남은 검댕 자국들.
조용한 주변을 가만히 둘러보다가 걸레를 들고 검댕 자국들을 닦으려던
산영, 장롱문 손잡이에도 남아있는 검댕 자국을 발견하고 멈칫.
천천히 다가가 장롱문 앞에 선다. 긴장한 눈빛으로 장롱문을 바라보다가
'쾅' 문을 열어젖히는데 안에는 석란의 옷가지들뿐. 전혀 이상한 기색이
없다. 휴.. 옅은 안도의 한숨을 내쉬고 다시 문을 닫으려다가 무심코
장롱문 안을 바라보는데 '헉' 뒤로 물러선다.
믿기지 않는 듯 장롱문 안쪽을 바라보는 산영의 떨리는 눈빛에서..

씬/30   D, 화원재 건물 밖

화원재로 다가와 멈춰 서는 택시에서 다급히 내려서는 해상. 화원재 건물
밖에 세워진 산영의 차를 확인하고 산영에게 전화를 걸지만 전화를 받지
않는다. 초인종을 눌러보지만 안에서는 대답이 없다.
산영에게 다시 전화를 걸면서 따로 들어갈 곳이 없는지 담벼락을 따라
걸으며 훑어보기 시작하는 해상.

씬/31   D, 화원재 정원

담을 넘어 정원으로 내려서는 해상. 계속해서 산영에게 전화를 해보지만
받지 않는다. 본채 건물로 다가가 문을 노크하는 해상. 여전히 대답이
없다. 해상, 조심스럽게 문을 열며

해상   산영 씨. 저 염해상입니다.

씬/32   D, 화원재 본채

본채 안으로 조심스럽게 걸어들어오던 해상. 본채 안의 풍경을 보고
놀라서 멈춰선다. 테이블이 거꾸로 엎어져 있고, 의자들도 여기저기
나뒹굴고 있다. 그 옆에 좌식테이블 역시 옆으로 엎어져 있고 장롱문들도
모두 열려있는 등 엉망이 되어있는 거실에 어두운 얼굴로 앉아 어딘가를
바라보는 산영. 두 손은 여전히 검댕 자국이 묻어있다.
해상, 놀라서 산영에게 다가가려다가 테이블 아래에 목탄화로 그려진
기괴한 보름달 그림을 보고 멈칫.. 장롱문 안과 좌식테이블 아래, 의자들

밑면에도 똑같은 보름달 목탄화가 그려져 있다.

놀라서 그 모습을 바라보는 해상의 귓가에 들려오는 산영의 목소리.

산영   ..악귀예요..

해상, 굳은 낯빛으로 목탄화를 바라보며

해상   악귀가.. 저걸 그렸다구요?

산영   흑고무줄을 찾고 나서.. 그전보다 기억이 안 나는 시간들이
             많아졌어요.. 이젠 내가 나인지.. 악귀인지 모르겠어요.

해상   ...

산영   푸른 옹기도 흑고무줄도 악귀가 우릴 이용해서 찾게
             만들었어요. 다섯 가지 물건.. 그걸 다 찾는 게 맞는 건가요?

해상   구강모 교수님이 그렇게 말씀하셨어요. 우리에겐 이 방법뿐입니다.

산영   뭔가 잘못된 거예요. 아빠도 결국 죽었잖아요. 우리도 그렇게 될
             수 있어요.

해상   ..교수님이 실패한 이유가 있을 거예요..

해상, 혼란스럽고 초조한 눈빛으로 산영을 보다가..

해상   이번엔 뭘 봤죠?

산영   (보는)

해상   악귀가 누군가 죽일 때 모습이 산영 씨도 보인다고 했잖아요.
             이번에 형사님이 돌아가실 때 뭘 봤습니까?

산영, 멈칫하는 눈빛.

해상   형사님은 이목단 사건을 조사 중이셨어요. 그중에 교수님이
놓친 부분이 있을 수도 있습니다.

기억을 떠올리는 산영의 모습에서..

— 2씬, 인서트에 이어지는..
강수대 사무실. 악귀의 시선으로 보여지는 새파랗게 질린 문춘.
'콱' 책상 위에 놓인 자료를 구기듯 잡는 문춘의 손. 그 아래에 얼핏
보이는 서류. '유품 수령 확인서' 서류의 제목, 00요양병원 이름. 서명에
구강모라는 이름. 구겨진 유품 수령 확인서, 아래에 힐긋 보이는 아래에
깔린 서류. 우측 상단 쪽에 세로로 적힌 '戶籍簿'라는 한자가 보이는데..

— 다시 화원재로 돌아오면
산영, 해상에게 뭐라고 얘기하려는데..

악귀(소리)   얘기하면 쟤도 죽어..

산영, 멈칫.. 크게 눈빛이 흔들린다.

해상   얘기해 봐요. 뭘 봤어요?

산영, 어찌할 바를 모르다가.. 천천히 대답한다.

산영   아뇨.. 아무것도 보지 못했어요..

해상, 가만히 산영을 바라본다.

해상   ..정말입니까?

해상이 재차 묻지만, 산영 대답하지 못하는데.. 그런 산영을 바라보던 해상.

해상   ..악귀를 없애고 싶지 않아요?

산영, 눈빛 급격하게 떨리며 고개를 떨군다.
해상, 산영을 바라보다가 산영의 손에 묻은 검댕 자국을 바라본다.

해상   ..지금 산영 씨가 어떤 기분인지 뭘 생각하는지 난 몰라요.
            그런데.. 형사님.. 내게 정말 소중한 분이었어요..

산영, 죄책감으로 눈빛이 떨려온다. 해상, 그런 산영을 똑바로 바라보며

해상   난 어떻게든 그 악귀.. 잡을 겁니다.

해상, 사건 파일들을 정리해서 일어나며

해상   나한테 할 얘기가 생기면 언제든 연락주세요.

본채를 나가는 해상의 뒷모습을 바라보는 산영. 눈빛 가라앉는다. 가만히
앉아서 엎어진 테이블, 그 주변에 찍힌 검댕이 묻은 그림자들, 목탄화들을
바라보다가..
벌떡 일어서서 본채 가구 안의 서랍들을 뒤지기 시작한다. 하나하나
서랍을 열고 안에 내용물들을 확인하던 산영. 잠시 멈추고 어디선가
악귀의 목소리가 들릴까 주변을 바라보지만 어떤 소리도 들리지 않는다.
산영, 다시 본채의 여기저기를 뒤지기 시작하는 모습 위로

산영(소리)　아빠의 서명이 남겨진 유품 수령 확인서.. 악귀가 남들한테
　　　　　　알리고 싶지 않은 약점..

　　　　　　본채 석란의 화장대 서랍들 중 하나를 열어보는데 강모의 장례식
　　　　　　방명록과 백지에 적힌 연락처들. 다시 서랍 안에 집어넣고 다른 곳들을
　　　　　　살펴보는 산영의 모습에서..

씬/33　D, 산영의 집 경문의 방/거실

　　　　　　외출준비를 하는 듯 입술을 바르고 있는 경문. 그때 울리는 초인종 소리.
　　　　　　거실로 나가 현관문을 여는데 밖에 서 있는 홍새다.

홍새　　안녕하십니까. 저 기억하시죠.
경문　　..그렇긴 한데 무슨 일이세요? 또 산영이 찾아온 거예요?
　　　　　　(불안해지는) 산영이한테 무슨 일이라도 생겼어요?
홍새　　아뇨. 오늘은 어머님한테 몇 가지 여쭤볼 게 있어서 왔습니다.
경문　　아.. 그게 내가 바리스타 학원을 가야 되긴 하는데..
홍새　　잠시면 됩니다.

　　　　— 시간 경과되면
　　　　　거실, 식탁 테이블에 마주 앉아있는 경문과 홍새.
　　　　　홍새, 경문 앞에 일만에게 받아온 이병건의 요양병원 서류들을
　　　　　내어놓으며

홍새　　이분. 아시는 분이십니까?

서류, 훑어보던 경문. 강모의 이름이 나오자 낯빛 굳어지다가

경문 아뇨. 전 모르는 분이에요. 이런 분이 계셨던 것도 처음 들어요.

홍새 장진리라는 마을에 대해서는요? 이목단이란 이름은
들어보셨나요?

장진리란 말이 나오자 안 좋은 기억에 낯빛 굳어지는 경문.

경문 남편이 몇 번 그 마을에 대해서 얘기는 해줬지만 전 잘 몰라요.
그 이름도 모르는 이름이구요. 그런데 그건 왜 물어보시는
거예요?

홍새, 경문을 바라보다가 일어서며

홍새 혹시라도 그 일과 관련해서 기억이 나시면 작은 거라도 괜찮으니까
연락 부탁드립니다.

경문, 불안한 얼굴로 나가는 홍새를 바라보는데.. 홍새, 문득 멈춰 서서

홍새 따님은 어떠세요?

경문 예?

홍새 평소와 다르거나 이상한 행동을 하진 않나요?

경문, 산영의 얘기에 멈칫해서..

경문 산영이는 왜요?

홍새, 경문을 바라보다가

홍새   아닙니다. 협조해주서서 감사합니다.

홍새, 나가고.. 혼자 남은 경문. 왠지 모를 불안감이 몰려오는 듯 산영에게
전화를 건다.

씬/34   D, 학원재 본채

장롱문을 열고 그 안의 내용물들을 하나하나 꺼내 살펴보고 있던 산영.
경문에게 걸려온 핸드폰 액정화면을 바라보며 머뭇거리는데 끊어지는
전화. 산영, 핸드폰을 바라보다가 옅은 한숨과 함께 주머니에 넣고는 다시
장롱 안을 뒤지기 시작하는데 가장 깊은 곳에 넣어진 박스를 발견한다.
박스를 꺼내 뚜껑을 여는데 멈칫.. 가장 위쪽에 들어있는 클래식한
디자인의 해상 부의 카메라. 가만히 내려보다가 카메라를 꺼낸 뒤 그
아래를 보면 OO요양병원 로고가 찍힌 큼지막한 쇼핑백.
놀라서 OO요양병원 로고를 보다가 카메라를 내려놓고 쇼핑백을
조심스럽게 꺼내 안의 내용물들을 꺼내본다. 낡은 남성용 카디건 등
옷가지와 필기도구들, 낡은 공책 한 권. 공책 겉면에는 흐릿하게 남아있는
글씨. '樟鎭里 管理 帳簿'
산영, 핸드폰 한자 앱으로 하나하나 한자들을 찾아서 발음해 보는데..

산영   장..진..리..

놀라서 다시 공책을 내려다보는 산영.

산영   장..진리.. 관리 장부?

다급히 핸드폰을 들어 해상에게 전화를 걸려다가 멈칫..

— 인서트
32씬. 산영, 해상에게 뭔가 얘기하려는데

악귀(소리) 얘기하면 쟤도 죽어..

— 다시 화원재 본채로 돌아오면
핸드폰 액정화면에 뜬 '염해상 교수님' 이름을 내려다보다가 핸드폰
화면을 끄는 산영. 놀란 마음을 다잡고 침착한 눈빛으로 장진리 관리
장부를 바라본다.

산영(소리) 혼자 해야해.. 또다시 누군가를 죽일 순 없어..

조심스럽게 한 장 두 장 관리 장부를 넘기는 산영. 한자들로 적혀있는
글씨들을 훑어본다. 마을에서 돈을 수렴해 함께 구매한 어업권, 선박 등의
구입 가격과 잡은 물고기들과 마릿수. 판매 가격 등 마을의 출입금을
기재한 장부. 연도는 모두 58년이다.
한 장 두 장 넘기면서 확인하다가 마지막 장 즈음에서 멈추는 산영의
시선. 58년, 6월 7일. 오십억 환. 어선 다섯 척, 쌀 오십 가마니, 찹쌀 삼십
가마니, 소 이십 마리, 돼지 삼십 마리, 닭 오십 마리 등등 어마어마한
금액이 어음으로 입금되어 있다. 어음에 적힌 회사명은 '중현상사'.
관리 장부를 바라보던 산영, 다급히 가방을 가지러 사라진다.

가방을 가지고 온 산영. 가방 안에서 예전에 찾았던 신문 기사가 프린트된 종이를 꺼내서 기사 내용을 확인하다가 '犧牲된 女兒의 家族과 주변 이웃들은 六月 七日에 失踪되었던 女兒가 살아서 돌아오길 寤寐不忘 기다리는 중이었다' 부분을 확인한다.

산영   6월 7일..

시선 돌려 관리 장부의 날짜를 확인한다. '58년, 6월 7일' 급격하게 떨려오는 산영의 눈빛.

산영(소리)   ..목숨값.. 목단이를 넘기고 받은 대가들..

빠르게 그다음을 읽어 내려가는 산영.
6월 7일, 마을 잔치. '쌀 두 가마니, 소 한 마리, 돼지 다섯 마리...' 그 뒤를 이은 출금 내역들. 6월 7일부터 13일까지 서른 명 남짓한 각 집의 호주들의 이름. 그리고 그 옆에 지급 내역들이 적혀있다.
'6월 8일, 김운룡 일억 오천만 환, 쌀 두 가마니, 찹쌀 한 가마니, 밀가루 한 포대, 돼지 한 마리, 닭 두 마리, 비단 한 필.. 6월 8일 최승천 일억 오천만 환, 쌀 두 가마니..' 계속 이어지는 지급 내역을 읽어 내려가는 산영.

— 인서트
— 밤, 58년, 장진리. 앞서 걷는 이장의 뒤로 쌀가마니들과 가축들을 이끈 행렬들. 은밀하게 초가집들 중 한 집으로 향한다. 집 앞에서 기다리고 있던 마을 주민1, 그들을 조용히 맞이하고.. 그집 마당에 쌀가마니 두 개와 가축들, 짐들을 내려놓는 일행.
— 밤, 58년, 마을 주민1의 집 안. 어두운 남포등 불빛 아래 마을 주민1에게

돈 일억 오천만 환을 내미는 이장. 돈을 받고 지급내역 옆에 지장을 찍는
마을 주민1.

— 다시 현재, 화원재 본채로 돌아오면
서른 명이 넘는 마을 가구들에게 지급된 똑같은 금액들. 가장 아래에 6월
24일. 푸른 옹기, 시신. 목단의 죽음과 관련된 연판장과 같은 관리 장부를
가만히 바라보다가.. 서서히 산영의 눈빛에 의구심이 떠오른다.

산영(소리) 왜.. 이게.. 이 집에 있는 거지.. 왜 아빠가 이 장부를 갖고 있는
거야..

모든 게 혼란스러운 듯 장부를 내려다보던 산영, 문득 뭔가 떠오르는 듯
석란의 화장대를 바라보다가 성큼성큼 다가가 서랍안에서 강모 장례식
방명록과 연락처를 꺼내 바라본다.

— 인서트
— 1부, 16씬. 강모의 장례식이 벌어지고 있는 화원재 마당. 드문드문
앉아있던 조문객들의 모습.

— 다시 화원재, 본채로 돌아오면
방명록을 바라보는 산영의 모습 위로

산영(소리) 아빠가 어떤 사람인지 어떻게 살아왔는지 아는 사람들..

씬/35 오미트

씬/36 D, 국도 일과/화원재 건물 앞

화원재 건물과 조금 떨어진 곳에 정차되어 있는 홍새의 차.
운전석에 앉은 홍새 산영을 만나는 게 내키지 않는 듯 마뜩잖은 표정으로
화원재 건물을 바라보다가 조수석에 놓인 요양병원 서류를 들고 차에서
내려서려는데 화원재 문이 열리면서 나오는 산영. 건물 앞에 주차된 차에
올라타고는 멀어진다. 산영의 차를 바라보던 홍새. 시동을 걸고 그 뒤를
미행하기 시작하는데..

씬/37 D, 도서관 건물 외경

지방 소도시 도서관 건물 외경.

씬/38 D, 도서관 휴게실

한적한 휴게실에 혼자 앉아 테이블 위에 놓인 구강모 교수와 관련된 사건
파일들을 내려다보고 있는 해상. 서상훈, 이옥자, 황차희의 사진들을
차례로 내려다보는 해상의 모습 위로

해상(소리) 구강모 교수님 주변에서 숨진 사람들. 첫 번째 피해자 서상훈은
구강모 교수님을 무시하고 헐뜯던 동료 교수. 두 번째는 딸을
보호하려고 이혼을 권유한 장모, 세 번째는 구강모 교수의
조교였던 황차희.

마지막 채서린의 사진에서 멈추는 해상. 직업 '도서관 사서'.

해상(소리)	도서관 사서였던 채서린만 구강모 교수님과 직접적인 연관이 없었다. 산영 씨와 연관이 없었던 서문춘 형사님처럼..

그때, 휴게실 입구 쪽에서 걸어들어오는 사서1.
해상, 사서1과 눈 마주치자 사건 파일을 덮어 가방 안에 넣는다.
사서1, 다가와 맞은편에 앉으며

사서1	오래 기다리셨죠. 죄송합니다.
해상	괜찮습니다.
사서1	(조심스러운) 그런데.. 채서린 씨에 대해 왜 알고 싶어하시는 건데요?

해상, 핸드폰에 저장된 강모의 사진을 사서1에게 보여주며

해상	이분 알아보시겠어요?
사서1	전 모르는 분이에요.
해상	제가 아는 형사님 얘기론 채서린 씨가 돌아가시기 전에 이분과 만났다고 하던데요.
사서1	(짐작 가는 듯) 서린 씨가 죽기 전에 검색한 도서 목록들을 형사님 한 분께 드리긴 했어요. 하지만 제가 아는 건 그게 다예요.
해상	그 목록들 기억나세요? 이 교수님이 어떤 책을 요청하신 건가요?
사서1	그것까진 기억나지 않아요.
해상	그럼 그 목록들, 저한테도 보여줄 수 있을까요?
사서1	대체 왜 이러시는데요?
해상	..제가 쫓고 있는 귀신이 있습니다. 그 귀신 때문에 많은

사람들이 죽었어요. 그런데 채서린 씨가 그 귀신에 대해 뭔가를
알고 있었던 것 같아요.

해상의 얘기를 듣던 사서1, 점점 낯빛이 두려움에 휩싸인다.

사서1   ..혹시.. 그건가요?
해상   (보면)
사서1   손목에 붉은 멍이요..

해상, 놀라서 바라보는..

사서1   서린 씨와 난 오래된 자료들을 보관하는 보존서고
        담당이었어요.. 그런데.. 서린 씨가 죽기 전에 거기서 이상한
        일이 있었어요.

— 인서트
— 낮, 보존서고, 빛이 들어오지 않는 지하. 서가 사이에서 카트에 담긴
   반납 도서들을 제자리에 꽂고 있는 사서1. 그때 조금 떨어진 서가 쪽에서
   들려오는 '쿵' 소리. 사서1, 무슨 소리지? 의아한 얼굴로 소리가 들려온
   서가 쪽으로 다가가다가 뭔가를 보고 깜짝 놀란다. 서가 사이에 서 있는
   서린, 책 하나를 잡아서 거칠게 뜯고 있다. 그런 서린의 드러난 양 팔목에
   선명하게 찍혀있는 검붉은 멍.

— 다시 도서관 휴게실로 돌아오면
   놀라서 사서1을 바라보고 있는 해상.

해상   책을 찢었다구요?

사서1	서린 씨도 자기가 왜 그랬는지 모르겠다구 울더라구요.
	오래되긴 했지만 다행히 희귀도서도 아니었고, 보존가치가 없는
	책이어서 가벼운 징계로 끝날 것 같았는데.. 그러고 얼마 안
	돼서 죽어버렸어요..
해상	..그 책 어떤 책이었습니까?

씬/39 D, 도서관 사무실 밖 복도

초조한 눈빛으로 기다리고 있는 해상. 사무실 문 열리면서 프린트된
종이를 들고 나오는 사서1.

사서1	(프린트 해상에게 건네며) 책 제목이랑 저자예요. 저자가 자비로
	소량 출판한 책이라 다른 도서관에도 찾을 수가 없네요.

사서1이 건네는 프린트를 가만히 내려다보는 해상. 책 제목 '美術의 理解'
저자 '신승주'다.

— 시간 경과되면
사서1은 사라지고 혼자 남아 복도에 비치된 벤치에 앉아 사건 파일들을
찾아보고 있는 해상. 한 사건 파일에 시선이 멈춘다. '1973년, 장진리
변사사건'. 사진은 없고 변사자 이름 '신승주'. 직업 '장진중학교 교사'
'재임 중인 장진중학교 건물 옥상에서 투신'.
해상의 시선, '신승주'라는 이름에 멈췄다가 다시 프린트된 종이의 저자명
'신승주'에 꽂힌다.

해상(소리) 악귀에게 희생당한 교사.. 그 교사가 출판한 책.. 그 책 안에

악귀가 숨기고 싶은 비밀이 있다..

씬/40   D, 바닷가 인근 펜션 건물 앞

건물 앞에 멈춰 서는 산영의 차. 펜션 건물에서 기다리고 있던 듯 문을
열고 나오는 중년의 펜션 사장. 산영을 향해 엷은 미소를 지으면서
다가온다.

사장   구강모 교수님 따님 맞죠? 장례식 방명록 보고 연락했다구요?
산영   ..예. 아버지에 대해서 몇 가지 여쭤보고 싶은 게 있어서요.
사장   들어가죠.

사장, 산영을 건물 안으로 이끈다.
조금의 시간이 지난 뒤 펜션 건물에서 조금 떨어진 도로에 차를 세우는
홍새. 핸드폰으로 펜션 주소를 확인하는데 놀라서 낯빛이 굳는다.

홍새   쟤 저기가 어딘지 아는 거야?

씬/41   D, 펜션 안

펜션 안으로 들어서던 산영, 신발을 고쳐놓으려다가 현관 안 문 옆에
걸려있는 금줄을 발견한다. 문 옆쪽으로는 걸쇠. 강모의 서재에 설치된
것과 똑같은 금줄이다. 산영의 시선 따라가던 사장.

사장   알아보시네요. 교수님이 해주신 거예요. 금줄은 원래 문밖에

하는 거 아니냐고 여쭤봤는데 가끔은 문 안의 액운도 막아야
한다고 하시더라구요.

금줄을 가만히 바라보는 산영의 모습에서..

─ 시간 경과되면
찻잔을 마주하고 앉아있는 사장과 산영.

사장　　장진리요?

산영　　예.. 아빠가 혹시 거기에 대해서 말씀하신 적 없으신가요?

사장　　아뇨. 사실 교수님이랑 그렇게 친분이 깊진 않았어요. 여기
　　　　　손님으로 몇 번 오신 인연밖에 없거든요.

산영　　그런데 장례식엔 왜...

사장　　이 펜션, 예전엔 다 허물어져 가는 민박집이었어요. 몇십 년
　　　　　전에 큰 화재가 났었는데 그 이후로 주인이 나타나지 않아서
　　　　　비어 있던 땅을 제가 매입한 거죠.

씬/42　D, 펜션 인근 도로 홍새의 차 안

홍새, 핸드폰에 뜬 펜션 주소를 보다가 태블릿 피씨를 꺼내서 안에 저장된
사건 파일들을 확인한다. '1995년 동해 민박집 자살 사건'이 벌어진
주소와 일치한다. 고개 들어 펜션을 바라보는 홍새.

홍새(소리)　　서문춘 선배님, 첫 사건. 염해상 교수의 어머님이 돌아가신 곳..

9부　　　　　　　　　　　　　　　　　　　　　177

씬/43 D, 펜션 안

여전히 대화 중인 산영과 사장.

사장   교수님, 공사할 때부터 찾아오셔서 관심을 보여주시더니 펜션
       개업한 다음에 첫 손님으로 오셨었죠.
산영   (가만히 보다가) 혹시 그때도 여기에 나무를 기증하셨나요?
사장   (의외라는 듯 보는) 어떻게 아셨어요?

       창문 너머로 보이는 나무를 가리키며

사장   저 나무였어요. (눈빛 가라앉으며) 교수님.. 돌아가시기 전에도
       저 나무를 보러 오셨었죠..

— 인서트
— 밤, 펜션 정원. 패닉에 빠진 듯 떨리는 눈빛으로 내리는 비에도
  아랑곳없이 삽을 들고 나무를 향해 다가가는 강모. 그 뒤에서 우산을
  받쳐주며 당황한 얼굴로 따라가는 사장, 강모를 만류하며

사장   무슨 일이신데 이러세요. 비도 오는데 일단 들어가시죠.
강모   (혼란스럽다. 누구한테 하는지도 모르는) 뭐가 잘못됐는지
       모르겠어요.. 없어져야 하는데.. 악귀가 없어지지 않아요.

       사장, 무슨 말인지 모르겠는 듯 강모를 바라보는데..
       강모, 나무로 다가가서 삽으로 땅을 파기 시작한다.

— 밤, 동장소

178   악귀 2

계속 나무 아래를 파고 있는 강모. 사장, 어찌할지 모르고 우산을
씌워주면서 '교수님.. 괜찮으세요?' 얘기하는데.. 그때 나무 아래에서
뭔가를 발견한 듯 파헤쳐서 꺼내는데 붉은 댕기가 든 목각상자다.

— 다시 현재, 펜션 안으로 돌아오면

사장   그걸 찾고 나서 뭐에 홀린 듯 떠나셨어요.. 밤새 걱정돼서
다음날 전화드렸더니.. 돌아가셨다고.. 맘이 너무 안 좋았어요..
그때 제가 잡았더라면 하는 생각밖에 없었어요..

창문 너머 나무를 바라보는 산영의 흔들리는 눈빛.

씬/44 D, 펜션 건물 밖/인근 국도 일각

천천히 건물을 나서는 산영. 뭐가 뭔지 혼란스러울 뿐이다.
차에 올라타서 출발하는 산영의 모습에서

— 인서트
— 8부, 63씬. 저수지 일각에서 산영에게 얘기하던 해상.

해상   우리 어머님도 교수님도 그 물건들을 봉인하면서 악귀를
없애려고 하신 거예요.

— 다시 현재로 돌아오면
여전히 혼란스러운 얼굴로 운전을 하고 있는 산영.

산영(소리) 교수님이 맞았어. 아빠는 악귀를 없애려고 물건들을 봉인하고 있었는데.. 왜 다시 댕기를 가져간 거지..

룸미러를 비추는 화면, 저 멀리 뒤따르고 있는 홍새의 차가 보인다.
눈치채지 못하고 굳은 얼굴로 운전을 하는 산영.

산영(소리) 아빠.. 다섯 가지 물건.. 악귀의 이름.. 뭘.. 찾아야 하지..

순간, 또다시 찾아오는 암흑. 놀라서 끼이익 차를 멈추고 더듬더듬 사이드
브레이크를 올리는 산영.
아무것도 보이지 않는 듯 혼란스러운 산영의 모습 위로..

산영(소리) 왜.. 찾아야 하지?

서서히 다시 돌아오기 시작하는 시야. 고개 들어 유리창 너머의 하늘을
바라보면 해가 지려는 듯 사위가 어둑어둑해지고 있다. 하늘, 저 너머
사라지고 있는 해의 마지막 끝자락. 서서히 암전되는 화면에서..

씬/45 N, 소도시 외곽 거리 일각

'빵빵빵!!' 시끄러운 오토바이의 클랙슨 소리. 화면을 향해 빠르게
다가오는 오토바이 불빛에 정신이 드는 듯 놀라서 바라보는 산영.
그런 산영의 팔을 다급히 잡아끄는 손길. 홍새다.
낯선 소도시 외곽 여기저기 반짝이는 식당가 간판. 어느새 밤이 된 하늘.
자기 앞에 서 있는 홍새. 이 모든 게 낯설 뿐이다. 산영, 어찌할 바를
모르고 주변을 두리번거리며

| 산영 | 여기.. 어디예요? 왜 내가 여기 와있어요? |

홍새, 말없이 그런 산영을 바라보다가..

| 홍새 | 구산영..? |
| 산영 | ..내가 뭘 한 거예요? 내가 또.. 무슨 짓을 한 거죠? |

두려운 눈빛으로 뒤로 물러서던 산영. 저만치 앞으로 다가오는 택시를
손을 들어 잡는다.
홍새, '야!' 다가서려는데, 그보다 더 앞서 택시에 올라타는 산영.
홍새, 멀어지는 택시를 가만히 바라보는데..

씬/46　N, 거리 일각 택시 안

가방을 부둥켜안고 두려움에 떨고 있는 산영.
창밖, 어두운 하늘을 바라보다가... 문득 뭔가 떠오르는 듯한 얼굴에서

| 산영 | 금줄.. |

씬/47　N, 학원채 건물 앞

택시에서 다급히 내리는 산영.

복도를 따라 빠르게 강모의 서재로 다가가는 산영.

서재 문을 열고 들어가 1부, 4씬에서 강모가 한 것처럼 문 앞에 금줄을 친다.

— 인서트

— 41씬. 금줄을 보면서 얘기하던 펜션 사장.

사장   문 안의 액운도 막아야 한다고 하시더라구요.

— 다시 서재로 돌아오면

금줄을 바라보면서 뒤로 물러나는 산영.

산영(소리) 문 안의 액운.. 내 안의 악귀.

— 인서트

— 4부, 2씬. 거리를 달리던 해상의 차에서 산영에게 얘기하던 해상의 말.

해상   낮에는 괜찮을 거예요. 귀신은 빛을 싫어하니까.

— 다시 현재, 서재로 돌아오면

금줄을 바라보고 있는 산영.

산영(소리) 교수님 말씀처럼 밤.. 아니면 해가 없는 흐린 날이었어..

— 인서트

— 2부, 37씬. 산책로에서 인형을 안고 있던 자신을 발견하는 산영.

— 4부, 1씬. 다리 위에서 '21, 176'을 얘기하며 정신 차리던 산영.

— 5부, 64씬. '세미야.. 여기가' 정신을 차리는 산영.

— 다시 화원재 서재로 돌아오면 창문 너머 밤하늘을 바라보는 산영.

산영(소리)   밤만.. 넘기면 돼..

씬/49   N, 광천시 단독 주택

주택가에 위치한 평범한 단독 주택. 누군가 초인종을 누르고 있다. 건물 현관문 열리며 나오는 중년 남. 손에 낡은 졸업 앨범을 들고 있다. 대문을 여는 중년 남. 대문 밖에 서 있는 사람은 이씨 할아버지다. 중년 남, 이씨 할아버지에게 어색하게 인사하며

중년 남   이자 철자 영자 쓰시는..

이씨 할아버지   (말 끊으며) 맞아. 내가 철영이야. (졸업 앨범 가리키며) 그게 너네 돌아가신 어머니 졸업 앨범이야?

중년 남, 졸업 앨범을 이씨 할아버지에게 건네며

중년 남   예. 말씀하신 그.. 미술의 이해요? 그런 책은 없었구요. 졸업 앨범만 있었습니다.

이씨 할아버지   (졸업 앨범 받으며) 그래. 수고했어.

중년 남   그런데 저희 작은 아버님하고는 어떤 사이세요?

이씨 할아버지   팔촌 당숙이야. 고마워.

하고는 돌아서는 이씨 할아버지. 중년 남 대문 닫으며 '팔촌 당숙?'
갸웃하는

씬/50 N, 단독 주택 밖 골목

졸업 앨범을 들고 조금 떨어진 곳에 서 있는 해상에게 다가오는 이씨
할아버지.

이씨 할아버지 그 미술책인가 하는 건 없고 졸업 앨범밖에 없다는데.
해상 그것만으로도 감사합니다.
이씨 할아버지 진짜 힘들게 찾았어. 그 중학교 출신.
해상 압니다. 매번 신세를 져서 죄송하네요.

이씨 할아버지가 건네는 졸업 앨범을 받는 해상.
낡은 졸업 앨범에 적혀있는 글씨. '樟鎭中學校(장진중학교)' 1959년 졸업
앨범이다.

씬/51 N, 문춘의 집

식탁에 앉아 졸업 앨범을 찬찬히 살펴보고 있는 해상.
장진중학교 선생님들 사진 중 보이는 신승주. 30대 후반 정도의 평범한
인상. 사진 아래에는 '미술 신승주'라는 이름. 다른 장을 넘기면 각 반
학생들의 사진과 단체 사진들. 계속해서 페이지를 넘기면 장진중학교의
전경. '특별 활동'란에 각 교실에서 펼쳐진 특별 활동 중인 학생들의
사진들. 다음 장에는 주소록이 적혀있고 끝이다.

해상, 다시 한번 처음부터 몇 번을 더 확인해 보는데 '특별 활동'란에서 멈칫.. 교실 뒷면에 여러 학생들의 그림이 붙여져 있다. 흐릿한 그림들, 잘 보이지 않는데.. 해상, 자기 가방으로 다가가 그 안에서 돋보기를 꺼내서 가져온다. 돋보기로 조금 더 자세히 그 그림들을 확인해 보는데 그림들 중 목탄화로 그려진 달 그림이 걸려있다.

— 인서트
— 32씬, 화원재 본채, 장롱문, 테이블 아래 등에 그려져 있던 똑같은 목탄화, 기괴한 모양의 보름달 그림.

— 다시 문춘의 집으로 돌아오면
똑같은 보름달 그림을 혼란스러운 눈빛으로 내려다보는데 울리는 초인종. 문을 열면 홍새다.

씬/52   N, 화원재 강모의 서재

한 켠에 웅크리고 앉은 채 두렵고 초조한 눈빛으로 금줄을 바라보고 있는 산영. 문득 고개 돌려 창문 밖으로 보이는 어두운 밤하늘에 뜬 달을 바라보다가.. 뭔가 생각난 듯

산영   밤.. 달..

산영, 가방 안에서 장진리 관리 장부를 꺼내서 마지막 장부에 적힌 날짜들을 확인해보기 시작한다. 58년, 6월 7일. 오십억 환, 어선 다섯 척, 쌀 오십 가마니, 찹쌀 삼십 가마니 소 이십 마리, 돼지 삼십 마리, 닭 오십 마리..

식탁으로 다가와서 앉는 홍새. 현관문을 닫은 해상도 식탁에 와서 앉으며

해상　어떻게 됐어요? 형사님이 뭘 조사하고 계신 건지 알아냈습니까?

홍새, 해상을 가만히 바라보다가

홍새　만났어요. 그 악귀.

해상, 멈칫해서 바라보면..

씬/54　D, 과거, 국도 일각

44씬에 이어지는.. 앞서 달리고 있는 산영의 차를 쫓고 있는 홍새. 서서히
해가 지면서 주변이 어둑어둑해지는데.. 순간 끼익 급정거를 하는 산영의
차. 홍새도 덩달아 브레이크를 밟고 놀라서 산영의 차를 바라보는데..
미동도 없는 산영의 차.
홍새, 뭐지? 가만히 바라보는데 해가 완전히 지면서 어두워지는 주변.
순간 덜컹 열리면서 차에서 내리는 산영. 가방을 멘 채 국도를 따라
뚜벅뚜벅 멀어지기 시작한다. 홍새, 놀라서 어찌할까 하다가 차에서
내려서 산영을 쫓아가며

홍새　야! 지금 뭐 하는 거야?

홍새의 소리에 멈춰 서서 뒤돌아 빤히 홍새를 바라보는 산영.

홍새	어디 가는 거냐고?

산영, 홍새를 빤히 보다가

산영	경찰 아저씨네..

홍새, 달라진 산영의 분위기에 멈칫 바라본다.

홍새	..너냐. 그 악귀가?

산영, 홍새 보며 피식 웃다가..

산영	나 좀 태워다줄래요?
홍새	(보다가).. 그래. 한번 가보자. 니가 가고 싶은 데로.

먼저 앞장서서 걸어가는 홍새, 산영의 차에서 키를 빼고 문을 잠근 뒤 자신의 차를 향해 다가가고 그 뒤를 따라오는 산영.

씬/55 N, 과거, 또 다른 국도 일각

국도를 달리고 있는 홍새의 차.
말없이 차창 밖을 두리번거리는 산영. 홍새, 그런 산영을 힐긋 보다가

홍새	어디로 가면 되는데?
산영	(주변을 둘러보며) 음.. 어디로 가지?
홍새	너 어디 갈 데도 없으면서 태워달라고 한 거야?

산영, 저 앞쪽으로 뭔가를 발견한 듯 손가락으로 가리키며

산영   저기.
홍새   뭐?

산영이 가리키는 곳을 바라보면 저 앞 사거리에 적혀있는 표지판.
'OO유원지'다.
산영을 이상한 듯 바라보는 홍새.

씬/56   N, 과거, 유원지

소도시 외곽에 위치한 작은 규모의 유원지. 반짝거리는 조명 아래,
데이트를 즐기는 커플들. 어린아이와 함께 놀러온 가족들의 모습. 그런
사람들 사이에서 신이 난 얼굴로 이것저것 구경하고 있는 산영. 뭔가
신기한 게 있으면 홍새를 끌고 달려가서 신기한 듯 바라본다. 그런 산영을
관찰하듯 바라보는 홍새.

씬/57   N, 현재, 문춘의 집

해상에게 자기가 본 악귀에 대해 설명하고 있는 홍새.

홍새   호기심이 많고 모험적인 성향입니다. 애정 결핍 증상에 감정
기복도 심했어요.

이것저것 산 물건을 품에 안은 채 반짝반짝 돌아가는 전람차를 바라보고
있는 산영. 그런 산영을 조금 떨어진 곳에서 바라보는 홍새. 그 사이로
지나가는 한 무리의 인파. 산영의 뒤를 툭 치고 그 덕에 떨어져서
데구르르 굴러가는 인형. 산영, 어.. 뒤돌아보면 지나가는 사람들만 보일
뿐, 인형은 보이지 않는다.
산영, 바닥만 보며 두리번거리는데 사람들 모두 지나가고 나자 저만치 서
있는 홍새의 앞쪽에 떨어져 있는 인형.
홍새, 천천히 손을 뻗어 인형을 들어 올린다. 그런 홍새를 바라보는 산영.
홍새, 다가와서 인형을 건네며 관찰하는 듯한 건조한 눈빛으로

홍새   이런 데가 좋아? 왜?

산영, 기분 좋은 얼굴로 홍새 보다가 인형을 건네받은 뒤
자신을 빤히 바라보는 홍새를 바라보며

산영   아저씬.. 날 좋아해주면 안 돼요?
홍새   …
산영   누군가.. 한 명은 날 좋아해줬으면 좋겠는데..

씬/59   N, 현재, 문춘의 집

해상에게 얘기하고 있는 홍새.

홍새   전형적인 어린아이의 특성을 가지고 있지만.. 아니었어요.

산영을 가만히 바라보던 홍새.

홍새   모든 범행에는 동기가 있어.. 넌 뭐였니?

산영   (보면)

홍새   선배님.. 왜 죽였냐구.

산영   ...

홍새   너 이미 죽었다며. 죽으면 다 끝일 텐데 왜 이러는 거야?

산영   ..죽어봤어?

홍새   뭐?

산영   (점점 차가워지는) 죽어본 적도 없으면서 뭘 안다고 함부로 지껄여.

그때 조금 떨어진 곳에서 짜증 섞인 어린 여자아이의 울음소리. 풍선을
들고 엄마한테 떼를 쓰듯 울고 있는 일곱 살 정도의 여자아이. 엄마, '너 왜
이래' 힘든 듯 바라보고 있다.
산영, 그런 여자아이를 차가운 눈빛으로 바라보는데 풍선을 든 손에 붉은
멍이 들었다가 사라진다. 여자아이, 뭔가에 놀란 듯 풍선을 놓치면서
놀라서 더욱 울음을 터뜨리는데.. 그 모습을 본 홍새, 놀라서 산영의
손목을 잡아채며

홍새   너 미쳤냐?

바닥에 떨어지는 물건들. 홍새의 손을 뿌리치는 산영.

산영   애들은 딱 질색이야. 시끄럽고 손만 많이 가고. 지들이 뭘
가졌는지도 모르면서..

홍새, 점점 분노에 휩싸이는 산영을 바라보는데..

산영   그래서 억울해. 왜 다들 누리면서 사는데 왜 나만 이래야 돼.
       억울해 죽겠어. 억울해서 살고 싶다고!

       산영, 화난 얼굴로 홍새를 보다가

산영   재미없어. 갈래요.

       돌아서서 유원지 밖을 향해 걸어가는 산영. 홍새, 그런 산영의 뒤를 쫓기
       시작하는데
       유원지 밖으로 빠르게 나가던 산영, 달려오던 오토바이와 부딪칠 뻔한다.
       그런 산영의 팔을 잡아끄는 홍새의 모습에서..

씬/61   N, 현재, 문춘의 집

       해상과 얘기 중인 홍새.

홍새   아이 얘기를 할 때 자신과 분리시키고 타자화시켰습니다.
       어린아이가 아니었어요. 하지만 성인도 아닙니다. 그 중간..
       사춘기 정도의 소녀의 모습이었어요.

       홍새의 얘기를 듣던 해상, 눈빛이 점점 혼란스러워지면서 '장진중학교'
       졸업 앨범을 바라본다.

해상   그럴 리가 없어요.. 목단이는 열 살이었는데..

장진리 관리 장부와 핸드폰을 나란히 놓고 핸드폰에 '달 위상 변화'를
입력하고 있는 산영.

산영(소리)   58년, 6월 7일. 목단이가 납치된 날.

― 인서트
― 58년, 낮, 시골길 사이를 뛰던 목단, 어느새 초가집들이 사라지고 울창한
   산길 초입이 가까워진다. 마을이 끝나는 길에 서 있는 아름드리 당산나무.
   목단, 우뚝 멈춰섰다가 다시 돌아가려고 하는데.. 당산나무 너머 저
   멀리에서 흐릿하게 보이는 쪽을 진 여자가 이리 오라는 듯 손을 흔들고
   있다. 목단, 마을 안쪽과 그 여자를 번갈아 보다가.. 여자를 향해 뛰어가기
   시작한다. 서서히 멀어지는 목단의 뒷모습에서 화면 다시 마을 쪽을 비추면
   한 명 두 명씩 나타나는 마을 사람들. 무표정한 눈빛으로 멀어지는
   목단이를 바라만 본다.
― 58년, 밤, 해상의 본가 인근 골목길, 만월의 뒤를 쫓아가고 있는 목단.

목단   거기 가면 정말 맛있는 거 많아요?
만월   (보다가 미소 지으며) 그럼.

천천히 멀어지는 만월과 목단의 모습에서 하늘을 비추면 밤하늘에 뜬 하현달.

― 다시 현재로 돌아오면
   달 모양이 뜬 달력에 1958년, 6월 7일을 입력하면 아래에 뜨는 하현달 모양.

산영(소리)   그날 뜬 달은 하현달.

장진리 관리 장부의 날짜를 확인하는 산영. 6월 24일. 푸른 옹기, 시신.

산영(소리) 목단이의 시신이 돌아온 건 6월 24일.

핸드폰에 뜬 달 모양이 표시된 달력에 그날 달 모양을 확인하는 산영.

산영(소리) 그날 뜬 달은.. 상현달.

58년, 6월 7일부터 6월 24일까지의 달 모양들을 확인하는 산영.
하현달부터 상현달까지..

산영(소리) ..목단이가 납치되고 살해당할 때까지.. 보름달이 뜬 날은 없었어..

— 인서트
— 7부, 1씬. 해상의 서재에서 푸른 옹기 조각을 만졌을 때 산영의 눈앞을
스치고 지나가는 화면. 창고 벽면 높은 곳에 달린 창문 너머로 보름달이
보이는데.. 순간, 파란 천 위로 붉은 피가 흩뿌려진다.

— 다시 화원재, 서재로 돌아오면
핸드폰 화면 안의 달 모양 달력을 바라보는 혼란스러운 눈빛의 산영.

산영 목단이는 보름달을 볼 수 없었어.. 그럼 그 달은.. 누가 본 거지?

순간, 창밖으로 '콰콰쾅' 치는 번개 불빛에 창문 밖으로 머리를 풀어헤친
악귀의 그림자가 보인다.

씬/63 N, 문춘의 집

홍새와 마주 앉아있는 해상. 떨리는 눈빛으로 졸업 앨범을 바라보는..

해상 다섯 가지 물건과 악귀의 이름.. 구강모 교수님이 실패하신
이유가.. 설마..

씬/64 N, 화원재 서재

혼란스럽던 산영의 눈빛에 천천히 확신이 깃든다. 천천히 고개 드는 산영.
창문 밖 머리를 풀어헤친 악귀의 그림자를 바라보며

산영 ..너.. 목단이 아니지..

9부 끝.

10부

너무 끔찍한 귀신인데 | 난 악귀가 필요해요.

창문 밖 머리를 풀어헤친 악귀의 그림자를 바라보는 산영.

산영   ..너.. 목단이 아니지..

번개가 사그라지며 다시 어두워지는 창문 밖. 어둠만이 가득하고
후둑후둑 떨어지는 빗소리뿐 아무 소리도 들리지 않는다.
산영, 불안한 눈빛으로 어두운 서재 안 여기저기를 두리번거리는데
순간 다시 번개가 치는 듯 번쩍 밝아지는 창문 밖. 긴장한 얼굴로 창문
쪽을 바라보는데 창밖에는 아무것도 보이지 않는다. 더욱 세차게 내리는
빗소리. 산영, 더욱 불안감이 몰려오는 듯 빠르게 주변을 둘러보는데
순간 들려오는 '쾅쾅쾅' 문 두드리는 소리. 금줄이 쳐진 문 쪽을 놀라서
바라보는 산영.

경문(소리)   산영아. 나야. 문 좀 열어봐봐.

산영, 방문 쪽으로 다가가려다가 멈칫.. 불신이 감도는 눈빛으로 방문을
바라보며 혼잣말처럼..

산영   엄마가.. 여기 있을 리가 없는데..

점점 격앙되어가는 경문의 목소리.

경문(소리)   산영아. 여기 너무 무서워. 거기 있지? 문 좀 빨리 열어봐.

산영, 여전히 방문을 열지 못하고 떨리는 눈빛으로 바라보는데..

점점 더 커지는 문 두드리는 소리.

경문(소리) 산영아! 내 말 듣고 있는 거야? 산영아!!

방문 쪽을 바라보는 산영의 눈빛, 경문에 대한 걱정으로 흔들린다.
'산영아!! 엄마야!!' 연신 자신을 부르는 경문의 목소리에 천천히 다가가
떨리는 손으로 금줄을 내리고 방문을 여는데..
순간 '쾅' 문틈 사이로 들어와 산영의 손목을 잡는 손. 산영, 놀라서
바라보는데 열린 문으로 들어와 산영을 껴안는 누군가. 경문이다.

산영 엄마..

경문, 안았던 팔을 풀고 산영의 여기저기를 살피며 다친 곳은 없는지 살피며

경문 너 괜찮아? 밖에 왜 저런 거야? 테이블도 엎어져 있구, 도둑 든
거 아냐?

산영, 경문을 보며 짧게 안도의 한숨 내쉬다가

산영 무슨 도둑이야. 그냥 (할 말 찾다가) 대청소 좀 하다가.. (하다가)
근데 여긴 왜 온 건데?
경문 아까 형사가 찾아와서 너 괜찮은지 물어봤었어. 너 무슨 일 있는
거지? 뭔데? 그리구 왜 전화는 안 받아.

그때, 또다시 들려오는 천둥소리. 뒤이어 번쩍하며 밝아지는 창밖.
산영, 더욱 긴장해서 창밖을 바라보는데 역시나 아무것도 없다. 하지만
여전히 불안한 산영, 경문에게

산영	엄마, 오늘은 그냥 가. 내가 바래다줄게.
경문	너 두고 어딜 가.
산영	내일 아침에 내가 집으로 갈게. 밤에 말고 낮에 보자. 밤은 위험해.

순간, 새하얗게 질리는 경문의 낯빛.

경문	너.. 왜 그래..
산영	뭐가?

경문, 숨이 넘어갈 듯 공포에 질리는 얼굴로

경문	너..왜.. 아빠랑 똑같이 말해..

겁에 질린 경문의 얼굴에서..

씬/2   N, 과거, 화원재 외곽/경문의 회상

2002년, 불안감과 공포에 찬 얼굴로 화원재를 올려다보고 있는 경문.
그 위로 깔리는 현재 경문의 목소리.

경문(소리)	너네 외할머니 돌아가시고 이 집에 마지막으로 왔었어.. 널 데리러..

2002년, 어두운 방 안으로 소리를 죽이며 은밀하게 들어서는 경문.
방 안에 홀로 잠들어 있는 어린 산영에게 다가와 깊게 잠든 것을 확인한
뒤, 다급히 짐가방을 꺼내 필요한 것들만 챙기기 시작한다. 가방을
메고 잠든 산영을 안아 드는 경문, 문을 여는데 어느새 문 바로 앞에
무표정하게 서 있는 강모.
경문, 너무 놀라 소리도 못 지르고 공포에 질린 눈빛으로 물러서는데..
천천히 다가서는 강모. 경문이 안고 있던 어린 산영을 안아 다시 침대에
눕히며

강모   밤은 위험해.. 떠나려면 해가 뜨고 나서 가..

경문을 바라보다가 방을 나가는 강모.
경문, 얼어붙어서 서 있다가 다급히 다가가 방문을 걸어 잠근다.

— 밤, 화원재, 경문의 방. 잠든 산영의 옆을 지키며 앉아있는 경문.
  불안에 떠는 눈빛으로 어두운 창밖을 바라보고 있다. 작은 소음 하나에도
  깜짝 놀라며 뜬눈으로 밤을 지새운다.
— 새벽, 화원재. 경문의 방. 서서히 푸른 빛으로 변해가는 창문을 바라보다가
  어린 산영을 다시 안아 드는 경문. 떨리는 손으로 잠긴 문을 여는데 텅 빈
  복도.
— 새벽, 화원재 정원. 산영을 안아 들고 미친 듯이 뛰어서 화원재를
  빠져나가는 경문.

씬/5   N, 현재, 강모의 서재

바들바들 떨면서 산영을 바라보고 있는 경문.

경문   그때.. 너네 아빠두 그랬어.. 밤은 위험하다구.. 그런데 왜
         너까지..

순간, 또다시 번쩍하는 번개 불빛, 천둥소리.
경문, 더욱 불안감이 가중되며 공황이 오는 듯 가슴을 부여잡으며 호흡이
가빠진다. 산영, 놀라서 경문을 바라보며 어떻게든 진정시키려 하면서

산영   엄마, 약 어딨어? 약 가져왔지?

산영, 경문의 팔에 끼워진 핸드백을 열어 다급히 약을 꺼내는데 '쾅'
바닥에 주저앉는 경문.

씬/6   N, 해상의 본가 서재

'쾅' 문 열리면서 서재로 들어서는 해상. 서재 창가에 있던 병희, 뭐지?
차가운 눈빛으로 바라보는데..
다시 문을 닫고 문을 잠가버리는 해상. 뒤늦게 문밖에서 '쾅쾅쾅' 문
두드리는 소리에 뒤이어 '도련님, 문 여세요!' 외치는 치원의 목소리.

병희   이게 무슨 짓이야.

해상, 굳은 얼굴로 병희를 바라보며

해상　　그때 죽은 아이, 누굽니까? 이목단이 아니었죠? 그 아이 누구예요?

창밖에서 울리는 천둥소리. 뒤이어 번쩍 밝아지는 불빛에 비춰진 병희의
기이한 눈빛.

병희　　너도.. 악귀를 없애려는 거니?

해상　　이제 와서 뭘 숨기세요. 그 귀신이 없어져도 할머니하곤
　　　　　상관없잖아요.

병희　　..난 숨기는 거 없어. 너한테 다 얘기했다. 그때 죽은 아이는
　　　　　이목단. 그 아이였어.

해상　　..그럴 줄 알았습니다.

해상, 책상 서랍을 쾅 열어서 서랍째 바닥에 내동댕이치고 안에 있는
물건들을 훑어본다.

병희　　지금 뭐 하는 거야?!

문밖에선 계속 문 두드리는 소리. '여기 열쇠 가져와!!' 경호 요원들에게
소리치는 치원의 외침.
해상, 다음 책상 서랍 열어 다시 바닥에 내동댕이치고 내용물을 확인하며

해상　　여기 어디엔 남아있겠죠. 그 아이가 누군지 알아낼 만한 단서가요.

서랍 안에 내용물들이 별거 없자, 책장 책들을 한 번에 쓸어서 아래로
떨어뜨리고 책들 사이에 남은 게 없는지 살핀다.
병희, 그런 해상을 분노에 휩싸여 바라보며

병희	너도 죽게 될 거다. 너도 똑같이 죽게 될 거야.

해상, 병희의 말에 멈칫하며 바라보는데.. 그때, 열쇠를 가져온 듯 '쾅' 열리는 문. 서재 안으로 들어서는 치원과 경호 요원들.

치원	(병희에게 고개 숙이며) 죄송합니다. 도련님이 너무 갑자기 들어가셔서..
병희	끌고 나가! 빨리!

해상의 팔을 잡는 치원.

치원	더 이상 이러시면 제가 곤란해집니다.

해상, 그런 치원 보다가 병희를 강하게 바라보며

해상	내가 죽는 한이 있어도 그 아이 이름 알아낼 겁니다. 할머니가 만든 악귀, 내 손으로 없앨 거예요.

돌아서서 서재를 나가버리는 해상.

씬/7   N, 해상의 본가 거실

굳은 눈빛으로 걸어 나오는 해상. 그 뒤쪽에서 따라 나오는 치원.

치원	해상아. 너 진짜 왜 이러는 거야? 집에는 왜 안 들어오는 거니? 연락도 안 되고.

해상, 갑자기 뒤돌아서서 치원을 바라보며

해상 아저씨는 정말 전혀 모르세요?
치원 뭐?
해상 이 집에서 무슨 일이 있었는지.. 엄마가 왜 어떻게 돌아가셨는지
　　　　모르시냐구요.

치원, 가만히 해상을 보다가

치원 ..얘기했잖아. 어머님 죽음에 대해선 아는 게 없다고.

씬/8　　N, 해상의 본가 건물 밖 도로 일각

자신의 차 안에서 목단이 사건이 적힌 기사를 가만히 바라보고 있는 홍새.
그때, 해상의 본가 대문이 열리며 해상이 나오자 차 문을 열고 나가
해상에게 다가가며

홍새 어떻게 됐습니까?
해상 ..알아내지 못했습니다.

해상, 답답한 낯빛으로 고개 떨군다.
홍새, 역시 답답한 눈빛으로 생각에 잠기다가 으리으리한 해상의 본가
건물을 올려다본다.

홍새 전에 여기서 구산영이 교수님한테 화를 내는 걸 봤었어요. 그땐
　　　　왜 저러나 싶었었는데.. 이젠 알겠네요.

해상	..욕하고 싶으시면 하세요. 그럴 만한 집안이니까..
홍새	욕이야 백번이라도 하고 싶죠. 그런데 그런다고 뭐가 달라집니까?.. 욕할 시간에 수사를 해야죠.
해상	(보는)
홍새	몇십 년 전, 교수님 할아버지, 아버지가 무슨 일을 했는지 그때 저 회사에서 어디로 자금이 흘러갔는지 탈탈 털어볼 겁니다. 교수님이 말한 대로라면 중현캐피탈 안에 단서가 숨겨져 있을 거예요.

해상, 그런 홍새를 보다가..

해상	서문춘 형사님이랑 닮으셨네요..
홍새	(보는)..
해상	난 장진중학교랑 나머지 물건들을 찾아볼게요. 뭐든 발견되면 바로 연락주세요.

씬/9   N, 화원채 경문의 방

침대에 누워있던 경문, 서서히 정신이 드는 듯 눈을 뜬다. 그 곁을 지키고 있던 산영, 걱정스럽게 바라보며

산영	엄마. 정신이 들어? 괜찮아?

경문, 주변을 둘러보다가 놀라서 일어선다.

경문	여기..
산영	기억 나? 이 방?

장난감, 동화책, 화장품들이 놓인 화장대 등을 천천히 둘러보는 경문의
떨리는 눈빛.

경문   ..똑같아.. 옛날.. 그때랑.. (소름 끼치는 듯) 산영아.. 나 무서워..
          우리 그만 집에 가자.
산영   엄마, 무서워하지 말고 잘 봐봐. 아빠는 우릴 그리워하고
          있었어. 그래서 여길 소중히 간직하신 거야.
경문   그럴 리 없어. 그때 니네 아빠 눈빛.. 얼굴.. 얼마나 무서웠는데..
산영   아냐. 엄마.. 그런 게 아냐.. 아빤.. 아팠던 거야.. 많이.

          멈칫해서 산영을 바라보는 경문.

씬/10   N, 화원채 본채

          어느새 깨끗이 정리된 거실로 들어서서 테이블로 다가오는 산영. 그 뒤를
          내키지 않는 듯 따라 들어서는 경문.
          테이블 위에 놓인 강모의 약병을 들어 경문에게 내미는 산영.

산영   아빠가 먹던 약이야.
경문   (천천히 받아보다가) 이게 무슨 약인데..
산영   ..시신경 위축 질환.. 치료 방법이 없어서 결국 눈이 보이지 않게
          되는 병이래.

          경문, 충격에 휩싸여서 바라본다.

경문   ..말도 안 돼.. 그럴 리 없어..

산영	비밀로 하신 거야. 엄마가 힘들어할 테니까..
경문	..그걸 니가 어떻게 알아?
산영	나처럼 말씀하셨다면서. 밤은 위험하다고..
경문	...(보는)
산영	나.. 엄마가 너무 걱정돼서 그렇게 말했어.. 아빠도 나랑 같은 맘이었을 거야..

경문, 흔들리는 눈빛으로 산영을 바라보는..

산영	아빠랑 힘든 일이 많았다는 거 알아. 그런데.. 정말 힘든 일만 있었어? 좋았던 일은.. 하나도 없었어?

경문, 산영의 얘기에 가만히 약병을 내려다보다가 천천히 고개 들어 주변을 둘러본다. 깨끗이 정돈된 화원재를 바라보는 눈빛에서

경문	..그래.. 여기로 처음 이사왔을 땐.. 좋았지.. 행복할 줄 알았어..

씬/11   D, 과거, 화원재 본채/경문의 회상

1999년, 밝은 햇살이 들고 있는 본채. 강모, 경문, 석란, 어린 산영이 함께 식사를 하고 있다.
경문은 마냥 밝은 얼굴로 산영에게 밥을 주다가 강모에게

경문	근데 이 집 어떻게 구한 거예요? 너무 좋다.

강모, 입가에 미소가 서서히 사라지며 눈빛 가라앉는데..

석란, 눈치채지 못하고 경문에게

석란 강모가 어련히 알아서 했겠지. (산영 보고 미소 지으며) 산영이
        유치원은 알아봤니?

경문 몇 군데 알아봤는데 어머님두 나중에 같이 한번 가보실래요?

그때 울리는 초인종 벨소리. 경문, '제가 가볼게요' 일어서서 인터폰에 대고

경문   누구세요?
(소리)   구강모 교수님 계십니까?

강모, 인터폰 너머에서 들려오는 남자의 목소리에 눈빛 멈칫하는데..

씬/12 D, 과거, 학원채 정원/경문의 회상

본채에서 커피를 들고 별채 쪽으로 향하던 경문.
대문이 열려있는 걸 보고 왜 안 들어오시지? 의아한 얼굴로 대문 쪽으로
다가가는데.. 대문 밖에서 들려오는 목소리.

강모(소리) 왜 여기까지 온 겁니까? 여긴 가족들이 있어요.
치원(소리) 전해드릴 게 있어서 왔습니다.

경문, 대문 너머를 힐긋 보면 승용차 옆에서 얘기를 나누고 있는 강모와
치원이다.

강모 전해줄 게 뭐죠?

치원, 승용차 뒷문을 열고 좌석에 놓여있던 서류뭉치와 해상 부의
카메라를 강모에게 건네준다. 서류뭉치 가장 위쪽에는 우진이 봤던
최만월의 인적사항들.

치원 교수님이 원했던 겁니다. 돌아가신 작은 사모님이 찾아봤던
서랍 안 물건들이죠.

강모, 치원이 가지고 온 물건들을 받고 눈빛이 떨려온다.

치원 큰 사모님한테는 말씀드리지 않고 가져왔어요.

강모, 물건들을 바라보다가 문득 고개 들어 의혹에 찬 시선으로 치원을
바라보는..

치원 원하는 걸 드렸으니 더 이상 찾아오지 마세요. 이 집안에서 무슨
일이 있었는지 알게 되면 어린 도련님한테 큰 상처가 될 겁니다.

강모 ...

치원 앞으로도 도련님께는 접근하지 말아주세요. 부탁입니다.

진심으로 해상을 걱정하는 치원의 모습을 바라보는 강모.

강모 예. 꼭 그렇게 하겠습니다.

씬/13   N, 현재, 학원재 본채

경문의 얘기를 듣던 산영. 석란의 방 장롱 안에서 카메라를 들고 와서

경문에게 보여준다.

산영   그 카메라가 이거였어?
경문   ..몰라. 비슷한 것 같기도 하고.
산영   그 사람 누구였어?
경문   분위기가 이상해서 물어봤지만 얘기해주지 않았어.

씬/14   N, 현재, 해상의 본가 서재

서재 안을 정리하고 있는 치원. 마지막으로 책장에 책들을 꽂고 난 뒤
돌아서서 창밖을 바라보고 있는 병희를 어두운 눈빛으로 보며

치원   ..작은 사모님도.. 그 귀신을 없애려다가 돌아가신 거죠?
병희   ...
치원   작은 사모님이 사라지셨을 때 도련님을 데려오라고 절 보내셨죠..
           그때 봤습니다. 작은 사모님이 어떻게 돌아가셨는지..

— 인서트
— 밤, 1995년, 동해 민박집 인근 도로에 차를 세우고 민박집을 향해
  다가가는 치원. 마당 쪽으로 다가오는데 열린 문 사이로 새어 나오는 검은
  연기를 보고 놀라서 다급히 달려오다가 문가에서 뭔가를 보고 충격에
  휩싸여 멈춰 선다. 붉은 화염 너머로 천장에 목을 맨 채 숨져 있는 해상 모.
  손목에 붉은 멍 자국. 그 모습을 믿지 않는 듯 바라보다가 두려움에
  질린 눈빛으로 천천히 뒷걸음질 치는 치원. 겁을 먹은 얼굴로 도망치는데..

— 다시 현재, 서재로 돌아오면

어두운 얼굴의 치원.

치원   도련님도.. 그렇게 죽을 수 있습니다. 지금이라도 말리셔야 합니다.

병희, 차가운 눈빛으로 바라보며

병희   잘 알지도 못하면서 어디서 나불거려.

병희, 과거를 회상하는 듯 눈빛 떨려오며..

병희   해상이한테는 입도 벙긋하지 마. 알겠어?

차가운 병희의 눈빛에 고개 떨구는 치원.

씬/15   N, 경찰청 건물 외경

씬/16   N, 경찰청 건물 복도

텅 빈 복도를 걸어오는 홍새. 저 앞쪽으로 보이는 '문서고' 팻말. 입구에 있는 카드리더기에 신분증을 찍고 들어간다.

씬/17   N, 경찰청 문서고

이동 서가가 가득한 문서고. 반대편에 위치한 몇 대의 열람용 피씨 앞에 앉는 홍새.

열람용 피씨 검색창에 '중현상사'를 친다. '중현' 글씨가 들어간 검색
결과들을 하나씩 확인하는 홍새.

홍새(소리) 중현상사.. 중현캐피탈.. 염승옥.. 염재우.. 뭐 하나만 걸려라..

씬/18 N, 거리 일각

한적한 도로를 달리고 있는 산영의 차. 조수석에는 여전히 어두운 경문.
운전석의 산영, 경문이 걱정되는 듯

산영 집에 가는 동안 눈 좀 붙여.
경문 그런데.. 너.. 진짜 나 무시하니..?
산영 또 무슨 소리야?
경문 차 뽑아서 세미는 태워주구.. 난 이제야 태워주고..
산영 (찔리는) 아니.. 그게 엄만 제대로 한번 드라이브해 줄려구 했지.

경문, 여전히 삐친 얼굴.

산영 엄마. 왜 이래. 나한텐 엄마밖에 없는 거 알잖아.

경문, 그런 산영 보다가..

경문 우리, 집 가기 전에 거기 먼저 들르자.
산영 (의아한).. 어디?
경문 우리 카페.

산영   카페? 벌써 공사 다 했어?

씬/19   N, 상가건물 카페

문을 열고 들어서는 산영과 경문. 어두운 실내, 아무것도 보이지 않는데..
경문, 벽면에 있는 스위치를 누르며

경문   마무리는 좀 지어야 하는데 그래두 너한테 보여줄 정도는 돼서..

'달칵' 소리와 함께 암전되는 화면. 시커먼 암흑 속에서 들려오는 경문의
목소리.

경문(소리) 어때? 너 좋아하는 색깔로만 꾸몄는데.. 괜찮아?

여전히 시커먼 암흑만 계속되는 화면.

경문(소리) 산영아? 왜.. 맘에 안 들어?
산영(소리) ..아니.. 좋아. 고생 많았겠네.
경문(소리) (멀어져가는) 거기 앉아있어 봐. 내가 커피 한 잔 타 줄게.

커피머신 돌아가는 소리. 멀리서 들려오는 경문의 목소리.

경문(소리) 나 카페 이름 생각해봤다. 봄..
산영(소리) ..봄..

'이제 겨울이 지났잖아. 이제 곧 봄이 오겠지. 저기 카페 야외 테라스에서

보면 더 이쁠 것 같아' 경문의 목소리가 점점 더 멀어져가는데..

산영(소리) 그래.. 봄..

서서히 들려오는 도심의 경적 소리.

씬/20 D, 거리 일각

도심, 주택가에 위치한 아파트 재개발 공사 중인 차단막 바깥쪽에서
난감한 얼굴로 올려다보고 있는 해상. 들고 있던 구강모 교수 사건 파일
중 채서린의 주소지 '우양아파트'를 확인한 뒤 다시 재개발 공사 차단막을
보면 똑같은 '우양아파트 재개발 공사'라고 적혀있다.
그때 울리는 해상의 핸드폰. 발신인 '구산영'이다.

씬/21 D, 공원 일각

주택가에 위치한 작은 근린공원 입구로 들어서는 해상. 저 앞쪽에 서 있는
산영을 보고 멈춰선다. 시선이 마주치는 산영과 해상.
산영, 해상에게 다가오는데..

해상   무슨 일로 연락한 거죠?
산영   (보다가) ..다섯 가지 물건 중에 남은 두 개.. 그걸 찾고 계신
거죠? 저도 돕고 싶어요.

해상, 말없이 바라보는데

산영	그 물건들을 만질 때마다 뭔가가 보였어요.

흠칫 놀라다가 의심에 찬 시선으로 산영을 바라보는 해상.

해상	..왜 지금에서야 그 얘기를 하는 겁니까?
산영	...(멈칫 말문이 막혀 바라보는)
해상	제가 산영 씨를 믿어도 되는 거예요? 진짜로 본 게 맞아요?
산영	..맞아요. 처음엔 잘못 본 줄 알았지만 계속해서 보였어요. 모두.. 악귀의 기억인 것 같아요.

— 인서트
— 1부, 18씬. 강모의 서재에서 목각상자에서 붉은 댕기를 처음으로 만지던 산영에게 보여지던 모습.
— 1부, 18씬, 집 안. 흐릿한 거울 앞에 앉은 어린 여자아이의 머리 위에 씌워지는 붉은 배씨댕기.

산영(소리)	붉은 댕기를 만졌을 땐 거울 앞에 앉은 어린 여자아이가 보였어요.

— 8부, 63씬. 저수지 꽃나무 아래에서 금줄에 묶인 흑고무줄을 찾는 산영.
— 8부, 63씬. 낮, 58년. 대들보에 흑고무줄로 목을 맨 중년 여의 뒷모습.
— 8부, 63씬. 낮, 58년. 거친 풍랑이 치고 있는 바닷가.

산영(소리)	저수지에서 흑고무줄을 찾았을 땐 목을 맨 여자와 바다가 보였어요. 그리고.. 교수님 댁에서 푸른 옹기 조각을 봤어요.

— 7부, 1씬. 밤, 창고 안.

쓰러져 있는 듯한 파란 천 안의 시선. 창고 벽면 높은 곳에 달린 창문 너머로 보름달이 보이는데.. 순간, 파란 천 위로 붉은 피가 흩뿌려진다.

산영(소리) 누군가 창고 안에서 죽임을 당하고 있었어요.

— 다시 현재, 공원으로 돌아오면

산영 또 다른 물건을 찾으면 악귀에 대해 더 많은 걸 알 수 있을 거예요.

해상, 산영을 보다가..

해상 손전등이 필요할 거예요.

씬/22 D, 폐건물 인근 거리 일각

도시 외곽, 산과 접해있는 한적한 도로를 달리고 있는 산영의 차.
운전 중인 산영에게 설명하고 있는 해상.

해상 구강모 교수님과 관련된 사건장소 중에 남은 건 두 곳이에요.
도서관 사서 채서린이 투신한 아파트. 그곳은 재건축공사가 시작돼서 접근이 힘듭니다. 나머지 한 곳이.. 저기네요.

저 앞쪽으로 보이는 한적한 곳에 위치한 폐건물을 가리키는 해상.

씬/23   D, 폐건물 앞

도로 곁 길에 위치한 단층짜리 넓은 폐건물.
오랫동안 버려진 듯 빛바랜 '남부 횟집'이란 간판.

해상   도시계획 때문에 이쪽 상권이 죽으면서 십 년 넘게 방치됐대요.
관리인도 없어서 우리 힘으로만 찾아야 합니다.

씬/24   D, 폐건물 식당

한낮임에도 빛이 들어오지 않아 어둑어둑한 폐건물 안. 여기저기 방치된
채 먼지와 거미줄에 뒤덮인 테이블과 의자들이 을씨년스럽기만 한데..
손전등 불빛과 함께 건물 안으로 들어서는 산영과 해상.

산영   어디부터 찾아봐야 하죠?
해상   희생자는 화장실에서 목을 매서 죽었다고 했어요. 그 주변부터
시작해보죠.

씬/25   D, 폐건물 화장실

화장실 내부로 들어서는 산영과 해상. 각자 흩어져서 내부를 수색하기
시작한다. 화장실 바닥, 깨진 변기 뒤쪽을 훑어보던 해상, 반대쪽 바닥
타일들 사이를 살펴보고 있는 산영을 문득 바라본다. 그런 해상의
모습에서..

— 인서트
— 9부, 32씬. 혼란스러운 눈빛으로 해상에게 얘기하던 산영.

산영 그전보다 기억이 안 나는 시간들이 많아졌어요.. 이젠 내가
나인지.. 악귀인지 모르겠어요.

— 다시 현재, 폐건물 화장실로 돌아오면
산영을 바라보는 해상의 눈빛에 의혹이 피어오른다.

해상(소리) 저기 있는 사람은 악귀일까 산영 씨일까.. 지금까지 나한테 한
얘기가 진실일까. 거짓일까..

잠시 생각하다가 다시 화장실 여기저기를 살펴보는 해상의 모습 위로

해상(소리) 그래도 지금은 산영 씨를 이용해야 해..

화면, 반대쪽 바닥 타일들과 벽면 하단부 틈틈 사이를 살펴보는 산영의
모습 비춘다.

— 인서트
— 16씬의 상가건물, 카페. 작고 아담하게 꾸며진 카페, 커피머신에서
커피를 내리고 있는 경문. 조금 떨어진 문 옆에 서 있는 산영. 초점이 맞지
않는 떨리는 눈으로 허공을 바라보고 있는 산영. 눈을 감았다 떠 보지만
돌아오지 않는 시야. 막막함에 떨려오는 산영의 모습에서..

산영(소리) 목단이건 아니건 상관없어. 붉은 댕기, 푸른 옹기 조각, 흑고무줄..
이제 그다음 걸 찾으면 되는 거지?

그제야 서서히 밝아지기 시작하는 시야. 그리고 귓가에 들려오는 악귀의 웃음소리. 산영의 눈빛, 어두워진다.

— 다시 현재, 폐건물 화장실로 돌아오면
죄책감에 어두운, 하지만 절박한 눈빛으로 화장실을 살펴보고 있는 산영.

산영(소리) 그래.. 봄.. 봄만 생각하자..

씬/26 D, 경찰청 자료실

끼리릭 끼리릭 돌아가는 이동서가. 서가 안에서 수사 서류를 찾다가 '중현캐피탈 불법 대출 사건' 수사기록을 발견하고 서류철을 들고 열람 테이블로 돌아가는 홍새. 밤을 꼬박 새서 찾아낸 듯 테이블 위에 가득 쌓여있는 서류철들. '중현캐피탈 불법 대출' 사건자료들을 훑어보는데 실망하는 낯빛.

홍새(소리) 횡령, 배임, 불법 대출.. 의혹만 불거지고 기소도 안 된 미제 사건들.. 이런 게 아닌데.. 분명히 뭔가 있을 텐데..

답답한 눈빛으로 지금까지 쌓여있는 서류들을 계속 넘기기 시작하다가 염재우의 1995년 횡령 사건 수사자료 마지막 부분에서 멈칫. '1995년, 0월 0일, 용의자 염재우의 갑작스러운 사망으로 내사 종결' 그 구절을 가만히 내려다보던 홍새. 담당 형사 강상문 이름 확인하는..

씬/27 D, 수사과장실

'수사과장 강상문'이란 명패가 놓인 책상 위에서 사무를 보고 있는 수사과장.
'똑똑' 들려오는 노크 소리.

형사과장 들어오세요.

문 열리면서 긴장한 눈빛의 홍새 들어온다.

홍새 (90도로 인사하며) 안녕하십니까. 강수대 4계 이홍새라고
합니다.

형사과장, 그런 홍새를 보다가

형사과장 알아요.
홍새 ..예?
형사과장 서문춘 선배님 상주를 했던 친구죠? (자리에서 일어나며)
장례는 무사히 끝냈나요?

홍새, 문춘의 이름을 얘기하는 형사과장의 모습에 마음이 찡해온다.

홍새 ..예
형사과장 (책상 앞 소파를 가리키며) 앉아요. 무슨 얘긴지 들어봅시다.

— 시간 경과되면
소파에 마주 앉아있는 홍새와 형사과장.

형사과장   중현캐피탈 염재우 대표, 기억나죠. 죽기 전날에 만났거든요.
입원해 있는 병원으로 찾아갔었죠.

씬/28 D, 과거, 1995년, 산애 병원 병실

1인실, 특실. 침대에 기대어 앉아있는 재우(40세, 남) 창백한 안색에 퀭한
눈빛으로 멍하니 허공을 바라보고 있다. 그 맞은편에 앉아있는 당시의
강상문 형사와 파트너.
재우의 옆에 딱딱한 눈빛으로 서 있는 당시의 병희.

병희   보시다시피 건강이 악화돼서 밥도 못 먹고 사람을 알아보지 못해요.

형사들, 재우를 훑어보는데 툭 늘어뜨린 재우의 양쪽 손목에 붉은 멍
자국이 들어있다.

씬/29 D, 현재, 형사과장실

놀라서 형사과장을 바라보는 홍새.

홍새   손목에.. 붉은 멍이 있었다구요?
형사과장   맞아. 발작을 해서 손을 묶어놨었다고 들었어.

홍새, 혼란스러움에 눈빛이 흔들린다.

씬/30   D, 산애 병원 건물 앞

오래된 듯 고풍스러워 보이는 중급병원 건물. 간판에는 '산애 병원' 그런
건물 앞으로 다가와 멈춰 서는 홍새의 차. 차를 주차시킨 홍새, 병원
건물을 올려다보다가 조수석을 바라본다.

도서관에서 검색해 프린트를 해서 가져온 듯한 오래된 신문 기사 두 개.
들어서 신문 기사들을 바라보는 홍새. 하나는 '1979년, 0월 0일. 승옥의
부고 기사. 중현상호금융 염승옥 대표. 지병으로 입원 중이던 산애
병원에서 영면에 드시다. 향년 45세' 그다음 장을 넘겨보면 '1995년, 0월
염재우 중현캐피탈 대표, 횡령 혐의로 수사받던 중 지병으로 사망. 향년
40세. 장례식장 산애 병원'

홍새(소리) 염해상 교수의 할아버지와 아버지였던 염승옥과 염재우.. 둘 다
약속이라도 한 듯 젊은 나이에 사망했다.. 왜지..?

의혹에 찬 시선으로 산애 병원 건물을 올려다보는 홍새.

씬/31   D, 산애 병원 원장실

흰 가운을 입은 백발의 원장(60대 후반, 남), 긴장한 눈빛으로 홍새의
명함을 확인하고 있다.

원장   형사님이 우리 병원엔 무슨 일입니까?
홍새   원장님께선 이 병원이 생겼을 때부터 근무하셨다고 들었습니다.
원장   (경계하는 눈빛이 역력한) ..그런데요.
홍새   이 병원에서 사망한 환자에 대해서 알고 싶은 게 있습니다.

원장	그게 무슨 말입니까?

홍새, 원장 바라보다가

홍새	이 병원, 알고 보니까 중현캐피탈과 꽤 관계가 깊더군요.

중현캐피탈 얘기가 나오자 원장의 눈빛 흔들린다. 홍새, 그런 원장의
반응을 관찰하며

홍새	중현캐피탈의 전신인 중현상호금융 때부터 매년 발전기금을 받으셨더라구요. 지금까지 받은 돈만 해도 오십억이 훌쩍 넘던데 그런 큰돈을 왜 이 병원에 투자한 걸까요.
원장	(흔들리지만 내색하지 않으려는) 말 그대로 발전기금이었을 뿐입니다. (일어서며) 무슨 일인지 모르겠지만 돌아가 주세요. 더 드릴 말씀이 없네요.

돌아서서 책상으로 다가가 앉는 원장의 손이 떨리고 있다. 그런 원장의
모습을 바라보던 홍새.

홍새	..이미 공소시효가 끝났습니다. 아무도 다치지 않을 거예요.
원장	(눈빛 더욱 크게 흔들리며) 난 모르는 일입니다.
홍새	..저한테 얘기하는 게 나으실 텐데요. 다음번엔 기자랑 같이 올 수도 있습니다.

원장, 낯빛이 창백하게 변하며

원장	난 진짜 몰라요. 난 그 일과 전혀 관련이 없어요.

홍새, 가만히 원장을 바라본다. 원장, 그런 홍새가 더욱 불안한 듯 보다가

원장 난 사모님이 시킨 대로 했을 뿐이에요. 그 아이는 어차피 죽을 애였습니다.

홍새, 예상치 못한 '아이'란 말에 뭐지? 의혹에 찬 눈빛으로 원장을 바라보는데..

씬/32 N, 폐건물 식당

어느새 저녁이 된 폐건물 안. 화장실에서 찾지 못한 듯 횟집 구석구석을 이 잡듯 뒤진 듯한 산영과 해상. 온통 거미줄에 먼지투성이인 커다란 횟집 홀 안, 바닥들을 훑어보던 산영. 초조한 눈빛으로

산영 화장실에도 여기도 없어요. 어디에도 파거나 뭘 묻은 흔적이 없다구요.

해상, 역시 답답한 눈빛으로 주변을 바라보다가.. 문득 뭔가 떠오른 듯

해상 ..바닥에는 없다..

천천히 주변을 둘러보는 해상.

해상 우리가 잘못 짚었어요. 백차골 산영 씨의 외할머니집, 절 근처의 저수지. 모두 문 바깥이었어요. 여긴 문 안이에요.

의아한 눈빛으로 해상을 바라보는 산영.

해상　　집 안에서 액운을 막는 방식은 따로 있어요.

　　　　　해상, 손전등을 들어 천장을 비춘다.

해상　　건물을 새로 짓거나 새집으로 이사를 갈 때 성주받이라는
　　　　　의식을 치릅니다. 대들보 위에 성주신을 모시는 신주단지를
　　　　　모시는 거죠.

　　　　　산영도 해상을 따라 천장에 불빛을 비춘다.

해상　　악몽을 꾸거나 인근에 안 좋은 일이 있을 때 액운을 막아달라는
　　　　　의미로 대들보에 말린 북어를 걸어놓기도 했어요.
산영　　액운을 막는다.. 악귀를 봉인하는 거랑 비슷하네요.

　　　　　천장 여기저기를 훑어보는 해상. 조명기구도 떨어진 채 텅 빈 천장.

해상　　그런데 여긴 대들보가 없어요.

　　　　　산영, 바닥에 뒹구는 의자 하나를 들고

산영　　여기가 아니죠.

각자, 의자를 들고 들어서는 산영과 해상. 흩어져서 의자 위로 올라가
천장 텍스를 밀어서 열어본다. 텍스를 밀어서 열면 나오는 어두운
천장 공간을 손전등을 비춰보며 하나씩 확인하는데, 산영, 여기저기
밀어보다가 한 공간을 확인하고는 멈칫한다.
어두운 천장 공간 안, 손전등의 희뿌연 불빛에 비춰진 작은 칼이 박힌
금줄로 묶인 초자병이다. 천천히 손을 뻗어 초자병을 잡는 산영. 순간
뭔가가 보이는 듯 눈을 질끈 감는다.
조금 떨어진 곳에서 천장을 살펴보던 해상,
아무것도 보이지 않자, 자기도 모르게 손전등을
산영의 뒷모습, 얼굴 쪽을 비추며

해상　　여긴 아무것도 없어요. 그쪽은요?

대답 없는 산영, 천천히 뒤돌아 해상을 바라보는데,
손에 초자병이 들려있다.

해상　　찾았어요?

대답이 없는 산영,
해상, 초자병에서 다시 산영의 얼굴을 보면 무표정한 산영의 눈빛.
악귀인지 산영인지 모르겠다. 해상, 조심스레 의자에서 내려와 산영에게
다가가 손을 내민다. 초자병을 바라보며

해상　　그거 주세요.

산영, 천천히 해상에게 초자병을 건넨다. 해상, 초자병을 받는데..
들려오는 목소리.

산영   ..물..

해상, 뭐지? 손전등을 위로 비추는데 의자 위에서 가만히 초점 없는
눈빛으로 허공을 바라보고 있는 산영.

해상   뭐라고 했어요?
산영   (순간 시선 돌려 해상을 무섭게 노려보며) 물..!!

순간, '쾅' 의자에서 내려서 화장실 밖으로 나가는 산영.

씬/34   N, 폐건물 식당

화장실에서 뛰쳐나와 횟집 주방 쪽으로 뛰쳐가는 산영. 먼지가 쌓인
싱크대 수도를 왼손으로 틀어보는데 아무것도 나오지 않는다. 신경질적으로
수도꼭지를 다시 틀었다 닫았다 해보지만 여전히 아무 반응이 없다. 다른
수도꼭지로 다가가서 틀어보지만 똑같이 물이 나오지 않는다. 그 옆에
싱크대 문들을 '쾅쾅' 거칠게 열어보지만 쓰레기들뿐, 텅 비어있다.
뒤늦게 뒤따라 나온 해상, 그런 산영을 놀라서 바라보는데.. 싱크대를
뒤지던 산영. 낮고 거친 음성으로

산영   목.. 목이 말라 죽겠어.

해상이 말릴 틈도 없이 횟집 문을 열고 뛰쳐나가는 산영. 놀라서 보다가

뒤늦게 그 뒤를 따르는 해상.

씬/35   N, 도로 일각

도로로 뛰쳐나오는 해상. 이미 산영이 어디로 갔는지 보이지 않는다.
주변을 둘러보는데 저 앞쪽 길 건너로 보이는 편의점 불빛.

씬/36   N, 편의점 안

'쾅' 유리문 열리면서 들어서는 해상. 카운터 밖으로 나온 직원, 어딘가를
놀란 눈빛으로 바라보고 있다. 그런 시선 쫓아가 보면 매대 뒤쪽 너머에서
들려오는 우당탕 소리. 바닥으로 흩뿌려지는 음료수병들. 보면 음료수
매대 앞, 바닥에 떨어져 있는 음료수병들을 마구잡이로 들어 마시고 있는
산영. 직원, 핸드폰으로 112신고를 하려는데

해상   (직원을 보며) 제가 다 배상하겠습니다. 신고하지 말아 주세요.

직원에게 얘기한 뒤 매대 뒤쪽 산영에게 천천히 다가서는 해상.
음료수를 마시던 산영, 고개를 돌리다가 다른 매대에 있던 음식들이
시야에 들어온다. 또다시 마구잡이로 잡아 바닥에 흩뿌리고는 하나씩
뜯어 미친 듯이 먹기 시작하는 산영. 통조림을 잡아 뜯다가 손에서 피가
나는데 상관하지 않고 그 안에 음식들을 손으로 잡아 집어먹는다. 해상,
다가가서 산영의 손목을 잡는다.

해상   그만해..

산영, 그런 해상을 가만히 바라보다가

산영	계속 빌었어.. 제발.. 먹을 걸 달라고..
해상	(멈칫해서 바라보는)
산영	다 내가 잘못했으니까.. 물 한 모금만 달라고.. 빌고 빌었어..

— 인서트
7부, 1씬. 낮, 어두운 창고 안. 흐느끼는 울음소리. 불투명한 파란 천으로
가려진 누군가의 시선으로 보여지는 창고 안의 풍경.

— 다시 현재, 편의점으로 돌아오면
과거, 창고 안에 갇혔던 억울하고 설움에 찬 악귀의 표정의 산영.

산영   자그마치.. 7일.. 그동안 난 살아있었어.. 죽지 않고 버텼지..
         그런데 그 사람들이 뭐라고 했는지 알아? 아직도 안 죽었네..

분노에 휩싸여 해상을 노려보는 산영.

산영   니들이 날 죽였어.. 니들이 날 죽였어!!

굳은 눈빛으로 그런 산영을 바라보던 해상.

해상   맞아.. 우리가 널 죽였어. 널 죽이고 이용했지. 근데 너도
         똑같잖아. 날 이용했어.

천천히 고개 들어 해상을 차갑게 바라보는 산영.

해상	다섯 가지 물건.. 그걸 다 모으려고 날 이용한 거지? 그걸 모으면 어떻게 되는 거야?

산영, 가만히 해상을 바라보다가..

산영	얼른 찾아내. 마지막 거.. 그럼 알 수 있을 거야.

산영, 순간 일어나서 편의점을 나가버린다. 해상, 그 뒤를 따르려고 하는데
직원, 난감한 얼굴로 '저기..'.
해상, 잠시만요 하는 손짓하고 뒤따라 나가는..

씬/36-1 N, 편의점 밖

뒤늦게 편의점 밖으로 나오는 해상. 이미 산영은 사라지고 보이지 않는다.
산영을 찾아 주변을 둘러보다가 혼란스러운 얼굴로 생각에 잠기는 해상.

해상(소리)	다섯 개의 물건을 찾아야 악귀를 없앨 수 있다. 그런데 악귀는 날 이용해서 그 물건들을 찾으려고 한다.. 대체.. 왜지..

그때 울리는 핸드폰 전화벨. '이홍새 형사'다.

씬/37 N, 문춘의 집

마주 앉아있는 해상과 홍새. 해상, 놀라서 굳은 얼굴로 홍새를 바라보며

해상	제 아버지 손목에 붉은 멍 자국이 있었다구요?
홍새	당시에 아버님을 조사했던 형사님한테 직접 들은 얘깁니다.
해상	그럴 리가 없어요.. 아버지는 자살이 아니었습니다.. 아버님은 회사에서 갑자기 쓰러지셨다가 의식을 회복하지 못하고 돌아가셨다고 들었어요.
홍새	산애 병원에서 돌아가신 거죠?
해상	예. 저희 가족 모두 그 병원을 이용했었습니다.

홍새, 해상을 가만히 바라보다가..

홍새	거기서 이상한 얘길 들었습니다.

불안한 눈빛으로 홍새를 바라보는 해상.

씬/38 D, 중현캐피탈 건물 외경

이른 아침, 중현캐피탈 건물.

씬/39 D, 중현캐피탈 부사장실

문을 열고 들어서는 치원. 소파에 가만히 앉아있는 해상을 보고

치원	해상아. 여기까지 웬일이야? 아까부터 기다리고 있었다면서. 오면 온다고 얘길 하고 오지.

천천히 고개 들어 치원을 바라보는 해상의 눈빛, 슬픔과 충격에 아직도
떨려오고 있다.

치원   왜 그래? 무슨 일 있는 거야?

가만히 치원을 바라보던 해상.. 떨리는 손으로 핸드폰을 꺼내 홍새가
보내준 음성 파일을 열어서 테이블 위에 올려놓는다.

치원   이게 뭔데?

치원을 바라보다가 힘겹게 입을 떼는 해상.

해상   아저씨가.. 꼭 아서야 할 얘기예요..

해상, 잠시 마음을 다잡다가 떨리는 손으로 녹음파일을 재생시키는데
들려오는 산애 병원 원장의 목소리.

원장(소리) 김우진.. 그 학생은 원래 교통사고로 위중한 상태였습니다.
그런데 사모님 명령으로 우리 병원에 이송을 시켰었죠.

우진의 이름이 나오자 놀라서 바라보는 치원.

씬/40   D, 과거, 1999년, 산애 병원 복도/병실 안

한적한 복도에 마주 서 있는 병희와 원장.

병희	상태는 어때?
원장	혼수상태이긴 하지만 그래도 꿋꿋이 버티고 있습니다.

병희, 차가운 눈빛으로 생각에 잠기다가

병희	알아서 죽어줬으면 좋았을 텐데..
원장	..예?

병희 그런 원장 보다가 혀 차면서 돌아서서 한 병실로 다가가 문을 연다.
열린 문틈 사이로 1인실 병원에 누워있는 환자, 우진이다.

병희	들어오지 마.
원장	저기 근데 사모님..

뒤돌아서 차갑게 바라보는 병희.

병희	나가 있어.

원장, 병희의 눈빛에 불안한 눈빛으로 뒤로 물러서고..
병희, 병실 문을 닫고 들어간다.

씬/41   D, 현재, 중현캐피탈 부사장실

뭐가 뭔지 혼란스러운 눈빛의 치원. 핸드폰에서 흘러나오는 원장의
목소리를 듣고 있다.

원장(소리) 잠시 뒤에 사모님이 병실에서 나오셨어요.. 그리고 들어가
봤는데.. 김우진 환자가 숨져있었어요.. 그런데.. 바닥에..
베개가.. 떨어져 있었습니다.

치원, 자신이 듣고 있는 얘기가 믿기지 않는다. 두려움과 충격에 휩싸여
녹음파일을 꺼버린다.

치원 이거.. 뭐야.. 누가 이런 얘기를..
해상 ..우진이가 숨진.. 산애 병원 원장님입니다..
치원 (더욱 눈빛 흔들리는) 아냐.. 아냐.. 어떻게.. 사모님이.. 우진인
사고였어.. 사고로 죽은 거라구..

말을 이어가기가 힘든 듯 겨우 대답을 하는 해상.

해상 ..저도 그렇게 알고 있었어요.
치원 (벌떡 일어서며) 그만 가.. 저딴 거 난 다 믿지 않아.
해상 ..아저씨..
치원 거짓말이야! 대체 왜.. 왜 사모님이..

해상, 치원을 바라보다가 우진을 떠올린다.

― 인서트
― 과거, 8부, 5씬에 이어지는.. 일어서면서 강모에게 얘기하는 병희.

병희(소리) 집 한 채 사줄 테니까 그 돈 받고 꺼져. 어디 가서 나불거리지도
말고 다시 연락하지도 마. 다시 연락하면.. 그땐.. 죽여버릴 거야..

일어나서 서재 문을 열고 나간다. 강모, 눈빛 어두워지는데..
잠시 뒤 열린 문 너머로 다가오는 치원.

치원 그만 가주시죠.

강모, 어쩔 수 없이 일어나 서재를 나가고 치원, 문을 닫고 나간다.
조용해진 주변. 한참 있다가 천천히 책상 아래에서 나오는 우진.
겁이 나는 듯 주변을 두리번거리다가 살며시 문 쪽으로 다가와 귀를
기울이는데 아무 소리가 들리지 않자 천천히 문을 열고 나간다. 주변을
두리번거리다가 조심스레 자기 방 쪽을 향해 사라지는데..
천천히 반대쪽을 비추는 화면. 복도 저편 어둠 속에서 모든 걸 지켜보고
있던 병희다.

─ 다시 현재, 부사장실로 돌아오면
해상의 낯빛 더욱 무겁게 가라앉는다.

해상 아마 그때였을 거예요.. 그때.. 할머니가 숨기고 싶었던 비밀을
본 거죠.
치원 ..아냐.. 아냐..

해상, 혼란에 빠진 치원을 바라보다가

해상 죄송합니다.. 아저씨.. 정말 죄송해요..

해상, 결국 고개를 숙이고 눈물을 떨어뜨리고..
치원, 그런 모습에 우진의 죽음에 대한 진실이 실감되는 듯 멍해지는 눈빛.

치원   어떻게.. 어떻게..

         치원의 눈가도 붉게 물들기 시작한다..

— 시간 경과되면
         가만히 넋이 나간 눈빛으로 앉아있는 치원. 맞은편에 앉은 해상, 감정을
         추스르며

해상   아저씨.. 할머니가 숨기고 싶었던 비밀은 우리 집안이 만든
         악귀였어요.. 그 악귀에 대해 정말 모르세요?

         치원, 눈빛 흔들리며 해상을 본다.

해상   ..알고 계신 게 있다면 말씀해 주세요..

         치원, 해상을 바라보다가 책상 위 파일철 안에서 빛바랜 종이 한 장을
         꺼내서 바라본다. 치원이 직접 쓴 각서다.
         '본인 김치원은 염재우 대표님과 중현캐피탈 가문의 기사로 일하면서
         내부에서 있었던 모든 일에 대해 그 어디에도 발설하지 않을 것이며
         만에 하나 외부에 발설 시 어떠한 불이익도 감수할 것을 약속드립니다'.
         가장 아래쪽에 찍힌 치원의 지장.

치원   내가 처음 사모님을 뵀을 때 썼던 거야.. 집 안에 들이는 모든
         사람들한테 쓰게 하셨지.. 한 번도 이 약속을 어긴 적이 없었어..

         각서를 찢어버리는 치원. 허탈한 듯 찢어진 종이조각들을 바라보다가

치원	너희 어머님은 이층 네 방에서 널 일찍 재우고 언제나 곁에서
	주무셨지. 기억나니?
해상	..예.
치원	너한텐 비밀로 하고 싶으셨던 거야.
해상	(보는)
치원	너희 아버님은 언제나 해가 지기 전에 퇴근하셨고, 밤에는
	약속을 잡지 않으셨지. 지방 출장을 가셨을 때도 밤에는
	숙소에서 떠나지 않으셨어. 이상한 일이 벌어지는 건 언제나
	밤이었으니까..

씬/42   N, 과거, 해상의 본가

— 밤, 주방. 목이 말라 일어난 듯 주방 쪽으로 들어서던 당시의 치원, 깜짝 놀라서 바라본다. 문이 열린 냉장고 앞에서 미친 듯이 음식들을 왼손으로 집어먹고 있는 재우다. 놀라서 '대표님..' 부르며 다가가려던 치원, 멈칫 멈춰선다. 재우의 뒤쪽 어두운 곳에 서서 말없이 지켜보고 있는 차가운 눈빛의 병희다.
재우, 입에 음식들을 쑤셔 넣다가 큭큭큭 미소 지으며 병희를 바라본다.

재우	너도 와서 먹어. 맛있어.

치원, 어찌할 바를 모르고 바라보는데..

병희	(재우 보다가 치원 보며) 신경 쓰지 말고 들어가.

치원, 기이한 광경에 떨면서 보다가 도망치듯 뒷걸음질 친다.

악귀 2

— 이른 아침. 치원, 다이닝룸으로 들어서는데 다이닝룸 곳곳에 그려져 있는
달을 그린 목탄화들. 그런 목탄화들을 언제나 그래왔던 듯 익숙하게
청소하고 있는 아주머님. 치원도 놀라지 않는 눈빛.

치원(소리) 대표님께 병이 있으신가 보다 생각했었지. 걱정은 됐지만, 별로
대수롭지 않게 생각했는데.. 그날은 달랐어..

— 밤, 비가 내리고 있는 본가, 거실. 물을 뜨러 나온 듯 주방에서 물병과 컵이
담긴 작은 쟁반을 들고 나오는 해상 모. 재우를 만나기 싫은 듯 주변을
둘러보고는 빠르게 이층 계단을 올라가기 시작하는데
순간 내려치는 천둥 번개. 계단 중간에 난 창문으로 번쩍 불빛이 비치는데
그 불빛에 서 있는 무표정한 얼굴의 재우.
해상 모, 순간 놀라서 쟁반을 떨어뜨리고 와장창 깨지는 컵.
재우, 신경 쓰지 않는 듯 천천히 해상 모를 향해 한걸음, 한걸음 내려선다.
해상 모, 그런 재우를 두려운 눈빛으로 바라보는데

재우 (차갑게 해상 모를 보다가) 너.. 죽어..

공포에 질려 재우를 바라보는 해상 모. 차갑게 미소 짓는 재우. 유리컵
깨지는 소리를 듣고 나오다가 이 모습을 목격한 치원, 놀라서 바라보는데..

씬/43   D, 현재, 중현캐피탈 부사장실

놀라서 치원을 바라보는 해상.

해상 어머니를.. 죽인다고 하셨다구요..

치원   ..(해상을 보다가) 아버님께 가장 소중했던 사람이..
어머님이셨으니까.

씬/44   N, 과거, 1995년, 서재 밖 복도

병희의 침실에 갖다 놓으려는 듯 물을 채운 가습기를 들고 서재 앞을
지나치는 치원. 그때 들려오는 화난 재우의 목소리.

재우(소리) 이 정도 돈을 벌었으면 충분하잖아요.
병희(소리) 충분하고 안 하고는 내가 결정해.

씬/45   N, 과거, 1995년, 서재

화난 얼굴의 재우, 앉아있는 병희를 바라보며

재우   그놈의 악귀가 해상이 엄마를 죽이려고 해요.
병희   왜인 줄 알아? 니가 그 애를 제일 좋아하니까.
재우   그게 무슨 말씀이세요?
병희   악귀가 우리에게 부를 가져다주는 대신, 우리도 그 대가를
치러야 해. 네게 가장 소중한 것. 악귀는 그걸 원하는 거야.

재우, 어이가 없다는 표정으로 병희를 바라보는..

재우   아버님 때도.. 그랬던 건가요? 아버님께 가장 소중한 사람을
죽였어요? 그걸 알면서도 나한테 악귀가 붙게 만든 거예요?

병희	그 덕에 우리가 돈을 가진 거야.
재우	..그놈의 돈이 어머님한테는 중요할지 모르지만 난 아닙니다. 난 더 이상 이렇게 못 살겠어요.
병희	그래서..?
재우	그 무당이 악귀를 없애는 방법을 가르쳐줬다면서요.

— 인서트
— 밤, 1958년, 해상의 본가 안. 7부, 59씬의 차림의 만월. 창백한 얼굴로
당시의 병희에게 흰 봉투를 건넨다.

만월	만에 하나 악귀를 없애시고 싶으실 때 이 방법대로 하시면 됩니다.

병희, 봉투를 건네받는데..

만월	조심하세요. 그 안에 적힌 다섯 가지 물건과 이름. 하나라도 틀리면 악귀를 없애려는 사람에게 화가 미칠 겁니다.

— 다시 1995년의 서재로 돌아오면
책상 아래쪽 금고를 가리키는 재우.

재우	저기에 들어있는 그 방법. 주세요. 난 알아야겠어요.

병희.. 차갑게 재우를 바라보다가..
천천히 금고로 다가가 끼릭끼릭 금고를 열어 그 안에 들어있던 흰 봉투를
꺼내 재우에게 내밀며

병희	후회 안 할 자신.. 있어?

재우	(보다가 봉투를 받아들며) 예.

씬/46   N, 현재, 중현캐피탈 부사장실

굳은 눈빛으로 치원을 바라보는 해상.

해상	그 금고 안에.. 악귀를 없애는 방법이 있다구요.. (벌떡 일어서며) 그걸 알아내야 해요.
치원	(어두운 눈빛으로 바라보는) ..해상아.. 너네 아버님은 결국 돌아가셨어.. 그냥 지병으로 돌아가신 게 아냐..

씬/47   D, 과거, 1995년, 산애 병원 병실/병실 밖 복도

28씬에 이어지는..
재우의 상태를 확인하는 형사들. 그중 강상문 형사, 병희에게

상문	담당 의사를 만나고 싶은데요.
병희	따라오세요.

형사들을 안내하며 병실을 나서는 병희. 병실 문밖에 서 있던 치원, 병희에게 인사하는데

병희	재우 좀 보고 있어.

병희와 형사들, 멀어지자 치원, 병실 안으로 들어와서 재우를 바라본다.

여전히 멍하니 무기력하게 앉아있는 재우를 안타깝게 바라보다가 물 한
잔을 따라서 재우에게 내미는 치원.

치원 대표님. 물이라도 드세요.

물을 바라보자 부들부들 떨기 시작하는 재우.
눈빛은 간절히 물을 원하고 있지만 몸이 말을 듣지 않는다. 치원, 물컵을
재우의 입에 가져가서 물을 먹이려는데 마신 물을 줄줄줄 밖으로
흘려버리는 재우.
재우의 시선 어딘가를 바라본다. 맞은편에 재우의 모습이 비춰지는 거울
안에 보이는 광경. 머리를 풀어헤친 한복 차림의 여자아이가 재우의 위에
올라타 재우의 양팔을 손으로 누르고 있다.

치원 (안타까운) 대표님 뭐라도 드셔야 사시죠. 밥도 물도 안 드신 지
벌써 5일째예요.

재우, 부들부들 떨면서 안간힘을 쓰며

재우 ..살려줘..
치원 네?

재우, 그러다가 서서히 다시 예의 멍한 눈빛으로 돌아간다.
그런 재우의 손목에 선명한 붉은 멍 자국.

씬/48   D, 현재, 중현캐피탈 부사장실

해상을 어두운 눈빛으로 바라보는 치원.

치원　　네 아버님은 그냥 돌아가신 게 아냐.. 그 금고 문을 연 그날부터
　　　　밥도 물도 드시지 않으셨어.. 수액을 맞춰도 봤지만 스스로 주사
　　　　바늘을 잡아빼셔서 소용이 없었지..

해상, 처음으로 알게 된 사실에 눈빛이 떨려온다.

해상　　..스스로 굶어서.. 돌아가신 거군요.. 악귀가.. 죽인 거예요..
　　　　자기처럼.. 굶겨서..

씬/49   D, 강수대 건물 주차장

차를 주차한 뒤 건물을 향해 걸어가는 홍새. 건물에서 나와 주차장으로
걸어오던 일선서 형사1과 마주친다.

형사1　　(홍새 알아보며) 어.. 문춘선배님 파트너 맞죠? 장례식 때 상주
　　　　셨었던..
홍새　　(인사하며) 아..예.
형사1　　휴직 중이라고 하던데, 출근하나 봐요?
홍새　　검토해볼 자료들이 있어서요. 그런데.. 저 찾아오신 건가요?
형사1　　선배님이 신경을 많이 쓴 사건이 있어요. 화원재에서 벌어진
　　　　자살 사건인데.. 알아요?
홍새　　예. 압니다.

형사1   선배님이 뭐라도 이상한 게 있으면 알려달라고 하셨거든요.
혹시나 싶어서 파트너한테라도 얘기해주려고 근처 온 김에
찾아온 거예요.

의아한 얼굴로 형사1을 바라보는 홍새.

씬/50   D, 화원재 본채

천천히 눈을 뜨는 산영. 여기가 어디지? 흠칫 놀라 주변을 둘러보는데
깔끔하게 정돈된 본채 안. 일어나려고 바닥을 짚는데 손이 아프다.
보면 편의점에서 다친 상처. 이런 상처가 언제난 거지? 불안한 눈빛으로
내려다보다가

― 시간 경과되면
구급상자 안에서 약과 밴드를 꺼내 붙이고는 뒤돌아서려다가 테이블
위 한 켠에 놓인 'OO화재'라는 상호명이 적혀진 서류봉투를 발견한다.
다친 손으로 들고 온 듯 희미한 핏자국이 남아있는 서류봉투를 의아한
눈빛으로 바라보는데 울리는 초인종. 뭐지? 인터폰 화면을 가만히
바라보는 모습에서..

씬/51   D, 화원재 건물 밖

끼이익 조심스럽게 열리는 대문. 대문 밖에 서 있는 홍새와 시선 마주치는
산영. 홍새, 무슨 생각인지 산영을 빤히 바라보고..
산영은 홍새와 있었던 마지막 일이 떠오르며 불안한 눈빛으로

산영	무슨.. 일이세요?
홍새	..들어가서 얘기 좀 하자.

산영, 내키지 않는 듯 바라보는데

홍새	정말 중요한 일이야.

씬/52 D, 화원재 본채

테이블로 다가오는 산영. 그 뒤를 따라오던 홍새,
테이블 위에 있는 '00화재' 서류봉투를 바라보다가 눈빛 굳다가 앉는데
마주 앉으려던 산영, 잠시 멈칫..하다가 최대한 눈에 띄지 않게 의자를
더듬고는 위치를 확인하고 맞은편에 앉는다.

산영	(눈빛 회피하는 듯 아래를 바라보며) 무슨 일로 오신 건데요?
홍새	니 생각인 거니. 아니면 니 안에 있는 그 악귀 생각인 거니.
산영	무슨 얘기예요?

홍새, 테이블 위 서류봉투를 가리키며

홍새	저거.. 뭐냐고.

산영, 어디를 말하는지 보이지 않는다. 초점을 잃은 눈빛이 불안하게
흔들리는데.. 홍새가 가리킨 서류봉투와 반대편 쪽을 보고 있다. 그런
산영을 의아한 듯 보는 홍새.

홍새	너 사람이 말하는데 어디 보냐? 어디 몸이 안 좋아?
산영	..예. 진짜 몸이 좀 안 좋아요. 오늘은 그만 돌아가 주셨으면 좋겠어요.

홍새, 그런 산영을 의아하게 보다가..

홍새	어디가 아픈지 모르겠는데 괜찮아지면 연락 줘. 꼭 해야 할 얘기가 있으니까.

일어나서 미닫이문 쪽을 향해서 멀어지는 홍새. 산영, 긴장이 풀린 듯
옅게 안도의 한숨을 내쉰다.
미닫이문까지 걸어간 홍새, 나가려고 문을 여는데 어디선가 산영의
핸드폰 벨소리가 울려 퍼진다. 홍새, 문득 뒤돌아 바라보고.. 흠칫 놀라는
산영. 홍새가 나갔는지 모르겠다. 긴장해서 가만히 앉아있다.
미닫이문 앞에 선 홍새. 핸드폰이 울리는데도 가만히 앉아있는 산영을
이상한 듯 가만히 바라보다가 나가지 않고 미닫이문을 닫는다.
문 닫히는 소리를 들은 산영. 그제야 일어서서 더듬더듬 핸드폰을 찾기
시작한다. 그 모습을 멈칫해서 바라보는 홍새. 그때 더듬더듬 걸어가던
산영, 발부리가 문지방에 걸리며 '쾅' 넘어지고..
홍새 놀라서 '야!' 다급히 다가가 넘어진 산영의 몸을 일으켜 세우며

홍새	괜찮아? 너 왜 그래? 너 눈이 안 보여?

산영, 몰려오는 아픔과 아직도 홍새가 있었다는 상황에 당황해서

산영	나 괜찮아요. 그만 가세요.

홍새, 산영의 눈을 본다. 여전히 초점이 없고, 밀어내려는 손도 허공을 헤맨다.

홍새   나 좀 봐봐.
산영   가라구요.
홍새   야! 나 보라구!

하지만 산영의 시선은 여전히 초점이 없다.

홍새   너 진짜.. 안 보여?

산영, 홍새를 밀어내고는 가만히 숨을 고르다가..

산영   ..예.. 안 보여요.

홍새, 믿기지 않는 듯 산영을 바라본다..

산영   요즘은 잠깐씩 안 보이는데.. 앞으로 아예 못 볼 거래요. 그래서..
            억울해요.. 아직 못해본 것도 많은데.. 해보고 싶은 게 너무 많은데..

홍새, 예기치 못한 상황에 그저 산영을 바라만 본다.

산영   근데.. 악귀가 있으면 볼 수 있어요.. 사람이.. 죽었는데.. 너무
            끔찍한 귀신인데.. 난 악귀가 필요해요..

산영을 바라보는 홍새의 눈빛, 천천히 가라앉다가..

홍새   ..너 어제 저녁.. 기억 안 나지?

산영, 기억이 없다. 초점 없는 눈빛이 흔들리는데..

테이블로 다가가는 홍새. 서류봉투에서 안에 든 두꺼운 서류를 꺼내서

다가와 산영의 손에 쥐어준다.

산영　　..이게 뭐예요?

홍새　　네 친할머니 사건을 수사하던 형사님이 찾아왔었어. 그 사건

　　　　참고인 중에 구강모 교수님이랑 알고 지내던 보험설계사가

　　　　있었는데 수상한 일이 있었다면서 형사님한테 연락을 했대.

── 인서트

── 저녁, 화원재 건물 앞. 산영, 무표정한 얼굴로 걸어온다.

　　건물 앞에 차를 세우고 핸드폰으로 산영에게 전화를 걸고 있던 중년의

　　보험설계사. 산영을 발견하고 다가오며

설계사　　만나기로 해놓고 연락도 없이 늦으면 어떡합니까. 한참

　　　　기다렸네.

산영　　따라와요.

　　먼저 화원재 문을 열고 들어가는 산영, 설계사 이상한 듯 바라보는

── 저녁, 화원재 본채. 테이블 위에서 서류에 붉은 펜을 잡고 왼손으로

　　사인을 하고 있는 산영. 다친 손 때문에 서류에 흐릿하게 피가

　　묻어나는데도 아무렇지 않은 듯 사인을 하고 있는 산영을 이상한 듯

　　바라보는 설계사.

── 다시, 현재로 돌아오면

　　두려운 낯빛의 산영.

산영	내가.. 여기에 사인을 했다구요? 이게 뭔데요..
홍새	(보다가).. 계약자 구산영. 피보험자는.. 윤경문.

놀라는 산영.

산영	엄마..
홍새	그래.. 네 엄마가 죽으면 거액을 수령할 수 있는 사망보험이야.. 악귀가 다음으로 노리는 건 니 엄마라구.

산영, 순간, 공포에 비명을 지르면서 서류를 떨어뜨려 버린다.

산영	싫어.. 안 돼.. 안 돼.. 엄마..

충격에 휩싸여 부들부들 떨던 산영, 눈이 보이지 않는데도 경문을 만나러 가려는 듯 휘청 일어선다. 그런 산영을 붙잡는 홍새.

홍새	어디 가려구.
산영	엄마한테.. 엄마한테 갈 거예요.

산영, 제정신이 아닌 듯 홍새의 손을 뿌리치려 하고 더욱 강하게 산영을 붙잡는 홍새.

홍새	정신 차려.
산영	이거 놔!
홍새	간다고 뭐가 달라지는데!

산영, 멈칫.. 힘이 빠지는 듯 가만히 주저앉는다. 홍새, 그런 산영을 바라보다가

홍새   난 너한테 씐 악귀 잡아야겠어.. 넌.. 어떻게 할래?

산영, 서서히 이성이 돌아오는 듯 눈빛 가라앉다가..

산영   ..염해상 교수님.. 교수님을 만나야겠어요.

씐/53   D, 화원재 서재

문 위에 금줄을 두르는 손. 해상이다.
뒤돌아서서 바라보면 산영과 홍새.

해상   악귀가 산영 씨 어머님 사망보험을 들었다구요.

산영, 낯빛 어두워지는데..

해상   태자귀는 자신이 가져다준 부의 대가로 산영 씨가 가장
사랑하는 사람을 원한 거예요.

산영, 자신을 바라보는 해상을 보다가

산영   악귀를.. 없애고 싶어요.

그런 산영을 바라보던 해상.

해상   지금까지 우리한테 하지 않은 얘기들이 있죠?

산영, 낯빛 어두워지면서 멈칫한다.

해상   왜요? 그걸 얘기하면 우리도 죽인대요?

산영   ...(보는)

해상   난 상관없습니다. 쉽게 당하지도 않을 거예요. 그러니까 얘기해요.

홍새   나도 마찬가지야.

산영, 기억을 떠올린다.

— 9부, 32씬.

— 강수대 사무실. 악귀의 시선으로 보여지는 문춘의 손. 그 아래에 얼핏
  보이는 서류. '유품 수령 확인서' 서류의 제목, 00요양병원 이름. 서명에
  구강모라는 이름. 구겨진 유품 수령 확인서.

— 다시 화원재 서재로 돌아오면

산영   그 형사님이 돌아가시기 전에 아빠가 서명한 유품 수령
          확인서를 잡으셨어요.

해상과 홍새 시선 마주친다.

홍새   그 서류는 나도 봤어. 그게 아닐 거야.

산영, 더욱 기억을 떠올리다가 멈칫..

— 인서트

— 유품 수령 확인서 아래쪽으로 깔린 서류. 우측 상단 쪽에 세로로 적힌

'戶籍簿'라는 한자가 보이는데..

─ 다시 화원재, 서재로 돌아오면
  '戶'자를 그리고 있는 산영.

산영   첫 글자는 이거였는데 나머지는 너무 복잡한 한자여서 그리기가
힘들어요.

홍새, 한자를 보다가

홍새   이거.. 집 호 자 아니에요?
해상   (한자를 내려보며) 맞아요.. 집 호 자로 시작하는 세 글자..
세로로 적혀있었다고 했죠?
산영   네. 맞아요.

해상, '戶籍簿' 글씨를 써서 산영에게 보여준다.

해상   이거였나요?
산영   (보다가) 맞는 거 같아요.
해상   (낯빛 변하며) ..호적부.. 형사님은 이목단 사건 서류를
복원했다고 했어요.

놀라서 서로 바라보는 산영과 홍새.

홍새   이목단의 가족들.. 그중에 악귀의 이름이 있었던 겁니다.
해상   장진중학교 학생, 여자였으니까 목단이의 언니였을 가능성이
커요. 하지만 이름은 알 수가 없어요.

산영   그럼 다시 호적을 떼어보면 되는 거 아니에요?

홍새   본적지와 호주의 이름을 알아야 하는데 그건 사건 파일에는
         누락돼 있었어. 워낙 오래된 사건 파일이었으니까.

         답답한 눈빛의 해상, 생각하다가 산영에게

해상   이번에 초자병을 발견했을 땐 뭘 봤죠?

         산영, 그때를 떠올리는 얼굴

         ─ 인서트
         ─ 33씬, 폐건물 화장실에서 천장을 살펴보던 산영, 천장 공간 안에서 작은
           칼이 박힌 금줄로 묶여진 초자병을 발견하고 손을 뻗어 초자병을 잡는데
           순간, 뭔가 보이는 듯 눈을 질끈 감는 모습에서..
         ─ 낮, 1958년. 땅바닥에 떨어져 산산조각이 나는 초자병들. 바닥에
           흩뿌려지는 색색깔의 안료들.
         ─ 밤, 1958년. 붉은색 안료가 든 초자병을 들고 뛰고 있는 누군가. 어딘가에
           멈춰 서서 올려보는데 당시 해상의 본가다.

         ─ 다시 현재, 화원재 서재로 돌아오면

산영   여러 가지 색깔 가루들이 든 초자병들이 바닥에 떨어져서
         산산조각이 났어요. 그리고 붉은색 가루가 담긴 초자병을 든
         누군가가 (해상을 보는) 교수님 집 앞에 서 있었어요.

해상   ..그게 악귀의 기억이라면 본가에서 무슨 일이 있었던 거예요.
         할머니가 모를 리 없어요.

홍새, 생각하다가

홍새   김치원 부사장은요? 전혀 아는 게 없대요?

해상   악귀에 대한 파편적인 기억들뿐입니다. 본가 금고 속에 악귀를
없애는 방법이 있었다고 했지만.. 그것도 가짜일 거예요.
우리 아버지는 그 방법을 쓰려다가 죽임을 당하셨어요.
아마.. 어머니도 아버지를 따라 하셨겠죠.. 구강모 교수님도
마찬가지구요.

홍새   장진중학교는요?

해상   장진중학교는 2000년에 폐교했습니다.

홍새   폐교했어도 해당 교육청에 자료가 이관됐을 겁니다. 교직원들
기록까진 없겠지만 학생기록부를 뒤져보면 뭐라도 나올 거예요.

해상   우린 아직 악귀의 이름을 몰라요. 이름을 알아야 기록을 찾아보죠.

막막한 얼굴로 생각에 잠기는 세 사람.

홍새   그럼 결국 방법은 하나뿐이네요. 교수님 할머님.. 나병희 대표.
그분 입을 열게 만들어야 해요.

홍새의 얘기를 듣던 해상의 시선, 달력에 멈춘다.
다가가서 오늘 날짜를 확인한다. '2월 00일'.

해상   무방수날..

해상을 바라보는 두 사람.

산영   그게 무슨 날인데요?

해상 성주단지를 뒤집어 놔도 집안에 탈이 없고, 시신을 거꾸로
세워도 괜찮은 날.

— 인서트
— 밤, 가만히 거리에 서서 주변을 바라보고 있는 해상. 한 건물의 유리
창문에 찍히고 있는 손자국들. 가로수 나뭇잎 사이로 보일 듯 말 듯
걸쳐져 있는 창백한 손. 사람들 사이로 찍히고 있는 물에 젖은 발자국.
그런 거리를 바라보던 해상, 시계를 바라본다. 째깍째깍 흘러가는 시계
바늘, 12시를 가리키고 핸드폰으로 날짜를 확인하는 해상. 2022년, 3월
11일 금요일, 양력 음력 변환기로 치면 음력 2월 9일.
고개를 들어 다시 거리를 바라보면 유리창의 손자국들, 가로수의 창백한
손, 물에 젖은 발자국들이 서서히 사라지기 시작한다.
다시 핸드폰에 뜬 오늘 날짜, 음력 2월 9일을 확인하는 해상.

— 다시 현재, 서재로 돌아오면
해상을 바라보는 산영과 홍새.

해상 일 년에 단 하루.. 절대 귀신이 나올 수 없는 날이 있습니다. 음력
2월 9일. 올해 양력으로 2월 28일.. 그날을 이용하면.. 방법이
있을 것 같아요.

씬/54   D, 화원채 본채/복도/서재

해질녘, 화원채 본채에 서서 가만히 강모와 석란의 영정사진을 바라보고
있는 산영.
문득 고개 돌려 해가 지고 있는 창밖을 바라보다가 복도로 나가 서재로

향한다.
서재로 들어가서 문을 닫고 금줄 쪽으로 손을 뻗는데..

— 인서트
— 화원재 밖, 해가 완전히 넘어가, 어두워지는 주변.

— 다시 서재로 돌아오면
금줄을 내리려던 산영, 다시 손을 내리더니 무표정한 눈빛으로 돌아서서
서재 문을 열고 나간다.

씬/55   N, 해상의 본가 일각

2월 27일을 가리키고 있는 일력 달력이 걸려있는 거실 위로 들려오는
초인종 소리.

씬/56   N, 해상의 본가 서재

승옥과 재우의 사진에서 빠지면 서재 책상에 앉아 뭔가를 내려다보고
있는 병희. '똑똑' 들려오는 노크 소리.
서재 앞 씨씨티브이를 힐긋 확인하는 병희. 치원이 서 있다.

병희　　들어와.

문 열리면서 들어서는 치원.

치원   손님이 오셨습니다.

치원의 뒤를 이어 천천히 들어서는 누군가. 무표정한 산영이다.

병희   (관심이 있다는 듯 바라보는) 너구나.. 죽은 교수 딸?

산영, 강모의 얘기에도 그저 뚫어져라 병희만을 바라본다.
병희, 달력의 날짜, 2월 27일을 확인하고는 산영을 향해

병희   뭐하고 섰어. 앉아.

산영, 가만히 병희를 보다가 천천히 와서 앉는다. 예전처럼 90도로
인사하며 나가는 치원.
병희, 산영을 바라보다가

병희   왜 왔어?

산영, 병희를 가만히 보다가..

산영   니 손자. 내 이름을 알고 싶어서 난리야.

병희, 산영의 말투에서 악귀임을 직감한 듯 눈빛에 긴장감이 감돈다.

산영   내일, 널 다시 찾아올 거야. 내 이름을 물어보려고.
병희   ..그래.. 무방수날.. 민속학 교수니 모를 리가 없지..
산영   그럼 뭐해. 이 기집애가 알면 나도 아는데.

병희, 가만히 산영을 바라보다가

병희   해상이도 죽일 거니?

산영, 테이블 위에 놓인 화과자를 왼손으로 들어먹으며

산영   왜? 안 돼?

스탠드 불빛에 비춰진 굳은 얼굴의 병희, 과거를 회상하는 듯

병희   ..남편에 자식까지 죽였는데 손주라고 안 될까..

─ 인서트
─ 밤, 79년, 해상의 본가, 거실.
    누구한테 맞은 듯 '퍽' 나가떨어지는 당시의 병희.
    입가에서 피를 흘리면서 바라보면 화난 얼굴로 병희를 바라보다가 거실
    소파에 다시 앉으며 양주를 들이켜는 승옥이다.

승옥   (취한) 뭐? 안 돼? 니가 뭔데?
병희   (노려보는)..
승옥   난 이제 벌만큼 벌었어. 이제 그 지겨운 귀신 떼버리고 즐기면서
    살 거야.
병희   고작 이 정도 가지고 만족하는 거야?

순간 날아오는 양주잔에 얼굴을 맞는 병희.

승옥   좋은 말로 할 때 저 금고 안에 있는 거 갖고 와.

─ 밤, 79년, 해상의 본가, 서재.
바들바들 분한 눈빛으로 서재에 들어서는 병희.

병희　미친 새끼. 어떻게 여기까지 왔는데.. 겨우 이따위 푼돈이나
　　　　만지겠다고 그 귀신을 만들었는 줄 알아..

분함에 바들바들 떠는 병희의 뒤쪽으로 들려오는 승옥의 목소리. 아까의
취기가 사라진 차가운 목소리.

승옥　죽여버릴까. 이 새끼.

병희, 놀라서 바라보면 차가운 눈빛의 승옥이다.

승옥　그럼.. 다른 걸 건네줘. 그리고 진짜는 너만 알고 있어.

병희, 그런 승옥을 바라보다가

병희　..그러면 난?
승옥　..내가 살면.. 너도 살아.

씬/57　N, 현재, 문춘의 집

말없이 앉아있는 해상. 그 옆에서 초조한 듯 서서 생각에 잠겨있는 홍새.
기다리고 있는 전화가 있는 듯 핸드폰을 바라보고 있는 해상의 시선으로
보여지는 핸드폰 잠금화면에 뜬 날짜. 2월 28일이다.

서로를 바라보고 있는 산영과 병희.

병희   네가 살면.. 나도 산다.. 그 약속 지킬게.. 향이야..

10부 끝.

11부

니가 살면 내가 산다.

들렸어. 나는 살고 넌 죽어.

씬/1   N, 과거, 해상의 분가 서재

밤, 책을 보고 있는 병희의 모습 위로

해상(소리)   할머님의 시간은 멈춰있습니다. 외부와의 교류는 극히 드물죠.
남들이 다 쓰는 핸드폰도 없습니다. 필요가 없으니까요.

'똑똑' 들려오는 노크 소리.
병희, 씨씨티브이를 확인하고는 '들어와' 얘기하면 문 열리며 들어서는 치원.

해상(소리)   회사 일이건 집안의 대소사건 할머님에게 필요한 모든 일을
완벽하게 처리해 주는 사람이 있거든요.

가지고 온 쟁반 위 물컵과 약을 병희에게 건네는 치원.

치원   수면제 드실 시간입니다.

수면제를 먹는 병희의 모습 위로

해상(소리)   할머님에게는 아저씨가 시간이에요. 일어날 시간, 잠들 시간,
식사 시간, 모든 걸 아저씨가 챙겨주셨죠. 30년이 넘는 시간
동안..

씬/2   N, 과거, 해상의 분가 서재/거실

— 병희가 사라지고 텅 빈 어두운 서재. 벽면에 걸려있는 2월 27일 음력 2월

8일이라고 적혀있는 일력달력을 떼내는 손. 치원이다.

똑같은 디자인의 일력달력을 벽면에 건다. 2월 26일, 음력 2월 7일이다.

― 거실에 걸린 일력달력도 미리 준비한 2월 26일 달력으로 바꿔 다는 치원.

해상(소리) 단 하루.. 그 시간을 속인다면 승산이 있어요.

씬/3 D, 과거, 화원재 서재

2월 28일이 떠 있는 핸드폰 화면을 확인하는 홍새의 모습에서 빠지면
그 곁에서 해상과 얘기 중인 산영.

산영 (긴장한 얼굴로) 내가 악귀인 척 하면서 할머님을 만나란
얘기예요?

해상 예. 해가 지면 출발하세요.

산영, 긴장하는 눈빛.

해상 걱정 말아요. 오늘은 절대 악귀가 나오지 못할 겁니다.

씬/4 N, 과거, 해상의 본가 서재

2월 27일 달력이 걸려있는 서재. 병희에게 서류를 건네고 있는 치원. 서류
중 위쪽에 있는 서류철 '중현캐피탈 2월 4주, 주간보고서'

병희 주간보고서? 오늘이 월요일인가?

치원	예.

병희, 주간보고서 아래에 있는 서류봉투를 보고

병희	이건 뭐야?
치원	도련님에 대해서 조사를 해봤는데요. 요즘 자주 만나는 아가씨가 있어서 신상정보를 가져왔습니다.

병희, 서류봉투에서 서류를 꺼내는데 산영의 사진들이다.

치원	알고 보니 그때 사모님을 찾아왔던 구강모 교수의 따님이었습니다.

그 위로 깔리는 초인종 소리.

씬/5　　N, 과거, 해상의 본가 거실/서재 앞 복도

거실로 들어서는 긴장한 눈빛의 산영. 치원, 산영과 시선 마주친다.

치원	이쪽입니다.

치원의 뒤를 따라 서재 쪽으로 향하는 산영.
긴장한 산영의 모습 위로

해상(소리)	악귀의 진짜 이름을 알고 있는 사람은 할머님뿐입니다. 그분의 입을 열 수 있는 건.. 악귀뿐이에요.

서재 문을 노크한 뒤 들어가는 치원. 열린 문 너머로 보이는 치원, 병희에게

치원   손님이 오셨습니다.

치원, 문 너머에 선 산영에게 고개 끄덕해 보이면 천천히 서재 문 너머로
들어가는 산영의 뒷모습에서..

씬/6   N, 현재, 해상의 본가 서재

병희를 바라보는 산영의 얼굴 위로 들려오는 목소리.

병희   네가 살면.. 나도 산다.. 그 약속 지킬게.. 향이야..

병희를 뚫어지게 바라보던 산영. 천천히 일어선 뒤

산영   오늘은 악귀가 나오지 못하는 날이니까.. 괜찮을 거예요.

병희, 뭐지? 멈칫하는 눈빛으로 산영을 바라보는데..

산영   하지만 내일부터는 조심하세요. 약속을 어겼으니 찾아오겠죠.
        그 아이.. 향이가..

속았다는 걸 직감한 병희의 낯빛, 새파랗게 질리기 시작하는데 돌아서서
문으로 걸어가던 산영, 문득 멈춰 서서 주변을 둘러본다.

산영   고작 이 정도로 살려고 그 어린아이를 죽였어요? 정말.. 끔찍하네요.

병희, 분노와 공포에 휩싸여 찢어질 듯한 비명을 지르기 시작한다. 그런 병희를 보다가 차갑게 뒤돌아 서재를 나가는 산영.

씬/7   N, 해상의 본가 서재 밖 복도

복도로 걸어 나오는 산영. 저 앞쪽에서 기다리고 있던 듯한 치원, 안에서 들려오는 병희의 비명소리를 듣다가 산영에게

치원   알아냈나요.
산영   ..예.

산영, 현관 쪽으로 걸어가고, 치원은 열린 서재 문을 통해 서재로 들어간다.

씬/8   N, 해상의 본가 서재

서재 안으로 들어서는 치원. 비명을 지르는 병희를 차갑게 바라본다.

병희   너지! 니가 날 속인 거지! 으아아악!! 니가 어떻게 감히!!

분노에 휩싸여 손에 잡히는 물건들을 집어던지며 발악하는 병희를 내려다보던 치원, 핸드폰을 꺼내서 어디론가 전화를 건다.

치원   (핸드폰에 대고) 김치원입니다. 응급차 좀 보내주세요. 사모님 상태가 많이 안 좋아요.

차갑게 핸드폰을 끄는 치원의 얼굴 위로 들려오는 사이렌 소리.

씬/9   N, 산애 병원 병실 밖 복도

'이거 놔!! 내가 누군지 알아!!' 병실 안에서 들려오는 병희의 분노한
외침을 듣고 있는 치원과 원장.

원장   사모님이 어쩌다가 저렇게..

치원, 차가운 목소리로 원장의 말을 자르는

치원   매년마다 이 병원에 드리는 발전기금. 제가 결재합니다.

원장, 치원의 차가운 눈빛에 움츠리며

원장   그럼요. 잘 알고 있습니다. 부사장님.
치원   저 병실 안에서 일어나는 일들, 모른 척해요. 예전에 그랬던 것처럼.

원장, 어찌할 바를 모르는데 병실 안에서 나오는 간호사들.

간호사1   처치 끝났습니다.

씬/10   N, 산애 병원 병실

환자복을 입은 병희, 양팔이 신체억제대로 침대에 고정돼 있다.

병실 문을 열고 치원, 들어서자

병희   문 닫아!! 문 닫으라고!! 내 말 안 들려!!

분노에 휩싸여 소리 지르는 병희를 보다가 문을 닫고 다가가는 치원.

치원   이제 반대가 됐네요. 당신이 우진이가 됐고, 내가 당신이 됐습니다.
병희   ..뭐?
치원   문단속은 잘하라고 시켰어요. 아직은 죽을 때가 아니니까.

병희를 바라보는 차가운 치원의 모습에서..

씬/11   N, 문춘의 집

핸드폰으로 통화를 한 듯 끊으며 내리는 해상. 그런 해상을 바라보는 홍새.

홍새   어떻게 됐나요?
해상   ..알아냈어요. 악귀의 이름은 향이에요.

서로 시선 마주치는 해상과 홍새.

해상   이목단의 언니니까 성은 이씨. 이향이일 겁니다.
홍새   이름을 알아냈으니까, 끝난 겁니까?
해상   아뇨, 이름의 한자를 알아내야 해요.
홍새   (일어나며) 58년도 장진중학교, 이향이. 이 정도 정보면 당시
           생활기록부를 찾아낼 수 있습니다.

해상, 어두운 창밖을 힐긋 보고는

해상 　지금은 움직이면 안 돼요. 이제 곧 무방수날이 끝납니다.

시계 보면, 열한 시 오십 분을 향해 가고 있는 시계 바늘.

씬/12 　N, 학원재 서재

다급히 서재 안으로 뛰어 들어와서 금줄을 거는 산영.

씬/13 　N, 문춘의 집

홍새, 해상을 바라보며

홍새 　구산영이 금줄 안에 있으면 괜찮은 거 아니었어요?
해상 　구강모 교수님은 금줄을 갖고 있었지만 죽임을 당했어요.
　　　악귀는 우리를 막기 위해서 무슨 짓이건 할 겁니다.

시간을 확인하는 해상. 열두 시가 넘어가고 있다.

해상 　해가 뜨면.. 그때부터 시작해요.

서재 안의 산영 역시 시간을 확인한다. 열두 시가 넘었다. 더욱 긴장한
얼굴로 금줄을 바라보며 천천히 앉는 산영.
가만히 금줄을 바라보는 산영의 모습 위로 들려오는 째깍째깍 시계 소리.
한 시, 두 시, 다섯 시, 여섯 시.. 점점 시간이 흘러간다.
그런 산영에게 들려오는 악귀의 목소리.

악귀(소리) 너도 억울했던 거잖아. 어리다고, 돈 없다고 맨날 무시당했어.

— 인서트
— 1부, 5-1씬. 낮, 도심. 점심시간, 바쁘게 이동하고 있는 직장인들, 다들
  깔끔하게 차려입은 직장인들 사이로 바쁘게 걸어가고 있는 낡은 운동화.
  양손에 배달음식을 든 산영이다. 바쁘게 걷다가 문득 멈춰선다.
  사람들 사이 섬처럼 우뚝 서서 가만히 주변을 바라보는 산영의 공허한 눈빛.
— 1부, 5-1씬. 밤, 퇴근길 건널목. 파란 신호등이 켜지면 일제히 건널목을
  건너기 시작하는 사람들. 인파들이 빠져나가고 난 뒤 혼자 남아 서 있는
  산영. 몇 번의 신호가 변하면서 사람들은 떠나지만 그 자리를 가만히
  지키고 있던 산영의 외로운 모습 위로

악귀(소리) 언젠간 잘 되겠지, 숨통이 트이겠지, 열심히 살아봤자 세상은
         똑같아. 갑갑하고 막막해서 죽을 것만 같아도 아무도
         알아주지 않는다구.

— 다시 서재로 돌아오면
  악귀의 소리보다 금줄에 집중하려 애쓰는 산영.

악귀(소리) 나랑 같이 있자. 그럼 너도 행복할 수 있어.

산영(소리) 아냐. 싫어.

산영의 강경한 말에 분노가 가득해지는 악귀의 목소리.

악귀(소리) 넌 다른 줄 알아? 너한테 사기 친 보이스 피싱범, 너 할머니. 다 너가 원해서 죽은 거야. 너 마음 깊은 곳에서 복수를 원했고, 이 집을 갖고 싶어했던 거라구.

순간, 잠시 악귀에 들렸던 듯 '아냐!' 외침과 함께 정신을 차리는 산영. 주변에 가득한 검은 연기. 당황해서 주변을 둘러보는데 저만치 앞쪽 책 무더기가 타오르고 있다. 콜록거리며 연기를 헤치고 소화기를 찾는 산영. 소화기를 잡는데 가물거리는 정신. 얼마 가지 못하고 쓰러지는데.. 순간, 어두운 연기 사이로 나오는 손이 '쾅' 산영을 잡는다. 흐릿해지는 산영의 시선으로 보여지는 누군가. 방화복을 입은 소방대원1이다. '괜찮아요?' 산영의 상태를 확인하는 소방대원1. 그 뒤를 따라 들어선 다른 소방대원들, 산영이 떨어뜨린 소화기를 잡아들어 바로 불을 끄고.. 문을 열어 환기를 시킨다. 소방대원1, 정신을 잃어가는 산영을 부축해 서재를 빠져나가는데.. 산영의 흐릿해지는 시선에 소방관들이 들어서면서 떨어진 듯 땅바닥에 떨어져 있는 금줄이 보인다.

산영(소리) 안 돼.. 안 돼요..

'안 돼!' 정신이 든 듯 벌떡 일어서는 산영.

사이렌을 울리며 달리고 있는 구급차 안이다. 곁에 있던 구급대원, 놀라서
바라보며

구급대원   정신이 들어요?

사방이 꽉 막힌 차 안을 둘러보다가 일어나려 하며

산영   여기 어디예요?

구급대원   (산영을 다시 눕히려 하며) 불이 나서 연기를 많이 마셨어요.
기억나세요?

설마.. 산영의 눈빛 떨려오는..

— 인서트

— 밤, 화원재 서재. 금줄에 집중하던 산영의 눈이 감기다가 악귀에 들린 듯
번쩍 눈을 뜨고 일어선다.

화가 난 얼굴로 성큼성큼 문을 향해 다가가지만 금줄을 넘어갈 수 없는
듯 문 앞에서 분한 얼굴로 금줄을 바라보던 산영. 문득 생각난 듯 119에
전화를 건다.

산영   여기 금탄면 만서리 26번진데요. 불이 났어요. 빨리 와주세요.

산영, 전화를 끊고 핸드폰을 주머니에 넣은 뒤 주변을 둘러보다가 성냥을
발견하고 종이를 모은다. 씨익 미소 짓고는 성냥을 긋는데..

― 다시 구급차 안으로 돌아오면

불안감에 더욱 떨려오는 산영.

산영   저 내려주세요.

구급대원   진정하고 누우세요.

산영   부탁이에요. 저 진짜 내려야 해요. 제발요.

씬/16   D, 국도 일각

끼이익, 멈춰 서는 구급차. 뒷문이 쾅 열리면서 내려서는 산영. 주변을
둘러보는데 어둠이 물러나고 환해지고 있다. 해가 떠오르고 있구나..
안도의 한숨을 내쉬는 산영.

씬/17   D, 문춘의 집 건물 밖 주차장

주차장에 주차된 홍새의 차를 향해 걸어 내려오는 해상과 홍새.

해상   저는 하나 남은 신체를 찾으러 가겠습니다.

뭐라도 찾으면 바로 연락주세요.

홍새   그렇게 하죠.

홍새, 차에 올라타고 해상은 돌아서서 거리를 향해 멀어지기 시작한다.

씬/18   D, 국도 일각/버스 안

구급차 곁에서 대화를 나누고 있는 구급대원과 산영.

구급대원   정말 괜찮으시겠어요?
산영   예. 감사합니다.

구급대원, 구급차에 올라타고, 출발하는 구급차.
산영, 주변을 둘러보는데 저 앞쪽으로 보이는 버스 정류장을 향해 다가가
버스를 기다린다. 저 멀리에서 다가오는 버스. 정류장에 멈추는 버스에
올라타서 자리에 앉아 창밖을 바라보다가 눈빛이 굳어지기 시작한다.
한 방울, 두 방울 창문을 적시기 시작하는 비. 창문 너머 하늘을 바라보면
흐려지기 시작하며 해가 가려진다.

씬/19   D, 지하철 플랫폼

플랫폼에서 지하철을 기다리고 있는 해상. 울리는 핸드폰, 산영이다.

해상   여보세요.
산영(소리)   교수님. 어디세요?
해상   나머지 물건을 찾으러 가고 있어요. 무슨 일 있어요?
산영(소리)   비가 오고 있어요.

해상, 눈빛에 긴장감이 감돈다.

씬/20   D, 버스 안

불안한 얼굴로 통화를 하고 있는 산영.

산영   선배님은요? 같이 있어요?
해상(소리)   생활기록부를 찾으러 교육청으로 갔습니다.

순간, 산영의 낯빛 굳어진다.

— 인서트
— 낮, 버스를 빠져나가 국도를 날듯 멀어지기 시작하는 악귀의 시선.

— 다시 버스 안으로 돌아오면
산영, 자신의 그림자를 바라보는데 그림자가 사라져 있다.

산영   교수님.. 또 시작됐어요..

씬/21   D, 지하철 플랫폼

해상의 낯빛 굳는데, 때르르릉 소리, 전철이 도착한다는 안내방송이
들려온다.

해상   어딥니까? 장소가 보여요?

씬/22 D, 버스 안

해상과 통화 중이던 산영, 또다시 뭔가가 보이기 시작하는 듯 눈을 감는다.

— 인서트
— 낮, 국도를 따라가던 악귀의 시선.
— 낮, 도심, 차들이 다니는 사거리 쪽으로 다가가고 있다.

— 다시 버스 안으로 돌아오면

산영   거리예요. 사거리.
해상(소리) 난 아닙니다. 형사님이에요.

산영, 다급히 핸드폰을 끊고 곧바로 홍새에게 전화를 걸어보지만, 통화
중이다.

씬/23 D, 거리 일각/차 안

비가 내리고 있는 사거리. 신호에 멈춰선 차들 중 홍새의 차가 보인다.
홍새, 블루투스로 교육청 직원과 통화 중이다.

홍새   네, 공문을 보낸 강수대 이홍새 형삽니다.
직원(소리) 공문 확인했습니다. 58년도에 장진중학교에 다녔던 이향이란
             분, 생활기록부를 찾아드리면 되는 거죠?
홍새   예, 맞아요. 제가 지금 내려가고 있는데요.

그때 '쾅쾅쾅' 누군가 유리창 두드리는 소리.

홍새, 이게 무슨 소리지? 보면 운전석 밖에서 산영이 문을 두드리고 있다.

홍새   야, 니가 왜..

하면서 문을 열려던 홍새. 순간, 멈칫하며 창문 밖 산영을 바라본다.
자신을 말없이 노려보고 있는 산영을 보다가..

— 인서트
— 8부, 72씬. 강수대 사무실, 잠긴 문을 여는 홍새. 밖에 서 있던 서늘한
   미소의 산영의 모습을 한 악귀.

— 다시 홍새의 차 안으로 돌아오면
   긴장한 눈빛으로 창문 밖의 산영을 바라보던 홍새, 천천히 문을 열려던
   손을 내린다. 그런 홍새를 강하게 노려보는 산영.
   그때, 블루투스로 통화를 하던 직원의 목소리가 들려온다.

직원(소리) 문 좀 열어주세요.

홍새, 긴장한 눈빛으로 블루투스 화면을 바라본다.

악귀(소리) 문 열라고!!

홍새, 전화를 끊어버리는데 뒤쪽에서 울리는 '빵' 클랙슨 소리.
보면 신호가 바뀌어 있다. 바로 액셀을 밟는 홍새. 빠르게 속도를
높이는데 산영의 모습은 사라졌지만, 여전히 들려오는 '쾅쾅쾅' 문
두드리는 소리.

저 앞쪽으로 보이는 고속도로 진입로로 들어서는 홍새의 차. 차선을
바꾸면서 거침없이 속도를 높인다. 귀청을 찢을 듯 더욱 커지는 '쾅쾅쾅'
두드리는 소리. 그러다가 순간, 조용해진다.
불안한 눈빛으로 사이드미러, 룸미러를 확인해 보는데 아무도 보이지 않는다.

씬/24 D, 화원재 인근 국도 일과 버스정류장

멈추는 버스에서 내려서는 산영. 불안한 눈빛으로 다시 홍새에게 전화를
걸려던 순간, 멈춰선다.

— 인서트
— 낮, 고속도로에서 또다시 날아오르는 악귀의 시선, 방향을 바꿔 도심
쪽으로 향하기 시작한다.

— 다시 버스 정류장으로 돌아오면
더욱 불안한 산영, 어찌할 바를 모르다가 화원재를 향해 달리기 시작한다.

씬/25 D, 전철 안

이른 아침. 출근하는 직장인들 사이에 서서 이동 중인 해상. 불안한
눈빛으로 산영에게 연신 전화를 걸고 있지만 받지 않는다. '이번에 내리실
역은 00역, 00역입니다' 안내 방송이 흘러나오는데 그때 어디선가
들려오는 쿵쿵쿵 문 두드리는 소리. 해상, 이게 무슨 소리지? 멈칫해서
주변을 둘러보는데 다른 사람들 귀에는 들리지 않는 듯 아무렇지 않게
핸드폰을 바라보고 있는 사람들. 서서히 속도가 늦춰지면서 다음 역

플랫폼으로 다가서서 멈춰서는 전철.

해상, 불안한 눈빛으로 문 쪽을 바라보는데 스크린 도어 밖을 바라보면
전철을 기다리고 있는 사람들 사이로 해상을 노려보고 있는 산영의 모습을
한 악귀와 시선 마주친다. 급격하게 흔들리는 해상의 눈빛. 해상의 귓가에
들려오는 문 두드리는 소리는 점차 커져가는데.. 금방이라도 열릴 듯한 전철
출입문. 순간, 사람들을 헤치면서 다음 칸으로 미친 듯이 뛰기 시작하는 해상.
'출입문 열립니다'라는 안내방송이 들려온다. 서서히 열리기 시작하는
출입문. 해상, 아슬아슬 다음 칸으로 넘어간 뒤 칸막이 문을 쾅 닫는다.
어느새 칸막이 문 너머에 서서 해상을 노려보고 있는 산영의 모습을 한
악귀. 또다시 들려오기 시작하는 '쿵쿵쿵' 문 두드리는 소리.
칸막이 문의 창문을 사이에 두고 서로를 바라보고 있는 해상과 악귀. 문
두드리는 소리가 점차 커지는데..

씬/26   D, 화원재 건물 안/복도/서재

복도 안으로 들어서는 산영. 다급히 서재 쪽으로 뛰어 들어간다. 검게
탄 한쪽 책 무더기, 소화기 분말로 뒤덮여있고, 소방관들이 들어서느라
여기저기 엉망인 서재 안으로 뛰어든 산영. 다급히 문을 닫고 땅에 떨어진
금줄을 연결시키는데..

씬/27   D, 전철 안

칸막이 문 너머의 악귀를 바라보고 있는 해상. 순간, 악귀가 사라진다. 그리고
뚝 끊기는 문 두드리는 소리. 긴장한 눈빛으로 멈칫하며 주변을 둘러보는
해상. 그 어디에도 악귀는 보이지 않고 평범하기 그지없는 전철 안의 풍경이다.

씬/28   D, 거리 일각

비오는 거리. 전철역에서 나오는 해상. 여전히 주변을 경계하면서
걸어가는데 저 앞쪽으로 10부, 20씬의 아파트 재건축 현장이 보인다.

씬/29   D, 재건축 현장 현장사무소

현장소장과 얘기를 나누고 있는 해상. 현장소장, 해상의 명함을 보면서

현장소장   민속학 교수세요?
해상   예. 혹시 여기 건설현장에서 이상한 물건이 발견되진 않았습니까?
옥으로 만들어진 비녀인데 새끼줄로 묶여있었을 겁니다.
현장소장   그거 벌써 다 신고했는데요.
해상   예?
현장소장   터파기 작업할 때 이상한 게 나와서 구청에 신고했었어요. 뭐
전문위원인가 하는 사람이 나와서 확인도 했는데 별거 아니라고
공사 진행해도 된다고 했는데요.
해상   그거 어떻게 했습니까? 설마 폐기하셨어요?

씬/30   D, 교육청 건물 주차장

'OO교육청'이란 간판을 지나서 건물 안 주차장으로 들어서는 홍새의 차.
차를 세우는 홍새.
잠시 긴장한 얼굴로 창밖을 바라보는데 아무 소리도 들리지 않는다.
창밖을 보다가 달칵 차 문을 여는데 여전히 조용하다. 옅게 안도의 한숨을

내쉬고는 내려선다.

상담실 테이블에 앉아있는 홍새에게 서류봉투를 건네는 직원.

직원   요청하신 자료입니다. 내용이 맞는지 확인해 주세요.

홍새, 서류봉투에서 서류를 꺼낸다. 빛바랜 생활기록부 사본이다.
낡은 흑백 증명사진에 찍혀있는 십대 중반의 밝은 미소의 향이의 얼굴. 그
옆에 적힌 학생의 이름 이향이(李香伊). 가족 사항에 '父 李强德 母 安定緣'
기타 가족란에 '兄 李永旲 妹 李木端'. 목단의 이름과 향이의 이름을
번갈아 보며 확인을 하는 홍새의 시선.

홍새   예. 맞습니다.

캐비닛 문을 열어 깊숙이 넣어뒀던 종이박스를 꺼내 뒤에 서 있던
해상에게 건네는 현장소장.

현장소장   금줄로 묶어놓은 게 아무래도 찝찝해서 가지고 있었습니다. 큰
건물 올리는데 버렸다가 부정 탈 것 같기도 하고 해서..

종이박스를 열어 안에 있는 물건을 꺼내 보는 해상.

11부   283

작은 칼이 박힌 금줄에 묶인 반쪽짜리 옥비녀다.

해상   이거 원래 부러져 있던 건가요?

현장소장   예. 혹시나 싶어서 구청 공무원 분이랑
              뒤져봤는데 나머지 부분은 없었어요.

              반쪽짜리 옥비녀를 내려다보는 해상.

씬/33   D, 화원재 서재

불안한 눈빛으로 금줄을 바라보다가 해상의 전화를 기다리는 듯
핸드폰을 확인하는 산영. 그때 울리는 해상의 전화. 다급히 전화를 받는다.

산영   어떻게 됐어요?

해상(소리) 찾았어요. 마지막 물건. 이향이의 생활기록부도 찾았습니다.

              산영, 안도의 한숨을 내쉬며

산영   그럼 이제 봉인만 하면 끝나는 건가요?

씬/34   D, 거리 일각

통화를 하고 있는 해상.

해상   그 전에 해야 할 일이 있어요. 이 물건이 진짜인지 확인해야죠.

산영 씨가 만져보면 알 거예요. 지금 거기로 가겠습니다.

저 앞에서 다가와 멈춰서는 홍새의 차. 해상, 그 차에 올라탄 뒤 출발한다.

씬/35   D, 차 안

화원재를 향해 차를 모는 홍새. 조수석에 앉은 해상, 홍새가 가져온
서류봉투를 보며

해상   이겁니까?
홍새   맞아요.

서류봉투에서 향이의 학생기록부를 꺼내 살펴보는 해상.
담당교사 이름 신승주, 향이 이름 아래 주소, 본적. 아버지 직업란에 적힌
'어업', 장래희망 '미술가' 등등을 훑어보는데

홍새   출석 일수 보셨어요?

홍새의 말에 출석 사항을 보는 해상.
3학년 출석 일수 00일, '6월 20일부터 출석하지 않음'.

홍새   6월 20일. 그 이후에 살해당했을 거예요.
해상   ...
홍새   그런데 궁금한 게 있습니다. 이목단의 시신은 장진리로
          돌아왔다고 했잖아요. 그럼 이향이의 시신은 어디 있는 거죠?

해상, 한 번도 생각해 본 적이 없다. 멈칫.. 생활기록부를 바라보다가

해상   그건 모르겠어요..

씬/36   D, 화원재 서재

산영, 기대감과 일말의 불안감이 교차되면서 핸드폰을 바라보는데..

악귀(소리)   결국.. 날 없애겠다는 거야?

산영, 멈칫하다가 무시하고 핸드폰을 주머니에 집어넣으려는데

악귀(소리)   이려도?

순간, 산영의 그림자가 사라진다.
뭔가를 본 듯 산영의 눈빛, 역시 바들바들 떨려오다가 '쾅' 일어서서
금줄을 풀고 서재를 박차고 뛰쳐나간다.

씬/37   D, 카페 건물 밖

비가 오는 카페 건물 밖. 카페 봄이라는 간판을 걸고 있는 인부들. 그
모습을 지켜보고 있는 경문과 세미.

경문   (세미에게) 근데 글자 크기가 좀 작나?
세미   아뇨. 완전 대박 짱 좋아요. 와 진짜 부럽다. 사장님이라니..

경문　(세미 목에 걸린 공무원 신분증 보며) 야, 너야말로 부럽다. 공무원이잖아.

신나서 웃으면서 수다를 떠는 두 사람. 그때 가게 안쪽에서 들려오는 핸드폰 벨소리.

세미　이거 무슨 소리지? 어머님 전화 온 것 같은데요.
경문　어머, 산영인가?

씬/38　D, 카페 안

신난 얼굴로 들어와 핸드폰을 보는 경문. 모르는 번호다.

경문　여보세요?
보험직원(소리)　안녕하세요. 00화재입니다. 윤경문 고객님 맞으십니까?
경문　(의아한) 네. 제가 윤경문인데요.
보험직원(소리)　가입하신 계약 건에 대해 안내드리고자 연락드렸습니다. 자녀분이신 구산영님께서 계약자를 본인으로, 어머님인 윤경문님을 피보험자로 한 사망 보험을 가입하셨습니다.

경문, 이게 무슨 소리지? 가만히 듣다가..

경문　..그러니까.. 내가 죽으면 산영이가.. 보험금을 받는다는 거예요? 그걸 산영이가 들었다구요..?
보험직원(소리)　2023년 2월 00일에 구산영님이 계약하셨는데 따님한테 약관의 내용을 전달받으신 적이 없으신가요?

경문, 뭔가로 머리를 맞은 듯 멍해지는 얼굴.

보험직원(소리) 고객님..?
경문 ..뭔가 잘못 알고 전화하신 것 같네요. 제대로 확인하고
전화주세요.

툭 핸드폰을 끊어버리는 경문. 그때 뛰어 들어오는 세미.

세미 어머님! 간판 다 달았어요!

세미 목소리가 들리지 않는 듯 새하얘진 얼굴로 멍하니 서 있는 경문.
그때, 다시 울리기 시작하는 경문의 핸드폰. 산영이다.
불안장애가 오는 듯 눈빛 떨려오는 경문, 그냥 바라만 본다.

세미 (다가와 보다가) 어, 산영이잖아요.
경문 ..받지 마.
세미 왜.. 그러세요?

씬/39   D, 거리 일각

비오는 거리. 미친 듯이 액셀을 밟고 있는 산영. 경문에게 전화 중이지만,
받지 않는 경문.
산영, 초조하고 미치겠는 얼굴로 다시 경문에게 전화를 걸려고 하는데
울리는 해상의 전화.

해상(소리) 산영 씨. 거의 다 와가는데..

악귀 2

산영	(울 듯한) 엄마요! 우리 엄마가 죽어요!
해상(소리)	무슨 소리예요?
산영	악귀가 엄마를 죽이려고 한다구요!

씬/40   D, 국도 일각

국도를 달리는 홍새의 차 안. 산영과 통화하던 해상, 놀라서 홍새를 바라본다.
홍새 역시 핸드폰 너머에서 들려오는 산영의 목소리를 들은 듯 놀라서
보다가 바로 끼이익 유턴을 한다.

씬/41   D, 카페 안

불안장애가 심해지는 듯 호흡이 거칠어지는 경문. 세미, 경문의 상태를
놀라서 보다가

| 세미 | 어머님, 약은요? 약 어딨어요? |

다급히 카운터 한쪽에 있는 경문의 가방으로 다가가 가방 안에서 경문의
약통을 꺼내는 세미. 그때 진동음으로 울리는 세미의 핸드폰. 산영이다.
세미, 경문 눈치 한번 보다가 작은 소리로 전화 받는

세미	야, 어디야?
산영(소리)	(다급히 말 끊으며) 세미야. 엄마한테 좀 가봐 줘.
세미	어머님? 지금 옆에 계신데..

전화 받으면서 세미, 뒤를 돌아보다가 놀라서 보는

세미 어.. 어머님. 손목이 왜 그러세요?

보면 경문의 손에 서서히 붉은 멍이 들기 시작한다.
카페 문 쪽을 비추면 아까 세미가 들어오면서 열려져 있는 문.

씬/42 D, 거리 일각/차 안

신호에 걸려 멈춰있는 산영의 차. 핸드폰 너머에서 들려오는 세미의
목소리에 벌벌 떨려오는 산영의 눈빛.
신호 때문에 정차한 앞차에 '빵!!' '빵!!' 클랙슨을 울리기 시작한다.

씬/43 D, 카페 안

부들부들 떨려오기 시작하는 경문의 손. '콱' 카페 한쪽에 놓여있는 노끈을
잡고는 매듭을 짓기 시작한다.
세미, 놀라서 그런 모습을 바라보다가 경문의 팔을 잡는

세미 어머님, 왜 그러세요?

엄청난 힘으로 거칠게 세미를 밀어버리는 경문.
'콱' 바닥에 쓰러지는 세미. 겁에 질려서 경문을 바라보는데..
매듭을 만든 경문, 공포에 질려 붉게 물든 눈빛으로 바들바들 떨면서
테이블 위로 올라가 천장에 매듭을 걸기 시작한다.

악귀 2

세미, 겁에 질려 그런 경문을 보다가 울 듯한 얼굴로 비명을 지르면서
달려가 경문에게 매달리며

세미   어머님! 이러지 마세요!

또다시 세미를 거칠게 뿌리치는 경문. 천장에 묶은 매듭에 부들부들
떨면서 목을 매기 시작하는데.. '쾅' 열린 문을 통해 거친 호흡의 산영이
뛰어 들어온다. 세미, 울음을 터뜨리며

세미   산영아! 어머님이..

경문에게 뛰어가 미친 듯이 경문의 몸을 잡고 끌어내리려는 산영.

산영   그만둬! 그만둬!!

절박하게 경문을 내리려는 산영마저도 뿌리쳐 버리는 경문.
밀쳐지며 넘어지는 산영, 경문과 시선 마주치는데 공포에 질려서 마구
떨리는 경문, 산영을 바라보며

경문   산영아.. 도망가..

절박함과 안타까움, 답답함에 휩싸여 어찌할 바를 모르는 산영. 어떻게든
막아야 한다. 절박한 눈빛으로 주변을 둘러보다가 유리병을 발견한다.
병목을 잡아서 '와장창' 벽에 깨버린 뒤 날카로운 유리를 자신의 목에 갖다
대는 산영. 겁에 질려 울면서 두 사람을 바라보는 세미.

산영   그만해!!

산영의 외침에도 불구하고 목을 매려는 경문. 더욱 위험하게 자신의 목을
찌르는 산영. '툭툭' 바닥에 떨어지는 붉은 피.
그제야 순간, 멈추는 경문의 손.

산영   엄마가 죽으면 나도 죽어. 내가 죽으면 너도 사라지겠지..
어떻게 할래?

목에서 피를 흘리는 산영, 결연한 눈빛으로 경문을 바라본다.

씬/44   D, 카페 밖 거리 일각

빠르게 달려오다가 끼이익 멈춰서는 홍새의 차에서 다급히 내려서는
해상과 홍새. 카페로 달려 들어가는데..

씬/45   D, 카페 안

뛰어들어서는 홍새와 해상. 아직도 울먹이면서 바닥에 쓰러진 경문을
안고 있는 세미를 발견하고 놀라서 다가가는 홍새, 경문의 맥박과 호흡을
확인해 보는

홍새   맥박이 잡혀요. 호흡도 괜찮습니다. (세미에게) 119는 불렀어?

세미, 고개 끄덕인다.
해상, 카페 안을 둘러보다가

해상	산영 씨는요?
세미	(울먹이며 고개 가로젓는) 모르겠어요.. 갑자기 뛰쳐나갔어요.

— 인서트

— 43씬에 이어지는...

산영을 바라보던 경문, '쿵' 정신을 잃고 테이블 아래로 떨어진다. 세미, 놀라서 다가가 '어머님! 정신 차려보세요' 하는데 툭 떨어지는 깨진 유리병. 세미, 보면 천천히 고개를 드는 산영, 무표정한 악귀의 눈빛이다. 쓰러진 경문은 보지도 않고 뚜벅뚜벅 카페를 나가버린다.

— 다시 카페로 돌아오면

어느새 도착한 119 구급대원들. 이동 침대에 경문을 눕히고 밖으로 이동시킨다. 걱정스러운 얼굴로 보던 세미, 홍새에게

세미	저두 같이 가볼게요.
홍새	무슨 일 있으면 바로 연락해라.

세미, 구급대원들과 함께 뛰어나가고..
홍새, 뒤돌아보면 카페 한쪽에서 계속 핸드폰을 해보고 있는 해상이다.

홍새	구산영 핸드폰, 아직도 꺼져있어요?

해상, 고개 끄덕이며 핸드폰을 끊으며 비가 내리는 유리문 밖을 바라본다.

홍새	어딜 갔는지 모르겠지만 구산영이 아니라 악귀예요. 걔였다면 아픈 엄마를 내버려 두고 가지 않았을 겁니다.

해상도 유리창 밖을 바라보다가..

해상   형사님은 산영 씨를 찾아주세요. 난 물건들을 봉인하러 가겠습니다.

홍새   (보는) 마지막으로 찾은 물건, 확실하지 않다면서요. 그래서
구산영을 만나려고 하신 거 아니세요?

해상의 눈빛에 불안감이 감돌지만..

해상   더 이상 시간을 끌 순 없습니다. 또 다른 사람이 위험해지기 전에
빨리 악귀를 없애야 해요.

씬/46   D, 화원재 건물 밖

화원재 건물로 다가와서 멈추는 홍새의 차. 차에서 내려서는 홍새, 활짝
열려있는 대문을 보다가 긴장한 얼굴로 건물로 들어간다.

씬/47   D, 화원재 건물 안

— 천천히 본채로 들어서서 주변을 둘러보지만 산영은 보이지 않는다.
— 텅 빈 경문의 방을 둘러보는 홍새.
— 서재, 산영이 나가면서 늘어뜨려진 금줄을 보면서 들어서는 홍새.
  서재 안에도 산영의 모습은 보이지 않는다.

홍새   대체 어딜 간 거야..

씬/48 D, 화원채 건물 밖

건물 안을 모두 둘러본 듯 문을 닫고 건물 밖으로 나서는 홍새.
멀어지려는데 건물 안에서 희미하게 들려오는 '때르르릉' 유선 전화벨
소리. 뭐지? 잘못 들었나? 홍새 귀 기울이다가 다시 문을 열면
더 확실하게 들려오는 전화벨 소리.

씬/49 D, 화원채 본채

석란의 방에 놓인 유선 전화기가 울리고 있다.
홍새, 천천히 다가와서 가만히 전화기를 바라보다가 전화를 받는다.
상대방이 누군지 확인하려는 듯 말없이 수화기를 들고 있는데.. 들려오는
나이가 지긋한 노인의 목소리.

노인(소리) ..여보세요?

홍새, 예상치 못한 노인의 목소리에 멈칫하다가

홍새   여보세요.
노인(소리) 구강모 교수님 댁이죠?
홍새   ..예. 맞습니다. 누구시죠?
노인(소리) 구강모 교수님 따님, 계신가요?

산영을 찾는 노인의 소리에 멈칫하는 홍새의 눈빛.

누군가를 기다리는 듯 대합실 의자에 앉아있는 해상.
그때 승하차 홈 쪽에서 들어서는 외출복 차림의 은명을 보자 일어서서
다가간다.

해상   오셨어요.
은명   많이 기다렸어요?
해상   아뇨. 여기까지 오시게 해서 죄송합니다.
은명   안 그래도 서울 올 일이 있어서 온 거니까 부담 갖지 마세요.

은명, 가방 안에서 작은 보자기를 꺼내 해상에게 건넨다.

은명   부탁하신 물건입니다.

해상, 보자기를 풀어보면 다섯 개의 작은 칼이 박힌 금줄들이다.
은명, 그런 해상을 보다가

은명   다섯 가지 물건과 이름.. 이번엔 확실한 건가요?

해상, 왠지 모를 불안감에 쉽게 대답하지 못하는데..

은명   ..구강모 교수님이 제게 금줄을 받으러 오셨을 때도 비슷해
           보였어요. 뭔가에 쫓기는 것처럼 불안해 보이셨죠.

       ─ 인서트
       ─ 낮, 은명의 집 거실에서 마주 앉아있는 강모와 은명.

은명, 불안해 보이는 강모에게

은명 그렇게 불안해하면서 왜 악귀를 없애려는 거죠?
강모 ..내 욕심으로 시작한 일입니다. 내가 끝을 내야죠.
은명 ...
강모 나 때문에 누군가.. 그 아이가 나쁜 일이 당하기 전에 악귀를
     죽일 겁니다.

　　— 다시 현재, 터미널 대합실로 돌아오면
     해상에게 얘기를 이어가는 은명.

은명 구강모 교수님처럼 되지 않으려면 신중하셔야 합니다. 귀신들은
     속임수에 능해요. 정답처럼 보이지만 함정일 때가 많죠.
해상 (보는)
은명 이번엔 꼭 성공하길 바랄게요.

해상에게 눈인사를 한 뒤 멀어지는 은명.

씬/51   D, 동장소

대합실 의자에 홀로 앉아있는 해상.

해상(소리) 모두 악귀와 관련 있는 물건이었어..

　　— 인서트
　　—1부, 18씬. 강모의 서재에서 목각상자에서 붉은 댕기를 처음으로 만지던
     산영에게 보여지던 모습.

— 1부, 18씬. 집 안. 흐릿한 거울 앞에 앉은 어린 여자아이의 머리 위에
  씌워지는 붉은 배씨댕기.

— 7부, 1씬. 해상의 집에서 푸른 옹기 조각을 만지던 산영.

— 7부, 1씬. 밤, 창고 안. 쓰러져 있는 듯한 파란 천 안의 시선. 창고 벽면 높은
  곳에 달린 창문 너머로 보름달이 보이는데.. 순간, 파란 천 위로 붉은 피가
  흩뿌려진다.

— 8부, 63씬. 저수지 꽃나무 아래에서 금줄에 묶인 흑고무줄을 찾는 산영.

— 8부, 63씬. 낮, 58년, 대들보에 흑고무줄로 목을 맨 중년 여의 뒷모습.

— 8부, 63씬. 낮, 58년, 거친 풍랑이 치고 있는 바닷가.

— 10부, 33씬. 폐건물 화장실에서 천장을 살펴보던 산영, 천장 공간 안에서
  작은 칼이 박힌 금줄로 묶인 초자병을 발견하고 손을 뻗어 초자병을
  잡는데 순간, 뭔가 보이는 듯 눈을 질끈 감는 모습에서..

— 10부, 53씬. 낮, 땅바닥으로 떨어져 산산조각이 나는 초자병들. 바닥에
  흩뿌려지는 색색깔의 안료들.

— 밤, 붉은색 안료가 든 초자병을 들고 뛰고 있는 누군가. 어딘가에
  멈춰서서 올려보는데 당시 해상의 본가다.

— 다시 터미널 대합실로 돌아오면
  향이의 생활기록부 사본을 살펴보고 있는 해상. 흑백 증명사진 속 웃고
  있는 향이. 천천히 주소와 본적을 훑고 아버지와 어머니의 이름을 본다.
  아버지의 이름 아래 적혀있는 직업 '어업', 장래희망 칸에는 1학년 '선장',
  2학년 '비행사', 3학년 '미술가'. '1학년, 밝고 쾌활하며 매사에 적극적이고
  자존심이 강함', '2학년, 주체적이며 책임감이 강하며 경쟁심이 강함',
  '3학년, 집안 사정으로 학업에 충실하지 못함'. 향이의 기록을 훑어보는
  해상의 모습에서..

씬/52   D, 과거, 1958년, 바닷가

맑게 갠 하늘, 따사로운 햇살 아래 반짝반짝 빛나고 있는 푸른 바다
위로 콧노래가 들려온다. 새하얀 모래사장에 남아있는 작은 여자아이의
발자국. 천천히 그 발자국을 따라가다 보면 뒷짐을 진 손에 고무신을 들고
콧노래를 부르며 걸어가고 있는 남루한 향이의 뒷모습.

해상(소리)   악귀는 가난한 어부의 딸이었다.

씬/53   D, 현재, 터미널 대합실

생활기록부를 내려다보던 해상. 주머니에서 옥비녀를 꺼내 바라본다.

해상(소리)   1958년, 시골 어촌에선 보기 힘든 값비싼 물건.. 이 물건이 정말
악귀와 관련이 있는 걸까..

시선을 돌려 생활기록부 사본의 향이의 흑백사진을 바라보는 해상.

씬/54   D, 현재, 노부부의 집 앞

교외에 자리 잡은 전원주택 현관문 앞에서 초인종을 누르고 있는 홍새.
잠시 뒤 덜컥 문이 열리면서 나오는 노인. 1부, 16씬. 강모의 장례식 때
왔던 70대 노부부 중 남편이다. 홍새, 인사하며

홍새   아까 통화했던 이홍새라고 합니다.

노인   (웃으며) 들어와요.

씬/55   D, 전원주택 거실

거실에 마주 앉아있는 홍새와 노인, 그리고 노부인. 노부인, 홍새 앞에
차를 따르고 있고..

노인   구강모 교수님 따님하곤 선후배 사이라구요?

홍새, 노부부 뒤편을 잠시 보다가 다시 노부부를 바라보며

홍새   예. 산영이가 아버님 장례식 방명록을 보고 연락을 드렸다구요?
노인   그래요. 인사차 찾아오겠다고 했는데 연락도 없이 안 와서 무슨
            일이 있나 싶었어요. 핸드폰도 안 받고 해서 집으로 연락드린
            건데 괜찮은 거죠?

홍새, 말없이 노부부 뒤쪽을 바라보다가

홍새   그런데 저 그림은 누가 그리신 겁니까?

홍새의 질문에 뒤돌아 노부부 뒤편의 그림을 비추는 화면. 향이의 그림과
흡사한 달을 그린 목탄화들이다. 노부인, 미소 지으며

노부인   제가 그린 거예요.

씬/56   D, 과거, 2022년, 겨울, 도서관

도서관 열람실에서 목탄화와 관련된 화집에서 그림들 하나하나를
살펴보고 있는 강모. 오랫동안 살펴본 듯 테이블 위에는 화집들이
가득한데.. 한 장 한 장을 넘기던 강모의 손길, 어디선가 멈춘다.
떨리는 눈빛의 강모의 시선 쫓아가면 악귀가 그린 달 그림과 똑같은
그림이다. 그림 아래에는 '여수련 作'.

씬/57   D, 과거, 2022년, 겨울, 갤러리

소규모의 작은 갤러리, 주변에는 수련의 달 그림들이 전시가 되어있다.
한 켠에서 갤러리 직원과 얘기중인 강모.

강모   정말 중요한 일이라서 그래요.
직원   선생님 개인 번호를 드릴 순 없습니다.
강모   (난감한 얼굴로 생각하다가) 그럼 메모를 전해주실 순
있겠습니까?

씬/58   D, 현재, 전원주택 거실

찢겨진 노트에 적힌 당시 강모가 노부인에게 전한 메모를 바라보고 있는 홍새.

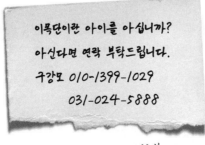

이목단이란 아이를 아십니까?
아신다면 연락 부탁드립니다.
구강모 010-1399-1029
031-024-5888

11부

노부인	개인전이 끝나고 나서 그 메모를 확인하고 연락을 드렸는데.. 이미 돌아가시고 난 뒤였어요. 왠지 마음이 좋지 않아서 인사라도 드리려고 장례식에 갔었습니다.
홍새	..이목단을 아십니까?
노부인	알아요. 아니.. 정확하게 말하면 그 아이 언니를 알았죠.

멈칫, 바라보는 홍새.

노부인	향이.. 중학교 때 같은 미술반이었던 친구였어요.

씬/59   D, 과거, 1958년, 장진중학교 외경

58년, '樟鎭中學校'라는 팻말이 붙은 한산해 보이는 오후의 건물.

씬/60   D, 과거, 1958년, 장진중학교 교실

특별 활동 중인 듯 책상 위에 스케치북을 놓고 목탄화를 그리고 있는 열댓 명의 미술반 학생들. 그런 학생들 사이를 오가며 그림들을 봐주고 있는 신승주 선생(30대 초반, 남). 그중 한 학생의 스케치북을 비추면 향이의 그림처럼 커다란 달을 소재로 목탄화를 그리고 있는 하얗고 예쁜 손. 교복에 달린 명패를 보면 '여수련'이다. 수련에게 다가와서 그림을 보는 승주.

승주	좋은데. 소재도 좋고 분위기도 좋아. 그런데 여기 달에 좀 더 음영을 넣어보면 어떨까?

승주, 수련의 그림을 도와주고 있는데 화면 서서히 뒤쪽으로 이동하면 수련에게 샘이 난 얼굴로 바라보고 있는 향이다. 향이 스케치북 보면 검푸른 바다가 그려져 있는데 재빨리 하늘 위에 달을 사사사삭 그린다. 그때 향이에게 다가오는 승주. 향이, 더욱 그림에 몰두한 척하는데..

승주   어, 너 누구니?

향이. 뭐지? 고개 드는데 교실 안의 모든 시선들, 승주가 바라보는 창문에 쏠린다. 창밖을 보면 창문에 매달리듯 서서 울상이 되어 향이를 바라보고 있는 목단이다. 향이, 창피한 듯 창밖의 목단에게 얼른 가!! 손짓하는데 울음을 터뜨리는 목단.

목단   언니야. 배고파 죽겠다.

씬/61   D, 과거, 1958년, 읍내 거리 일각

화난 얼굴로 학용품이 든 보자기를 들고 앞장서서 걸어가는 향이. 그 뒤를 졸졸 쫓아오며 잔소리 해대는 목단.

목단   기집애가 어따 써먹을라구 학교 같은 델 다녀. 쓸데없는 짓 하지 말구 집안일 도와야지.

향이, 확 열받은 얼굴로 뒤돌아본다. 목단, 바로 내빼려는 듯 눈치 보는

향이   진짜 저게 엄마한테 못된 말만 배워가지구.
목단   빨리 집에 가자. 나 배고파. 밥 줘.

향이   내가 밥순이냐? 왜 자꾸 나한테 밥을 달래.

향이, 다시 화난 얼굴로 걸어가다가 저 앞에 화방이 보이자 다가가서 유리 너머 진열대에 놓인 초자병 세트를 갖고 싶은 듯 멍하니 바라본다. 그런 향이 뒤를 쫓아오는 목단.

목단   집에 가자구.

향이, 목단이 소리가 귀에 안 들리는 듯 진열대만 바라보고..
목단, 화난 듯 보다가 '밥순아 밥순아 밥순아 집에 가자. 밥순아 밥순아' 깐죽거리고 향이 열받아서 뒤돌아보려는데 그때 덜컹 화방 문 열리면서 나오는 승주. 향이, 놀라서 바라보는데 목단이는 눈치도 없이 계속 '밥순아 밥순아 밥순아' 불러댄다. 목단이의 입을 막아버린 뒤 창피한 맘에 넙죽 인사한 뒤 목단이를 끌고 가는 향이.
승주, '향이야!' 부르지만 뒤도 안 돌아보고 가는 향이. '왜 그래, 밥순아' 하는 목단이의 등짝을 쳐버리고 '으앙!!' 울음을 터뜨리는 목단이를 질질 끌고 멀어진다.

씬/62   D, 과거, 1958년, 바닷가

향이의 보자기를 풀어 그 안에 들어있던 망태기에 든 작은 감자 하나를 허겁지겁 먹고 있는 목단. 그 옆에 앉아 멍하니 바다를 바라보고 있는 향이.

목단   근데, 언니는 왜 맨날 도시락을 안 먹구 가져와? 챙피해서? 밥두 없구 계란후라이두 없어서?
향이   시끄럽게 굴지 말구 먹기나 해.

— 시간 경과되면

　　향이의 무릎을 베고 누워 잠이 들락말락 하고 있는 목단.

목단　　..(잠꼬대 같은) 계란후라이 먹구 싶다..

향이　　(으이그 웬수) 난 니가 없었으면 좋겠다.

목단　　흰 쌀밥두 먹구 싶다..

향이　　(고개 들어 바다를 바라보다가) 엄마 아빠두 없었으면 좋겠다..

　　목단, 잠이 든 듯 조용하다. 향이, 시원스럽게 뻗은 바다를 멍하니 바라보며

향이　　부잣집에서 태어나서 훨훨 날아갔으면 좋겠다..

씬/63　D, 현재, 산애 병원 병실

　　'콰쾅' 천둥소리. 오후지만 어두컴컴한 병실, 침대 위에 양손이
　　묶인 채 반쯤 앉아있는 병희. 유리 창문 너머로 떨어지는 빗물이
　　만들어내는 그림자, 창문을 때리는 소리에 신경질적인 눈빛으로 촉각을
　　곤두세우는데..
　　그때 들려오는 '똑똑' 노크 소리. 병희, 눈빛이 크게 흔들리는데.. 문
　　열리면서 들어서는 치원.

병희　　꼴도 보기 싫으니까 나가..

치원　　(다가와서 의자에 앉으며) 드릴 말씀이 있어서 왔어요.

　　병희 옆에 보고서를 놓는다.

치원 이번 임시총회 주요 안건입니다. 대표이사 해임안이죠.

병희.. 분노에 휩싸여 치원을 바라보는

병희 ..니가 감히.. 나를 해임하겠다구? 내가 중현캐피탈을 만들었어.
중현캐피탈은 내 거야!

그때, 들려오는 '똑똑' 노크 소리. 치원, 일어나서 문을 향해 걸어가
손잡이를 잡으며

치원 이제부턴 아닙니다.

치원, 문을 여는데 문밖에 서 있는 사람. 산영의 모습을 한 악귀다.
악귀임을 직감한 병희의 눈빛, 공포로 사정없이 흔들리는데..
치원, 그런 병희를 보다가

치원 이게 내 마지막 복수예요.

그 말을 끝으로 열린 문을 통해 밖으로 나가는 치원.
들어와서 문을 닫는 산영. 무표정한 눈빛으로 천천히 한 걸음 한 걸음
거리를 두고 구경하듯 바들바들 떨고 있는 병희를 바라본다.

산영 꼴 좋다. 남편 죽이고 자식 죽이더니 결국 이러고 있네.

공포에 질린 눈빛으로 산영을 바라보던 병희. 천천히 입을 연다.

병희 너도.. 나랑 똑같잖아.. 너도 동생을 팔아먹었어..

씬/64　N, 과거, 1958년, 장진리 당산나무 아래

한 손에 배씨댕기를 들고 모여있는 아이들을 훑어보며 앞으로 나아가던
만월. 목단이 앞에 우뚝 멈춰선다. 마치 목단이한테 줄 듯 댕기를 앞으로
내미는데 만월의 손이 향한 건 목단이가 아니라 그 뒤에 서 있던 향이다.
향이, 영문을 모르고 바라보는데..

만월　　　받아.

향이, 배씨댕기가 이쁘다. 탐나는 듯 보다가 받아드는 모습에서..

씬/65　N, 과거, 1958년, 향이네 집 방 안

세상모르고 잠든 목단이. 그 옆에는 엄마, 아빠의 텅 빈 이부자리.
창가에는 머리에 배씨댕기를 한 향이가 새파랗게 질린 얼굴로 밖에서
들려오는 엄마 아빠의 숨죽인 대화를 엿듣고 있다.

향이 모(소리) 향이는 어떻게 되는 거예요?
향이 부(소리) 굶겨서 죽인대.

터지는 울음을 꾹 참는 듯한 향이 모.

향이 부(소리) 어쩔 수 없어.. 이대로 가면 우리 가족 다 굶어 죽는다구..

숨죽인 향이 모의 울음소리.
충격과 분노로 바들바들 떨려오는 향이의 얼굴.

씬/66   D, 과거, 1958년, 향이네 집 방 안

멍하니 창밖을 바라보고 모로 누워있는 향이. 그때 뒤쪽에서 작게
들려오는 목단이의 웃음소리. 향이, 문득 고개 돌려 보면 몰래 배씨댕기를
가져가 낡은 거울에 비춰보며 머리에 매고 있는 목단이다. 목단, 향이와
시선 마주치자 놀라서 문밖으로 도망가려는데..

향이   야!

문 뒤에 숨어서 얼굴만 빼꼼히 내미는 목단.

목단   쫌만 해볼게. 왜 이쁜 거 언니만 할라 그래.
향이   ..일루와.
목단   싫어!
향이   (강하게) 일루오라고!!

목단, 울상이 돼서 어쩔 수 없이 향이 앞으로 와서 앉는다. 목단이의
머리에서 배씨댕기를 빼내는 향이. 거울 쪽으로 목단이를 돌려 앉힌 뒤
천천히.. 제대로 배씨댕기를 묶어준다.

목단   (믿기지 않는 듯) 나 해도 돼?

향이, 가만히 목단이를 바라본다.

향이   응.. 이제 니 거야.

씬/67   N, 과거, 1958년, 장진리 일각

— 마을로 들어오는 트럭, 트럭 위에 가득 실린 먹을 것들.
— 마을 공터에서 벌어진 잔치. 어른들도 아이들도 신이 나서 음식들을
  먹고 있다. 그런 사람들 사이에 낀 향이, 먹음직스러운 음식에 침을 꼴깍
  삼키면서 입에 갖다 대려고 하다가 문득 고개 들어 주변을 바라보는데
  가족들이 보이지 않는다.

씬/68   N, 과거, 1958년, 향이네 집

먹을 것을 싸 가지고 온 향이, 주변을 둘러보는데 툇마루에 멍하니
앉아있는 향이 모를 발견한다. 다가가서 먹을 것을 향이 모에게 내미는 향이.

향이   먹어.

그러나 그저 멍하기만 한 향이 모. 향이, 그런 향이 모의 입에 먹을 것을
갖다 대는데 뿌리치는 향이 모. 눈물을 뚝뚝 떨어뜨리며 향이를 바라보는
향이 모의 눈빛에는 원망이 가득하다.
향이, 그런 향이 모를 가만히 바라보다가

향이   내가 죽었으면 했어?
향이 모   ...
향이   내가 죽었으면 했냐고!

음식들을 땅바닥에 내동댕이치고 집으로 들어가는 향이.

씬/69   N, 과거, 1958년, 향이네 집 방 안

방 안으로 들어서던 향이. 조금 열린 옷장 안에 든 뭔가를 보고 멈칫. 살짝
열어보면 안에 놓인 돈다발.

씬/70   D, 과거, 1958년, 향이네 집 마당

신난 얼굴로 초자병 세트를 들고 마당으로 들어서는 향이.
순간, 화난 얼굴의 향이 부, 향이의 뺨을 내려친다. 바닥에 떨어지며
산산조각이 나는 초자병 세트.

향이   왜 이래!

분한 얼굴로 바닥에 떨어진 초자병들을 어떻게든 살려보려고 줍는데..

향이 부   그 돈이 어떤 돈인 줄 몰랐어? 니네 엄마가 어떻게 된 줄도
모르고 신나서 싸돌아다녔냐고!

땅바닥에 쿵 무너지며 울음을 터뜨리는 향이 부.

향이 부   니네 엄마는.. 끝까지 반대했었어. 널 살려보려고.. 어떡하건
살려보려고 했었다구.

그런 향이 부의 뒤쪽으로 반쯤 열린 방문 안으로 천장에 목을 매고 숨진
향이 모가 보인다. 그 목을 감싸고 있는 흑고무줄. 멍하니 그 모습을
바라보는 향이의 모습에서..

씬/71   D, 현재, 전원주택 거실

노부인(이하 수련으로 칭함)과 얘기를 나누고 있는 홍새. 당시를 떠올리며
눈빛이 가라앉는 수련.

수련   동생이 실종되고 난 뒤에 향이 어머님도 돌아가셨대요. 그
이후에도 향이네 집에 계속 안 좋은 일들이 있었죠.

씬/72   D, 과거, 1958년, 향이네 집 마당 밖/안

앞서서 향이네 집으로 걷고 있는 수련. 그 뒤를 따르는 승주. 수련, 향이네
집 앞에 멈추며

수련   이 집이에요.

승주, 그 말에 먼저 향이네 집 안으로 들어서며

승주   계십니까?

인기척이 없자 조심스레 마당 안으로 들어서는 승주, 발바닥에 깨진
유리가 밟힌다. 뭐지? 바라보다가.. 마당 한 켠 풀숲 쪽을 바라보다가
뭔가를 주워드는데..
그때, 삐꺽 문이 열리면서 나오는 창백한 낯빛의 향이, 승주와 수련을
보자 정신이 드는 듯 고개를 숙여 목례를 하는데..

— 시간 경과되면

톳마루에 보리차를 앞에 두고 앉아있는 향이, 승주, 수련.

승주   (향이의 안색을 살피며) 아버님이랑 오빠는 어디 가셨니?

향이   ..뱃일 나가셨어요.

승주   학교는 언제부터 나올 수 있겠어?

향이, 말없이 고개를 푹 숙인다.

승주   집안일 돕는 것도 기특하지만, 네 꿈을 찾는 것도 중요한 일이야.

승주, 아까 풀숲에서 주운 뭔가를 향이에게 건넨다. 붉은 안료가 든
초자병이다.

승주   그림 좋아하지? 소질이 있으니까 선생님이랑 같이 그려보자.

— 시간 경과되면

승주와 수련 사라지고, 홀로 남은 향이. 초자병을 가만히 바라보다가
천천히 소중하게 초자병을 감싸 안는다.

씬/73   D, 과거, 1958년, 향이네 집 일각

— 부엌에 들어가서 밥을 짓고 생선을 굽고 국을 끓이는 향이

— 집 안을 깨끗이 청소하는 향이. 톳마루 위에 밥상을 차린다.

312   악귀 2

씬/74　D, 과거, 1958년, 향이네 집

툇마루에 앉아 한 손에 초자병을 들고 아버지와 오빠를 기다리는 향이.
설핏 잠이 드는데
그때, 밖에서 울면서 뛰어 들어오는 아줌마1.

아줌마1　향이야!! 큰일 났어!!

향이, 그 소리에 정신을 차리고 아줌마1을 바라보는데..

아줌마1　배가.. 배가 가라앉았대. 니네 아빠랑 오빠랑 우리 마을 사람들
타고 나간 배가 가라앉았대!! 빨리 나와봐.

아줌마1, 울면서 다시 뛰쳐나가고..
향이, 믿기지 않는 듯 그저 멍하니 서 있다가.. 뛰쳐나간다.

씬/75　D, 과거, 1958년, 바닷가

바닷가로 뛰어 들어오는 향이. 거친 숨을 몰아쉬며 거친 풍랑이 이는 바다
앞에 선다. 마치 자신을 잡아먹을 듯 몰아치는 파도를 막막한 떨리는
눈빛으로 바라보는 향이.

씬/76　N, 과거, 1958년, 향이네 집

멍하니 터덜터덜 집으로 돌아오는 향이. 문득 툇마루 위에 차려놓은

차디차게 식은 밥상을 본다. 밥상 위에 습관적으로 놓은 다섯 개의
숟가락, 젓가락. 가만히 그런 밥상을 바라보던 향이, 갑자기 안방으로 뛰어
들어가서 옷장 안에 든 돈다발을 보자기에 싸서 안아 든다. 그리고 한
손에는 초자병을 들고 집을 뛰쳐나가는데..

씬/77   N, 현재, 점집

'쾅쾅쾅' 누군가 문을 두드리고 있다. 다급히 옷매무새를 만지면서 나오는
점쟁이. 문을 여는데 밖에 서 있는 사람, 해상이다.

점쟁이   (반색하며) 그때.. 그 귀인..

해상, 점쟁이의 눈앞에 부러진 옥비녀를 내민다.

해상   이거.. 그쪽 고모할머님 물건입니까?

씬/78   N, 점집 또 다른 방

다락방에 보관했던 만월의 물건이 든 상자들을 내려놓고 그 안의
물건들에서 뭔가를 찾는 점쟁이.

점쟁이   여기 어디 있을 텐데..

그 뒤쪽에서 그런 모습을 지켜보는 해상.
점쟁이, 상자 안을 뒤지다가 빛바랜 흑백사진을 꺼내 들며

점쟁이　　아, 여기 있네.

해상, 그 말에 바로 점쟁이의 손에서 사진을 뺏듯이 가로채 본다.
흑백사진 속 어딘가를 바라보고 있는 58년, 당시의 만월의 모습. 곱게 쪽
찐 머리에 꽂혀있는 옥비녀.

점쟁이　　(옆에서 보며) 봐요. 흑백이라 확실하진 않지만 형태도 그렇고
　　　　　　무늬도 그렇고 같은 비녀예요.

해상, 사진 속 만월이 꽂은 옥비녀를 뚫어지게 바라보는데..

씬/79　　**N, 과거, 1958년, 해상의 본가 정원**

어딘가를 바라보며 서 있는 만월의 뒷모습. 쪽 찐 머리의 옥비녀에서
서서히 화면 빠지면 만월의 앞에 마주 서 있는 향이. 만월에게 가지고 온
보자기를 내밀고 있다. 만월, 천천히 보자기를 받으며

만월　　돈을 돌려줄 테니까.. 동생을 살려달라?

향이, 고개를 끄덕인다.
만월, 천천히 창고로 다가가 문을 연다.

만월　　들어가 봐.

쭈뼛 창고 안으로 들어서는 향이. 저 앞쪽에 파란 천을 뒤집어쓴 채
쓰러져 있는 목단이를 발견하고 놀라서 다가가 천을 벗기는데
생기가 빠져 메마른 얼굴에 한 손에 배씨댕기를 든 채 가느다랗게 숨을
쉬고 있는 목단이다. 향이, 처참한 목단의 모습을 놀라서 바라보는..

향이   목단아.. 목단아..

목단, 마지막 힘을 쥐어짜는 듯 눈을 떠 향이를 바라본다. 눈에서
떨어지는 한줄기 눈물.

목단   ..언니..야.. 집에.. 가자..

향이의 눈에 눈물이 차오른다. 목단이에 대한 죄책감과 안타까움에 휩싸여

향이   그래.. 언니랑 집에 가자.. 집에 가자..

순간, 다가오는 만월, 공기를 가르는 단도. 향이의 얼굴에 팍 튀어오르는
붉은 피.
믿기지 않는 듯 충격에 휩싸여 얼어붙은 향이의 얼굴을 바라보는 만월.

만월   화나고 무섭지? 그래. 그렇게 못된 귀신이 되는 거야.

향이에게 푸른 천을 뒤집어씌우는 만월.
향이, 그제야 비명을 지르는데..

만월(소리) 이제 니가 악귀다.

씬/81 N, 현재, 산애 병원 병실

전 씬의 향이의 비명 소리에서 현재로 돌아오면
조금 떨어진 곳에서 병희를 바라보고 있는 산영.
병희, 악귀를 회유하려는 듯 바라보며

병희 난 널 잘 알아.. 넌 악귀가 돼서도 살고 싶은 거지? 내가 널
살려줄게.

그저 무표정한 눈빛으로 병희를 바라보는 산영.

병희 알잖아. 다들 널 미워하고 없애려고 해. 그 놈들 다 내가
죽여줄게. 다시 한번 약속을 하는 거야.. 내가 살면.. 네가 산다.

씬/82 N, 해상의 본가 앞

집 앞에 언제나 서 있던 사설 경호원도 보이지 않고, 불빛 하나 보이지
않는 어둠에 휩싸인 해상의 본가 건물 앞.
해상, 건물을 올려다보고 있는데 그때 다가와서 멈추는 홍새의 차. 홍새,
내려서는데 다가오는 해상.

해상 이향이를 아는 사람을 만났다구요.
홍새 예. 이향이가 실종된 뒤에 담임선생님이 실종신고도 하고 계속

찾아다녔지만 시신은 발견되지 않았답니다.

홍새, 건물을 올려다보며

홍새   서울 한복판에서 사람을 죽였다. 아마도 암매장을 선택했겠죠.
관리가 편하고 절대 다른 사람들이 볼 수 없는 곳. 그 아이의
시신은 아직도 저기에 있을 가능성이 높아요.

음산해 보이는 건물을 바라보는 두 사람.

홍새   그런데 왜 갑자기 이향이의 시신을 찾고 싶어하시는 거죠?
해상   ..마지막 물건에 얽힌 사연.. 그걸 알아낼 수 있을 것 같아서요.

씬/83   N, 해상의 본가 정원

적막하기만 한 정원으로 들어서는 두 사람.

홍새   어딘지 짐작이 가는 곳이라도 있어요?
해상   선대 때부터 절대 들어가면 안 되는 곳이 있었습니다.

해상의 시선, 정원 한 켠에 세워진 창고를 바라본다.

해상   산영 씨가 얘기한 곳도 저기였어요.

— 인서트
— 밤, 창고 안. 쓰러져 있는 듯한 파란 천 안의 시선. 창고 벽면 높은 곳에

달린 창문 너머로 보름달이 보이는데.. 순간, 파란 천 위로 붉은 피가
흩뿌려진다.

씬/84 N, 해상의 본가 창고 안

달칵 소리와 함께 백열등이 켜지고 전 씬 인서트와 거의 흡사한 창고 안의
풍경이 보여진다. 그 안으로 들어서는 해상과 홍새.
과거의 모습이 그대로 남은 음산한 모습의 창고를 둘러보던 해상.

해상　　여기에서 태자귀가 만들어졌을 거예요..

씬/85 N, 산애 병원 병실

병희를 바라보고 있던 산영.
천천히 침대로 다가와 의자에 앉는다.

산영　　니가 살면.. 내가 산다.

산영, 병희의 손목을 옥죄던 억제대를 풀기 시작한다.

병희　　그래.. 그거야..

삶에 대한 희망으로 병희의 눈빛, 번득이는데..

산영　　틀렸어. 나는 살고.. 넌 죽어.

병희, 억제대에서 풀린 자신의 손목을 보고 얼어붙는다. 붉은 피멍이
들고 있다.

병희   향이야. 니 이름 말한 거 미안해. 하지만.. 그건 얘기하지 않았어.
산영   죽으면 아예 얘기를 못 하겠지.

씬/86   N, 해상의 본가 창고 안

창고 안을 둘러보던 홍새

홍새   근데 여길 다 파 보자구요?

해상, 주변의 바닥을 살펴보며

해상   우리 집안에 부를 가져다주는 귀신이었어요. 해마다 제사를
지내줬을 거예요. 바닥에 그을린 흔적이라던지, 촛농 자국이
있을 거예요.

홍새, 그 말에 해상과 반대편의 바닥을 살펴보기 시작하며 앞으로
나가는데 어느 한 바닥을 밟는데 끼이익 목재를 밟는 소리가 난다.
시선 마주치는 홍새와 해상. 홍새, 바로 소리가 난 곳을 손으로 파보기
시작하고, 해상도 옆에 와서 돕기 시작한다. 엷게 쌓인 흙 아래 오래되어
보이는 작은 나무문이 보인다. 문에 굳게 잠겨진 오래되어 보이는 자물쇠.

악귀 2

씬/87   N, 산애 병원 건물 앞

　　　　오가는 행인들. 순간 하늘에서 날 듯이 바닥으로 '쾅' 추락하는 누군가.
　　　　양손에 붉은 피멍이 든, 눈을 번쩍 뜬 채 피를 흘리며 숨진 병희다.
　　　　'악!!' 사람들, 비명을 지르며 흩어지면서 혼란이 오는데..
　　　　건물 안에서 뚜벅뚜벅 걸어 나오는 산영. 병희가 흘린 검붉은 피를
　　　　아무렇지도 않게 밟고 지나쳐서 멀어진다.

씬/88   N, 산애 병원 인근 골목길 일각

　　　　드문드문 가로등이 켜진 골목길로 걸어들어오던 산영,
　　　　문득 정신이 드는 듯 우뚝 멈춰 서서 주변을 둘러보는데 악귀의 목소리가
　　　　들려온다.

악귀(소리)　그거 아냐? 날 원한 사람들은 하나같이 탐욕스러웠어.

　　　　산영, 주변을 둘러보는데 환상처럼 저 앞쪽 가로등 아래에서 산영을
　　　　바라보고 있는 향이.

향이　　　돈이건 권력이건 모두가 날 이용해서 뭔가를 가지려고 했지.
　　　　근데 넌 달랐어. 넌 너답게 살길 원했지. 그래서 니가 좋았어.

　　　　서로를 바라보는 산영과 향이.

향이　　　난 너랑 같이 있고 싶어.. 그러면 안 돼?

산영, 향이를 보다가

산영   니가 있어야 할 곳으로 돌아가. 네 가족들이 있는 곳.

향이, 눈빛 점점 어둡게 가라앉으며..

향이   내 진짜 이름을 너희가 알아냈으니.. 난 사라질 수밖에 없겠지.

향이, 천천히 뒤돌아서다가

향이   대신.. 마지막으로 부탁이 있어..

씬/89   N, 해상의 본가 창고 안

홍새, 주변을 둘러보다가 벽면에 세워진 삽을 발견하고 다가와 자물쇠를
몇 번 내려치자, 부서지는 자물쇠. 나무문을 열어보는데 오래되어 경첩이
녹슨 듯 잘 열리지 않다가 결국 끼익 소리와 함께 열리는 나무문.
안에 있던 오래된 희뿌연 먼지들과 함께 그 아래에 있던 작은 공간이
드러나고.. 홍새, 플래시를 꺼내 안을 비춘다. 뿌옇게 쌓인 먼지 아래
백골 사체가 보인다. 굳은 눈빛으로 백골 사체를 바라보는 두 사람. 홍새,
플래시를 비추며 백골 사체를 살펴보기 시작하는데..
순간, 울리는 해상의 핸드폰. 발신인을 보면 산영이다. 일어서서 전화를
받는 해상.

해상   산영 씨, 어디예요?

산영(소리)   악귀가 부탁을 했어요.

가로등 아래에서 통화를 하고 있는 산영.

해상(소리) 부탁을 했다구요?

산영 자기 시신을 찾아달라고 했어요.

— 인서트

— 88씬에 이어지는..

향이 내 시신을 찾아줘. 아무도 모르는 차가운 곳에 묻혀 있는 내
시신을 좋은 곳에 묻어줘.. 그 교수한테 부탁하면 찾아줄 거야..

산영, 향이의 뒷모습을 가만히 바라보는데.. 뒤돌아보며 미소짓는 향이.

향이 해줄 수 있겠어?

멈칫하는 해상. 뒤돌아 공간 안의 백골 사체를 보며

해상 시신을 찾아달라고 했다구요?

씬/92　N, 산얘 병원 인근 골목길

핸드폰으로 통화를 하고 있는 산영, 눈빛 침착하게 가라앉으며

산영　　그런데.. 찾지 마세요.

해상(소리)　..그게 무슨 소리예요?

산영　　악귀는 처음부터 우릴 이용해서 그 물건들을 찾아왔어요.
　　　　그 마지막이 그 시신인 것 같아요. 악귀가 왜 이걸 원하는지
　　　　모르겠지만 찾지 마세요.

씬/93　N, 해상의 본가 창고 안

혼란스러운 눈빛의 해상.
그때, 백골 사체를 살펴보던 홍새, 뭔가를 발견한 듯

홍새　　..어..

해상, 돌아보면
홍새, 백골 사체의 손 부위 쪽에 떨어져 있던
부러진 나머지 옥비녀를 들어 올린다.

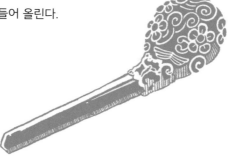

홍새　　이게 뭐죠?

순간 '뚜뚜뚜뚜' 끊기는
해상의 핸드폰.

핸드폰 전원을 꺼버리는 산영의 눈빛,
악귀의 눈빛으로 고개 드는데 가로등 아래 눈빛이 반짝인다.

— 인서트
2부, 66-1씬.
건물 틈 사이로 새어 들어오는 희미한 달빛만이 감도는 어두운 창고 안.
푸른 천이 뒤집어씌워진 채 쓰러져 있는 향이. 천 아래로 조금 튀어나와
있는 깡마른 손에는 붉은 배씨댕기가 쥐어져 있다.
죽은 듯 미동도 없는 향이에게 천천히 다가오는 만월. 한 손에는 핏물이
배어 나온 구운 고기가 담긴 접시. 마치 동물에게 주는 듯 여자아이 앞에
내려놓는 만월. 여전히 미동도 없는 향이. 그런 향이를 내려다보는 만월.
정적이 흐르는데 순간 짐승 같은 괴성을 지르면서 고기를 낚아채려
뻗어오는 향이의 깡마른 손. 찰나 만월의 입가에 차가운 미소.
그러나 향이의 깡마른 손이 향한 건 고기가 아니라 만월의 얼굴 쪽이다.
놀라서 피하는 만월의 머리에 꽂힌 옥비녀를 잡아채는 향이.

향이　(메마른 목소리로) 난 죽지 않아. 난 살 거야!!

향이, 잡아챈 옥비녀를 만월의 어깨에 꽂아버린다. 비명을 지르면서
향이를 뒤로 밀쳐버리는 만월. 그 힘에 만월의 어깨에 꽂힌 비녀가
부러지면서 두 동강이 나고 만월의 어깨에 반쪽이 꽂히고 향이가 잡고
있던 나머지 반쪽은 땅으로 떨어지는데..
피를 흘리는 만월, 차갑게 뒤로 밀쳐진 채 쓰러진 향이를 바라본다.
마지막 힘을 다 쓴 듯 쓰러진 채 거친 숨을 내뱉는 향이에게 단도를
내리꽂는 만월. 서서히 피를 흘리며 죽어가는 향이. 눈앞에 떨어진 부러진

옥비녀를 손에 감추듯 잡는다.

씬/95   N, 해상의 본가 창고 안

끊긴 핸드폰을 보다가 혼란스러운 눈빛으로 홍새의 손에 들린 나머지
반쪽 옥비녀를 바라보는 해상의 모습에서..

— 인서트
— 6부, 19씬. 해상에게 얘기하는 우진.

우진   유언장.. 편지.. 악귀는 왜 굳이 널 끌어들인 걸까.

— 10부, 36씬. 편의점에서 악귀로 변한 산영과 얘기하던 해상.

해상   다섯 가지 물건.. 그걸 다 모으려고 날 이용한 거지? 그걸 모으면
어떻게 되는 거야?
산영   얼른 찾아내. 마지막 거.. 그럼 알 수 있을 거야.

— 다시, 창고 안으로 돌아오면
불안감에 더욱 떨려오는 해상.

해상   본가에 있던 마지막 물건.. 그걸 찾기 위해 날 이용한 거였어..
대체 왜..

천천히 한 발 두 발 앞으로 걸어가는 산영. 드문드문 가로등 불빛에
비춰진 산영의 그림자, 머리를 풀어헤친 악귀의 모습.
걷다가 산영, 또 다른 가로등 아래에 멈춰 서는데 산영의 그림자가 악귀가
아닌 산영의 모습으로 변해있다. 차가운 눈빛으로 씨익 미소 짓는 산영의
모습을 한 악귀.

악귀   끝났다..

11부 끝.

12부

죽을지 살지 선택하는 건 산영 씨의 몫이야.

씬/1   N, 해상의 본가, 뒤뜰 창고 안

바닥에 숨겨졌던 먼지 가득한 백골 사체의 손 안에 들려있던 반쪽짜리
옥비녀를 손에 들어 바라보는 홍새.

홍새   이게 대체 뭐죠?

해상, 불안한 눈빛으로 바라보며

해상   다섯 가지 중.. 마지막 물건..

옥비녀를 바라보다가 다시 산영에게 전화를 거는 해상.
그러나 전원이 꺼져있는 산영의 핸드폰.

해상   산영 씨를 찾아야겠어요. 우리가.. 아니.. 내가 찾지 말아야 할 걸
찾은 것 같아요..

씬/2   N, 산애 병원 인근 골목길

가로등 아래 변해버린 자신의 그림자를 바라보고 있는 산영.
믿기지 않는 듯 벅찬 눈빛으로 그림자를 내려다보다가.. 문득 고개 들어
어디론가 뛰어가기 시작한다.

택시에서 내려서는 경문과 세미.
아직도 안색이 좋지 않은 경문을 걱정스러운 듯 바라보는 세미.

세미　　진짜 괜찮으시겠어요? 그래도 며칠 입원해 계시는 게..
경문　　병원에서도 괜찮다잖아.. 카페두 걱정되구. 커피머신이
　　　　　얼마짜린데..

세미, 불 꺼진 카페 문으로 다가가는 경문을 불안한 듯 보는데
말릴 새도 없이 문 비밀번호를 누르고 안으로 들어가 불을 켜는 경문.
환하게 불이 들어오며 드러나는 카페 안 광경. 경문이 목을 매려고
올라갔다가 떨어지면서 어지러워진 테이블과 의자. 조금 떨어진 곳에
검붉게 말라붙어 있는 산영의 피. 경문, 아까의 상황이 떠오르는 듯 낯빛
굳어진다. 세미, 역시 겁은 나지만

세미　　어머님, 먼저 들어가세요. 여기 제가 치우고 갈게요.
경문　　..너야말로 빨리 들어가. 내일 출근도 해야 되잖아.

경문, 불안감을 최대한 참으며 테이블을 일으켜 세우는 등 정리를
시작하려는데
세미, 그런 경문 막아서며

세미　　아니에요. 어머님, 빨리 들어가세요.

그때, 문 쪽에서 들려오는 산영의 목소리.

산영(소리)　엄마..

놀라서 문 쪽을 뒤돌아보는 경문과 세미. 떨리는 눈빛으로 경문을
바라보고 있는 산영이다.
경문, 순간 두려운 눈빛. 세미, 역시 약간은 겁나는 듯 뒤로 물러서는데
산영, 경문을 바라보며 눈빛 젖어오며

산영　엄마..

다가가서 경문을 왈칵 안아버리는 산영.

산영　엄마.. 나 돌아왔어.

산영에게 안긴 경문, 겁에 질린 눈빛으로 천천히 산영을 밀어내는데..
멈칫, 경문을 바라보던 산영.

산영　그동안 힘들었지.. 이젠 다 끝났어. 이젠 다 괜찮을 거야.

씬/4　N, 거리 일각

한적한 거리를 달리고 있는 홍새의 차.

홍새　집에도 없으면 어떻게 하죠?
해상　갈 만한 데는 다 찾아봐야죠.

그때 저 앞쪽으로 보이는 불 켜진 카페. 홍새도 해상도 눈빛 멈칫한다.

카페 바로 앞에서 차를 멈추는 홍새. 카페 안의 산영, 경문, 세미를
발견하고 뛰어내리는 두 사람. 앞서가던 해상, 순간 멈춰선다.

홍새   왜요? 뭐가 잘못됐나요?

해상의 시선으로 보여지는 카페 유리창 너머 산영의 그림자.
머리를 풀어헤친 악귀의 그림자가 아닌 평소의 산영 그대로의 그림자다.

해상   ..그림자가 돌아왔어요..

씬/5   N, 카페 안

경문, 말없이 불안한 눈빛으로 산영을 바라보는데..
뒤에서 바라보고 있던 세미. 산영의 목에 난 상처를 바라보며

세미   산영아.. 이러구 다닌 거야? 병원두 안 가구 어딜 다녀온 건데?
산영   볼 일이 좀 있어서. 세미야. 오늘 진짜 고마웠다. 늦었으니까
너도 빨리 들어가 봐.

세미를 보고 얘기하던 산영, 유리창 밖에 선 해상과 홍새를 발견하고
떨리는 눈빛으로 걸어 나간다.
불안한 눈빛으로 그런 산영을 바라보는 경문. 휘청하고..
세미, 놀라서 다가와 '괜찮으세요?' 부축하는..

　　　　카페에서 나와 다가오는 산영을 바라보는 해상과 홍새.
　　　　해상, 다가오는 산영을 관찰하듯 바라보다가

해상　　　..산영 씨?
산영　　　예. 저예요. 구산영..

　　　　해상. 그런 산영을 가만히 바라보다가

해상　　　아까 나한테 한 말은 뭐예요? 시신을 찾지 말라고 한 거 기억나요?
산영　　　(잠시 기억을 되짚어보는) 예. 전화를 끊고 나서.. 그리고 깜박
　　　　기억이 사라졌다가 돌아왔는데 그림자가 돌아와 있었어요.
　　　　교수님도 보이시죠?

　　　　해상, 평범한 산영의 그림자를 내려다보다가

해상　　　예, 보여요.
산영　　　(안도하는) 그럼 이제 다 끝난 거죠? 그런 거 맞죠?

　　　　홍새, 그런 산영을 바라보다가 뚜벅뚜벅 다가와 손을 내민다.

홍새　　　받아.

　　　　산영, 뭐지? 보다가 자연스럽게 오른손으로 홍새가 내민 물건을 받는다.
　　　　그런 산영을 보는 홍새와 해상.
　　　　산영, 받은 물건 확인해보면 나머지 옥비녀 조각이다.

산영	이게 뭐예요?
홍새	그 시신에서 발견된 거야. 뭐가 보이니?

산영, 옥비녀를 내려다보다가

산영	아뇨. 아무것도 보이지 않아요.

옥비녀를 내려다보는 산영을 여전히 반신반의하며 바라보는 해상.

해상	그건 다섯 가지 물건 중에 마지막 물건이었어요. 그 물건들을 봉인하지 않았는데 왜.. 그림자가 돌아온 거죠?

산영, 역시 혼란스러운 듯 가만히 옥비녀를 보다가 해상에게 내밀며

산영	그럼 이것도 교수님이 마무리 해주세요. 그러면 다 끝나겠죠.. 안 그래요?

옥비녀를 건네받는 해상.

씬/7   N, 산영의 집 앞

집 앞에 멈춰 서는 홍새의 차. 앞자리에서 내려서는 홍새와 해상.
뒷자리에서 내려서는 경문과 산영.
산영, 경문을 부축하며 두 사람을 본다.

산영	데려다주셔서 감사해요. 다시 연락드릴게요.

산영, 들어가자는 듯 경문을 감싸 안는데.. 경문, 여전히 불안함과 두려움에
휩싸인 눈빛으로 해상과 홍새를 보다가 산영에게 이끌려 집 쪽으로 멀어진다.
멀어지는 두 사람을 바라보던 홍새.

홍새 교수님이 그랬잖아요. 악귀는 왼손을 쓴다고. 그런데 아까
구산영, 오른손으로 받았어요. 정말 악귀가 사라진 거 아닐까요?

해상, 말없이 혼란스러운 눈빛으로 산영의 뒷모습을 바라보는데..
그때 울리는 해상의 핸드폰. 발신인 '김치원'이다.

해상 (전화를 받는) 여보세요.
치원 (소리)할머님이 돌아가셨다.. 자살이야.. 병실에서 뛰어내리셨어.

해상의 낯빛, 급격하게 굳는다.

씬/8 N, 산애 병원 건물 밖

빠르게 다가와서 멈추는 홍새의 차에서 내리는 해상과 홍새.
건물로 다가오는데 건물 앞에 폴리스라인을 치고 있는 과학수사팀. 그
라인 안쪽으로는 아직도 눈에 띄는 검붉은 핏자국.
해상과 홍새, 그 모습에 멈칫하다가..
해상, 건물 안으로 뛰어들어가고 홍새는 과학수사팀에게 다가가

홍새 여기 담당 형사가 누구죠?

씬/9   N, 산애 병원 영안실 밖 복도

영안실 쪽을 향해서 빠르게 걸어오던 해상, 영안실 밖에 서 있는 치원을
발견하고 낯빛 굳는다.
천천히 다가와 마주서는 두 사람.

해상   ..어디 계십니까?

치원, 영안실 문을 연다.

씬/10   N, 산애 병원 영안실/복도

열린 문을 통해서 들어서는 해상. 뒤따라 들어와 문가에 서는 치원.
영안실 중앙에 놓인 철제 침대 위, 흰 천에 덮인 병희의 시신이 눕혀져
있다. 떨리는 눈빛으로 다가가서 곁에 서는 해상.
병희의 얼굴을 덮은 천을 열어보다가 제발 아니었으면 하는 눈빛으로
손목을 확인한다. 왼쪽 손목에 남은 붉은 멍.. 왼손 검지에 남아있는 심한
열상이 얼핏 보인다.
해상, 어두운 눈빛으로 멍 자국을 바라보다가..

해상   아저씨가.. 그러신 거예요?

치원, 일순 흔들리는 눈빛으로 해상을 바라보다가..

치원   그래.. 내가 그랬다.. 내가 문을 열어줬어..

가만히 병희의 시신을 내려다보던 해상의 눈빛에 분노가 차오른다.
시선 들어 영안실 주변을 둘러보던 해상, 영안실을 뛰쳐나가 복도를
둘러보기 시작한다. 그런 해상을 따라 나가는 치원.

치원   해상아. 왜 이래.

해상   어딘가 있을 거예요. 얼마나 독한 사람인데.. 얼마나 독하고
          차가운 사람인데 이렇게 갈 리가 없어요. 귀신이 돼서라도
          남아있을 거예요.

복도를 둘러보며 앞으로 나아가는 해상을 진정시키려는 듯 잡아채는 치원.

치원   해상아. 너네 할머님은 죽었어.

해상   적어도 한마디는 남겼어야죠! 나한테.. 우리한테.. 잘못했다고..
          우릴 이렇게 만들어서.. 미안하다고..

치원을 바라보는 해상의 눈빛에 안타까움이 배어 나온다.

해상   할머니 그늘에서 벗어나서 아저씨 인생을 사시길 원했어요..
          그래서 우진이 일을 말씀드렸던 건데..

치원   ...

해상   왜 그러셨어요.. 아저씬 할머니 같은 사람이 아니잖아요. 사람을
          죽인 죄책감을 어떻게 감당하려고 그런 짓을 하셨어요..

어둡게 가라앉는 치원을 아프게 바라보는 해상.

병희가 뛰어내린 병실 밖 복도에서 담당 형사와 얘기를 나누고 있는 홍새.

담당 형사   수사를 더 해봐야 알겠지만 일반적인 자살로 보이진 않아요.

열린 문 너머로 과학수사팀이 감식 중인 병실을 바라보는 담당 형사.

담당 형사   변사자는 뛰어내리기 직전 손목억제대를 하고 있었어요.
              누군가가 자살을 돕거나 방조한 거죠.
홍새   누군가요?
담당 형사   자살하기 직전에 손님들이 있었답니다. 중현캐피탈 부사장과
              젊은 여자였대요. 부사장은 바로 병실을 빠져나갔는데 그
              여자는 자살하기 직전까지 병실에 남아있었답니다.

산영이라는 걸 직감하는 홍새, 낯빛 굳어진다.

담당 형사   뭐라도 단서가 나오면 연락드리죠.
홍새   감사합니다.
담당 형사   문춘 선배님 잘 보내줘서 고마워요.

홍새, 눈빛 가라앉으며 담당 형사에게 목례한 뒤 돌아서서 멀어진다.

이동침대에 실린 병희의 시신을 가져가고 있는 경찰들.

해상, 한 손에 경찰들이 건네준 듯한 수색영장 사본을 들고 멀어지는
병희의 시신을 바라보고 있는데.. 멀리서 다가오던 홍새, 그런 해상의
모습을 잠시 보다가 다가와 옆에 선다.

홍새   시신, 국과수로 이송되는군요.
해상   예.. 부검을 한다고 하더군요.
홍새   형사들은 이 사건 단순 자살로 보지 않아요.
해상   ...(멀어지는 병희의 시신을 바라보는)
홍새   할머님이 자살할 때 구산영이 병실에 있었어요. 자살방조죄건,
          살인죄건 결국 구산영이 다 뒤집어쓸 거예요.

          홍새의 얘기를 듣던 해상의 시선 서서히 가라앉다가

해상   모두.. 악귀 때문입니다. 그 다섯 가지 물건.. 그걸 마무리
          지어야겠어요.
홍새   (불안한) 아직 끝나지 않은 건가요?
해상   악귀는 날 이용해서 자기의 시신을.. 옥비녀의 마지막 조각을
          찾게 만들었어요. 뭔가.. 우리가 놓친 비밀이 있는 거예요.

씬/12-1   D, 산영의 방

          가만히 거울을 바라보고 있는 산영. 어찌 보면 다시 악귀가 나타날까
          긴장한 듯 어찌 보면 거울 안의 뭔가를 유심히 관찰하는 듯 뚫어지게 거울
          안을 바라보고 있는데..
          그때 경문의 방문이 열리는 듯 문밖에서 들려오는 끼이익 문소리.

한숨도 자지 못한 듯 초췌한 안색의 경문, 방문을 열고 나오는데
깔끔하게 정리된 거실. 좌식식탁 위에는 밥상이 차려져 있는 듯 밥상보가
덮여있다. 경문, 그런 거실을 둘러보는데 벽면에 걸려있던 산영과 함께
찍은 사진들이 사라져 있는 걸 보고 멈칫하는데..
그때 방문 열리면서 나오는 산영.

산영   일어났어? 밥 먹자.

경문, 산영을 보자 또다시 낯빛이 굳는다.
산영, 밥상보를 걷다가 말없이 선 경문을 보고는 걱정스러운 얼굴로
다가와

산영   엄마, 아직도 많이 아픈 거야?

산영, 경문 손 잡고 식탁으로 이끌어 앉히며

산영   아플수록 더 먹어야지. 그래야 약을 먹을 거 아냐. (찌개 그릇
         한번 만져보고는) 그새 다 식었네.

산영, 찌개 그릇 들고 일어나 가스불에 앉히는데..

경문   ..어딨어? 우리 사진들..?

멈칫, 경문을 바라보던 산영. 미소 지으며 맞은편에 와서 앉으며

산영	엄마. 우리 새로 시작하자. 많이 힘들었던 거 다 잊어버리구 행복해지자구. 못 가본 데도 가보고 못 해본 것도 해보면서 그때 찍은 사진으로 다시 걸어놓자.
경문	...
산영	그래서 말인데 나 앞으로 뭐할지 고민해 봤거든. 나 제대로 미술 공부 한번 시작해 볼려구. 열심히 공부해서 되게 유명한 화가 돼서 엄마 호강시켜 줄게. 좋지?

경문, 가만히 산영을 바라보다가...

| 경문 | ..그 달 그림 그리려고..? |

산영, 찰나 멈칫, 경문을 바라본다.

— 인서트
밤, 과거, 2002년. 모두 잠든 듯 조용한 화원재 거실.
잠에서 깬 듯 거실로 나오는 경문. 그때 저 앞쪽 거실 벽에 서 있는 강모를 보고 멈칫. 달빛에 비춰진 벽면에 그려진 향이의 달 그림 앞에서 검댕이가 잔뜩 묻은 손으로 서 있다. 뭐지? 의아한 눈빛으로 바라보는 경문의 모습에서..

— 다시 산영의 집, 거실로 돌아오면
가만히 경문을 바라보던 산영, 다시 미소 지으며 숟가락 들며

| 산영 | 나중에 다시 얘기하고 밥 먹자 우리. |

경문의 손에 숟가락 쥐어주는 산영. 하지만 숟가락을 놔버리는 경문.

숟가락 힘없이 떨어지고..

산영, 멈칫 그런 경문 보다가 왼손으로 밥을 퍼서 경문 입에 갖다 대며

산영 먹어.

경문 ..너.. 누구니..

경문을 바라보는 산영의 눈빛, 애정을 갈구하는 떨리는 눈빛으로

산영 나는 엄마를 사랑하는데.. 왜 엄마는 나를 사랑하지 않아?

경문, 떨리는 눈빛으로 점차 차가워지는 산영을 본다.

산영, 거칠게 숟가락을 식탁 위에 내려놓으며

산영 나 열심히 하잖아. 예전처럼 구질구질하지 않게 정말 열심히 해
볼려고 하는데. 엄마도 노력해야지.

경문 ..그만해..

산영 엄마잖아! 엄마니까 나만 보고 나만 생각하고 나만 사랑해!!

경문 ..넌.. 내 딸이 아냐..

산영.. 점점 차가워지는 목소리

산영 엄마도.. 그 년이 살고 내가 죽었으면 좋겠어?

서늘한 눈빛으로 경문을 바라보는 산영.

산영 ..또 그런 엄마면.. 난 필요없는데..

씬/14   D, 빌딩 옥상

보이스 피싱범이 목을 매 숨진 옥상으로 가방을 들고 들어서는 해상.

— 인서트
— 1부, 36씬. 옥상 위에서 목을 매 숨진 문신 남, 손목의 붉은 멍.

— 다시 현재, 옥상 위에서 무언가를 찾는 듯 둘러보는 해상의 모습 위로

해상(소리) 빌딩의 옥상. 예전으로 치면 집의 지붕. 지붕에서 연기를 날려
집 안의 액운을 하늘에 고했던 건 굴뚝신.

한 켠에 설치된 환기 굴뚝을 발견하는 해상.
드라이버를 꺼내 환기 굴뚝의 원심력 흡출기의 동체와 좌대를 해체하기
시작하는 해상.

씬/15   D, 산영의 방

거울을 가만히 바라보고 있는 산영. 거울에 비친 똑같은 산영의 얼굴을
바라보다가 천천히 왼손으로 빗을 든다. 거울 안의 산영, 오른손으로 빗을
든다. 데칼코마니처럼 똑같이 머리를 빗기 시작하는 두 사람.
거울 밖 산영, 그런 거울 속의 산영을 바라보다가 빗질을 멈추는데 거울
안의 산영은 계속해서 빗질을 한다.
빗질을 멈추고 거울 안의 산영을 바라보며 씨익 웃는 거울 밖의 산영에서
화면 서서히 거울의 반대편으로 이동하는데..

씬/16   D, 산영의 의식 안

산영의 방, 자신의 모습이 비춰지는 거울을 바라보며 머리를 빗고 있는 산영.
산영이 보고 있는 거울 안은 그저 평범한 자신의 모습과 자신의 방의
풍경이 비춰지고 있을 뿐인데 문득 고개 돌려 환한 창밖을 보는 산영.

산영   지금 몇 시야. 미쳤나 봐. 지금까지 뭐 한 거야.

다급히 가방 챙기고 윗옷 걸쳐 입고 방을 뛰쳐나가는 산영. 거실 밖으로
나가 신발 챙겨 신으며

산영   엄마! 나 알바 다녀올게!

하지만 아무 대답이 없는 경문의 방.
현관문을 열고 나가려다가 이상한 듯 멈춰 서서 경문의 방 쪽을 바라보는
산영.

산영   엄마! 괜찮아? 어디 아픈 거야?

산영, 경문의 방으로 다가가서 방문을 여는데 텅 비어있는 경문의 방.
어둑어둑한 방, 한쪽 벽면에 그려져 있는 향이의 달을 그린 목탄화.
산영, 멈칫해서 바라보는데..

씬/17   D, 빌딩 옥상

해체된 원심력 흡출기의 동체와 좌대. 파이프가 박힌 방수턱이 드러나

있는데.. 그 방수턱에 금줄로 묶인 푸른 옹기 조각을 넣고 다시 좌대와
동체를 설치하는 해상.
푸른 옹기 조각을 봉인한 뒤 '李香伊' 이름이 적힌 흰 종이를 소지하는
해상. 푸른 하늘로 날아가는 붉은 재.

씬/18   D. 산영의 의식 안

경문의 방, 한쪽에 그려진 목탄화를 불길한 눈빛으로 바라보는 산영.
문득 시선 돌리는데 아까까지 보이지 않던 푸른 옹기 조각이 화장대 위에
올려져 있다. 뭐지? 바라보는데.. 화장대 옆 구석, 어둠 속에 어느샌가 서
있는 검은 옷의 여자. 긴 머리를 앞으로 늘어뜨려 얼굴이 보이지 않는데..
여자, 창백한 손으로 푸른 옹기 조각을 들어 올리더니 '으아아악' 괴성을
지르며 산영을 공격하려는 듯 푸른 옹기 조각을 든 손을 치켜들고
달려든다. 놀라서 문을 쾅 닫아버리는 산영. '쾅쾅쾅' 안에서 계속 문을
열려는 여자. 산영, 필사적으로 문을 당기며 버텨보는데 안에서 뭔가로
내리찍는 듯 문이 '쾅' 부서지기 시작한다. 놀라서 문을 놓고 다급히
뛰어가 현관문을 열고 집 밖 골목으로 뛰어나오는 산영.
골목 주변, 인기척 하나 느껴지지 않고 기이한 정적이 감돌고 있다.
어둑어둑해지는 하늘을 바라보는데 하늘에 걸린 향이가 그린 흑백 달.

씬/19   D. 화원재 본채

텅 빈 화원재로 들어서는 해상. 본채 거실의 대들보를 바라본다.

― 인서트

2부, 48씬. 대들보에 목을 맨 석란의 다리.

— 다시 현재, 본채로 돌아오면
가방 안에서 금줄로 묶인 흑고무줄을 꺼내 석란이 목을 맨 대들보 위에
올려놓는 해상. 바닥에 내려선 뒤, 또다시 '李香伊' 이름이 적힌 종이를
소지를 하는데..

씬/20 N, 산영의 의식 안

텅 빈 골목길을 도망치고 있는 산영. 숨이 턱 끝까지 차올랐다. 작은
사잇길 코너를 돌아 몸을 숨기는 산영. 살짝 고개를 내밀어 뒤를 바라보면
아무도 쫓아오지 않고 있다. 휴.. 안도의 한숨을 내쉬려는데 어느새 산영의
뒤에 나타난 긴 머리를 앞으로 늘어뜨린 여자.
뒤에서 흑고무줄로 산영의 목을 조르기 시작한다. 놀라서 반항을
해보지만 강한 힘에 점차 힘이 빠지기 시작하는 산영. 그런 산영의
흐릿해지는 시선에 하늘에 걸린 향이의 흑백 달이 보인다.

씬/21 D, 현실, 금은방 앞 거리일각

전면 유리창에 얼굴을 갖다 대고 무표정한 눈빛으로 가만히 안쪽을
바라보고 있는 산영. 진열장 안 반짝이는 화려한 보석들을 바라보고 있는
듯한데..
금은방 안쪽, 작은 작업실에서 도금 작업 중이던 사장, 그런 산영을
발견하고 의아한 얼굴로 다가와 문을 열고 산영에게

사장   무슨 볼일이라도 있으세요?

산영, 사장에게 시선 한번 주지 않고 말없이 금은방 내부를 둘러보다가
말없이 뒤돌아 멀어진다. 멀리 떨어진 차 안에서 이 모습을 지켜보고 있는
홍새. 산영의 뒷모습을 의아한 눈빛으로 바라본다.

씬/21-1 D, 화원 앞

천천히 차를 세우는 홍새. 저 앞쪽으로 보이는 넓고 큰 화원.
화원 유리창 너머로 안을 둘러보고 있는 산영이 보인다. 알록달록 화려한
꽃들을 둘러보다가 어느 한 곳에 우뚝 멈춰서서 어딘가를 바라보는 산영.
차 안에서 그런 산영을 의아한 눈빛으로 유심히 바라보는 홍새.

씬/21-2 D, 자동차 정비소 앞

수입차 전문 정비점 앞에 멈춰 서서 안에서 수리 중인 삐까뻔쩍한
외제차들을 바라보고 있는 산영. 조금 떨어진 곳에 정차한 차 안에서 그런
산영을 의아한 듯 바라보는 홍새.
산영의 시선을 쫓아가다가 외제차 너머 선반에 놓인 자동차 수리
용품들이 보인다. 혼란스러운 듯 생각에 잠기는 홍새.

홍새   금은방.. 화원.. 자동차 정비소. 뭐지?

생각에 잠기던 홍새, 문득 뭔가 감이 잡히는 듯

홍새   설마..

불안한 눈빛으로 고개 들어 화원을 바라보는데 어느새 사라져 버린 산영.
어디 갔지? 멈칫하는 순간, '쾅쾅쾅쾅' 세게 운전석 유리창을 때리는 소리.
놀라서 보면 무표정한 눈빛의 산영이 유리창을 두드리고 있다.
긴장한 눈빛으로 창문 밖을 바라만 볼 뿐 문을 열지 않는 홍새. 계속해서
쾅쾅쾅 창문을 두드리는 산영. 홍새가 문을 열지 않자, 재밌다는 듯 미소
짓는데..
그런 산영을 가만히 바라보던 홍새, 순간 '쾅' 문을 열고 내려서
산영과 마주 선다. 산영을 바라보다가 긴장한 눈빛으로 자신의 손목을
내려다보는데 아무런 변화가 없다.
산영, 그런 홍새를 가만히 보다가 피식 웃으며

산영   그렇게 겁나면서 왜 문을 열었어요?

고개 들어 산영을 바라보는 홍새.

홍새   확인해 보고 싶어서.. 니가 구산영인지 아닌지.

산영, 입가에 미소가 서서히 사라지며

산영   그게.. 그렇게 중요해요? 목숨을 걸 만큼?
홍새   나한텐 중요해. 그리고.. 목숨까지 안 걸어도 되는 거 같은데.

홍새를 바라보는 산영의 눈빛, 점점 싸해진다.

홍새   니가 오늘 뭘 하고 다니는지 많이 궁금했는데.. 이제 알 것 같아.

ㅡ 인서트

ㅡ 낮, 금은방 유리창 밖에서 실내를 바라보고 있는 산영의 눈빛이 향한 곳,
보석들이 아니라 그 너머 안쪽 작업실에서 도금 작업 중인 금은방 사장이
꺼내는 하얀 통, 시안화칼륨이다.

홍새(소리) 금은방에서 도금작업을 할 때 쓰이는 약품. 시안화칼륨. 다른
말로는 청산가리. 사람한테 치명적인 독극물이지.

ㅡ 낮, 화원을 둘러보는 산영의 시선, 화원 한 켠 선반에 판매 중인 살충제에
꽂힌다.

홍새(소리) 화원에서 판매하는 살충제도.

ㅡ 낮, 자동차 정비소 안, 무언가를 뚫어지게 바라보고 있는 산영. 고급스러운
외제차들 너머 선반에 놓인 자동차 부동액 용기다.

홍새(소리) 정비소에 있는 자동차 부동액도 모두 누군가를 독살할 때
사용되는 독성물질들이지.

ㅡ 다시 골목 일각으로 돌아오면
무표정한 산영을 바라보는 홍새.

홍새 진짜 구산영이었다면 눈길도 주지 않을 물건들이야.
산영 ...
홍새 누굴 죽이려는 거니? 산영이 어머님? 보험금을 타내려고?

산영, 홍새를 싸한 눈빛으로 보다가 미소지으며

산영	알면 어쩔 건데?
홍새	...
산영	아저씨, 나 못 막아. 그때도 못 막았잖아. 그 늙은 경찰 떨어져 죽을 때도.

문춘의 얘기에 눈빛 차가워지는 홍새. 산영을 바라보다가

홍새	왜 범행 수법이 바뀌었을까..

산영, 가만히 홍새를 바라본다.

홍새	선배님도.. 다른 사람들도 직접 죽이진 않았잖아. 그런데 왜 이번엔 독을 쓰려는 거야?
산영	...
홍새	이젠 그런 거 못 하는 거니? 손목에 붉은 멍을 만들어서 자살로 위장하는 거.

산영, 싸한 눈빛으로 홍새를 보다가..

산영	아저씨도 나보다 구산영이 더 좋아요?

홍새, 말없이 산영을 바라본다.

산영	아저씨도 내가 죽고 구산영이 살았으면 좋겠냐구.
홍새	..응.
산영	왜요?
홍새	꼿꼿해서.

산영, 가만히 화난 듯 홍새를 바라본다.
홍새, 역시 그런 산영을 가만히 바라보다가..

홍새   ..산영이 어떻게 했니?

산영, 홍새를 보다가 비웃듯 미소 지으며

산영   끝났어요.

차갑게 말을 내뱉고는 돌아서서 멀어지는 산영.
홍새, 불안한 눈빛으로 보다가 뚜벅뚜벅 걸어가 앞을 가로막으며

홍새   그게 무슨 소리야? 끝났다니.
산영   끝났다고. 다.

홍새를 차갑게 보고는 멀어지는 산영.
불안한 눈빛으로 그런 산영을 바라보는 홍새.

씬/21-3 오미트

씬/21-4 오미트

          악귀 2

드르륵 서재 문 열리면서 들어서는 해상.
강모가 숨진 대들보를 바라보다가 가방 안에서 금줄에 묶인 초자병을
꺼내 책상 위로 올라가 대들보 위에 올려놓고는 내려서는데 뒤쪽 서가의
어둠 속에 숨은 누군가의 손에 들린 칼이 보인다.
해상, 향이 이름이 적힌 종이를 소지하는데 순간 '으아아악' 들려오는
경문의 외침. 해상에게 칼을 들고 달려드는 경문. 해상, 본능적으로 피해
보지만, 날카로운 칼날에 팔을 베이고.. 놀라서 뒤로 물러서는 해상. 뚝뚝
바닥에 떨어지는 붉은 피.
경문, 막상 피를 보자 덜컥 겁이 나는 듯 부들부들 떨려오는 손. '툭' 칼을
바닥에 떨어뜨리고 눈물을 터뜨린다.

경문   미안해요.. 미안해요.. 이렇게 하면.. 산영일.. 내 딸을
         살려준다고 했는데.. 난 못 하겠어.. 산영아 미안해.. 미안해..
         산영아..

         울음을 터뜨리는 경문의 모습에서..

— 인서트
— 13씬에 이어지는..
         서늘한 눈빛으로 경문을 바라보는 산영.

산영   ..또 그런 엄마면.. 난 필요없는데..

         산영을 두려운 눈빛으로 바라보는 경문.

경문	너.. 누구야.. 내 딸 어딨어.. 우리 산영이. 어딨냐구.

산영, 경문을 바라보다가 거울을 가리킨다.

산영	저기. 저 안에 갇혀있어.

경문, 이해가 가지 않는 눈빛으로 거울을 바라본다. 거울에는 아무것도 보이지 않는다.

산영	니 딸은 저 안에서 죽게 될 거야.

경문, 믿기지 않는 눈빛으로 바라보다가..

경문	..산영이는 안 돼.. 뭐든 할게.. 뭐든 할 테니까.. 내 딸 돌려줘..

서늘한 눈빛으로 미소 지으면서 경문을 바라보는 산영.

산영	뭐든 하겠다?.. 사람을 죽일 수도 있어?

경문, 놀라서 바라보는..

산영	정말 죽이고 싶은 놈이 있었는데 못 죽였거든.. 염해상.. 걜 죽이면 니 딸 살려줄게..

흔들리는 눈빛으로 산영을 바라보는 경문.

산영	화원재로 가봐. 거기서 기다리면 걔가 올 거야..

— 다시 화원재 서재로 돌아오면

경문의 얘기를 듣던 해상의 눈빛에 불안감이 감돈다.

해상 산영 씨가 거울 안에 있다고 했다구요..

눈물 젖은 얼굴로 고개를 끄덕이는 경문. 해상의 눈빛, 믿기지 않는 듯
떨려온다.

해상 ..바뀐 거예요..

— 인서트
— 2부, 38씬. '쾅' 거울 안에서 산영의 모습을 한 악귀가 반대편 거울을
내려친다. 놀라서 거울 안의 또 다른 나를 바라보는 산영.
비웃듯 서늘한 눈빛으로 산영을 바라보는 악귀.

— 다시 현재, 화원재 서재로 돌아오면

해상 ..거울 밖에 산영 씨가 있었고, 거울 안에 악귀가 있었는데..
바뀌었어요..

— 인서트
— 1부, 20씬. 화원재 대문 밖, 뛰어서 멀어지는 산영의 그림자를 바라보는
해상, 산영은 머리를 묶고 있는데 산영의 그림자는 머리를 풀어헤치고 있다.
— 12부, 4씬. 카페 유리창 너머로 산영의 그림자를 바라보고 있는 해상.
머리를 풀어헤친 악귀의 그림자가 아닌 평소의 산영 그대로의 그림자다.

— 다시 화원재, 서재로 돌아오면

해상, 떨리는 눈빛으로

해상   그림자와 본체가 바뀐 겁니다.. 악귀가 산영 씨가 되고 산영
        씨가 그림자가 된 거예요..

— 인서트
— 10부, 36씬. 편의점에서 바라보던 산영과 해상.

해상   다섯 가지 물건.. 그걸 다 모으려고 날 이용한 거지? 그걸 모으면
        어떻게 되는 거야?

산영, 가만히 해상을 바라보다가..

산영   얼른 찾아내. 마지막 거.. 그럼 알 수 있을 거야.

— 다시 화원재 서재로 돌아오면
떨리는 눈빛으로 일어나 가방 안에서 부러진 비녀들을 꺼내 바라본다.

해상   아무도 찾지 못했던 마지막 물건.. 이걸 찾지 말았어야 했어요..
        이것 때문에 악귀가 산영 씨 몸을 가진 거예요..

경문, 모든 게 혼란스러운 눈빛으로 해상에게

경문   그게 무슨 소리예요. 그럼 우리 산영이.. 진짜 죽는 거예요?

경문, 산영을 잃을지도 모른다는 절박함에

경문 우리 산영이 제발 살려주세요.. 걔한테 해준 게 너무 없어요..
나 때문에 고생만 했는데.. 걜 이렇게 보낼 순 없어요.. 제발.. 내
딸을 살려주세요.

눈물에 젖은 경문을 바라보던 해상. 혼란스럽고 초조한 눈빛으로

해상 다섯 가지 물건과 이름.. 이건 그림자를 없애는 방법이에요..
이걸 봉인하면 그림자가 된 산영 씨가 위험해집니다. 다른
방법을 찾아야 하는데.. 시간이 없어요..

씬/23 N, 산영의 의식 안

밤하늘의 흑백 달 아래 거친 숨을 내뱉으며 골목을 뛰쳐나오는 산영.
겁에 질린 얼굴로 또 다른 골목을 뛰어가는데 발에 뭔가가 채이는 듯
들려오는 '쨍그랑' 소리. 보면 데구르르 바닥을 구르고 있는 초자병이다.
놀라서 바라보는데 순간, 산영의 발목을 잡아채는 창백한 손. 발목을
잡아당기는 강한 힘에 고꾸라지는 산영. 검은 옷의 얼굴이 보이지 않는
긴 머리의 여자에게 골목 안으로 끌려가기 시작한다. 골목 안의 구조물을
붙잡고 어떻게든 끌려가지 않기 위해 안간힘을 쓰는 산영.

씬/24 D, 국도 일각

화원재로 해상을 찾아가는 듯 차를 운전하고 있는 홍새. '염해상 교수'에게
전화를 걸고 있지만 전화를 받지 않는 해상.
그때 신호에 걸려서 멈춰 서는 자동차. 홍새, 핸드폰을 들어 해상에게

'구산영이 아니라 악귀였어요. 산영이가 위험합니다. 문자보면 연락..'
다급히 문자를 남기는데 그때 걸려오는 모르는 번호. 홍새, 누구지?
보다가 전화를 받는다.

홍새   여보세요.

수화기 너머에서 들려오는 병희 사건의 담당 형사의 목소리.

담당 형사(소리) 나병희 대표 변사사건을 수사 중인 김재현입니다. 현장에서
이상한 게 발견돼서 연락드렸어요.

씬/25   D, 산애 병원 건물 외경

씬/26   D, 산애 병원 보안실 밖 복도

보안실을 향해 걸어오는 해상. 보안실이란 푯말이 붙은 보안실 앞에서
해상을 기다리고 있던 듯한 홍새에게 다가오는데..

해상   악귀랑 만났다구요. 무슨 얘길 했습니까? 내가 꼭 봐야 할 게
뭐죠?

홍새, 서류봉투에서 과학수사팀이 찍은 듯한 현장 사진 사본 몇 장을
해상에게 건넨다. 병희의 왼손 검지에 남은 열상을 찍은 사진들이다.

홍새   할머님이 숨겼을 당시 현장 사진입니다. 왼손에 심한 열상이

발견됐어요.

해상　..추락하실 때 다치신 거 아닙니까?

홍새　아뇨.

씬/27　D, 산애 병원 보안실

병원 여러 곳을 비추는 씨씨티브이가 설치된 보안실.
한 켠에 설치된 컴퓨터에서 병원 건물 외곽 한 곳을 비추고 있는
씨씨티브이 화면을 확인하고 있는 해상과 홍새. 추락해서 피를 흘리며
죽어가고 있는 병희가 찍힌 화면이다.
화면 속 행인들, 놀라서 어찌할 바를 모르는데 병원 건물 쪽에서 나온
듯한 산영이 아무렇지 않게 추락한 병희가 흘린 붉은 피를 밟으며
뚜벅뚜벅 멀어진다.

해상　..뭘 보라는 거죠?

홍새, 화면 속 병희를 가리킨다.

홍새　즉사하지 않으셨어요.

해상, 홍새의 말에 화면 속 병희를 바라보는데..
병희, 멀어지는 산영을 보다가 주변에 떨어져 있는 유리 조각을 들어서
자신의 왼손 검지를 찍어내린다. 놀라서 바라보는 해상.
홍새, 화면을 정지시키며

홍새　왼손 검지의 상처는 할머님이 일부러 내신 거예요. 다잉

메시집니다. 뭔가를 얘기하려고 하신 거죠.

화면을 바라보는 해상의 눈빛, 떨려온다.

— 인서트
— 4부, 27씬. 도서관 휴게실에서 기사를 읽어 내려가는 산영.

산영　　늙은 무당이 인근 지역 여아를 유괴 납치하며 곡기를 주지 않길
　　　　　십칠일이나 하였다. 굶주린 여아에게 주먹밥을 대죽에 끼어
　　　　　내민다. 이 여아의 정신력이 대죽을 잡으려 할 때... 칼로 여아를
　　　　　쳐죽여 그 여아의 손가락을.. 신체로 삼는다..

— 다시 현재, 보안실로 돌아오면

해상　　여아의 손가락..
홍새　　(보는)
해상　　..목단이의 손가락은 태자귀를 만든 무당, 최만월의 신당에서
　　　　　발견됐어요.

— 인서트
— 7부, 17씬. 만월의 신당 안을 둘러보던 형사들.
　　한쪽 신단 위를 살펴보는 형사1. 음식들 사이에 정갈하게 개어져 있는
　　어린 여자아이의 옷. 옷가지 옆에 흰 천으로 감싸여진 목단이의 손가락.

— 다시 보안실로 돌아오면
　　홍새를 바라보는 해상.

해상   그런데 진짜 태자귀가 된 이향이의 손가락은.. 어디에 있는 걸까요..

            ─ 인서트
            ─ 11부, 85씬. 병실에서 향이와 얘기를 나누던 병희.

병희   향이야. 니 이름 말한 거 미안해. 하지만.. 그건 얘기하지 않았어.
산영   죽으면 아예 얘기를 못 하겠지.

            ─ 밤, 산애 병원 건물 밖.
            추락한 채 피를 흘리며 죽어가는 병희. 점차 흐릿해져 가는 병희의
            시선에 자신의 피를 밟고 유유히 멀어지는 산영의 뒷모습이 보인다.
            죽어가면서도 분노에 휩싸이는 병희의 눈빛.

병희(소리)   나 혼자 죽을 수 없어.. 너도.. 너도 죽게 만들 거야..

            옆에 떨어진 유리 조각을 들어 자신의 왼손 검지를 찍어 내리는 병희.

            ─ 다시 보안실로 돌아오면
            왼손 검지를 찍어내리는 병희의 모습에서 정지된 씨씨티브이 화면을
            바라보는 해상.

해상   태자귀의 신체.. 이향이의 손가락.. 할머니는 죽으면서 그걸
            가리킨 거예요. 그걸 찾으라고..

씬/28   N, 해상의 본가 건물 앞

건물 앞에 홍새의 차, 과학수사팀의 승합차. 담당 형사의 차량 등이
세워져 있다.

씬/29   N, 창고 안

창고 바닥, 나무문 안 숨겨진 공간에 놓인 백골 사체의 사진을 찍고 있는
과학수사팀들. 옆에 펼쳐놓은 파란 비닐 천 위에 하나씩 향이의 유골들을
꺼내기 시작하는데..

씬/30   N, 창고 밖 정원

홍새와 대화 중인 담당 형사.
조금 떨어진 곳에는 초조한 눈빛으로 앉아있는 해상.

홍새   저 백골 사체, 이향이라는 여자아이예요. 나이는 열여섯.
         58년도에 나병희 대표가 사주해서 살해당한 거예요.

담당 형사   (뒤쪽의 해상을 보며) 그거 다 저분이 진술한 거죠? 진술만 있고
         확증은 없네요.

홍새   (답답한 눈빛으로 말문이 막힌다)

담당 형사   잘 알겠지만 오래된 백골 사체에선 디엔에이가 검출될
         가능성이 거의 없어요. 게다가 범인으로 지목된 나병희 대표는
         숨졌습니다. 확증도 없고 용의자도 없고 불송치될 가능성이
         99프로예요. 국과수에 특수부검을 의뢰하겠지만 큰 기대는 안

하는 게 좋아요.

돌아서서 정원을 먼저 빠져나가는 담당 형사.
그때, 열린 창고 문으로 걸어 나오는 과학수사요원들. 철수하는 듯 백골
사체가 들린 파란 천과 감식 가방, 카메라들을 들고 멀어지는데
홍새, 그중 수사요원1에게 다가가 신분증 보여주며

홍새   어떻게 됐습니까?

요원1   백골 사체, 유골 수습은 끝났는데요. 왼손 검지 기절골 일부와
중절골, 말절골이 보이지 않습니다.

홍새, 뒤따라와서 함께 얘기를 듣던 해상과 시선 마주치다가

홍새   왼손 검지가 안 보인다는 얘기예요?

요원1   예.

홍새   창고 안, 다른 곳도 찾아보셨어요?

요원1   예. 샅샅이 뒤져봤는데 보이지 않았어요.

과학수사요원1, 다른 요원들 뒤를 따라 멀어지고. 정원에 단둘이 남는
해상과 홍새.
해상, 천천히 시선 돌려 어두운 본가 건물을 올려다본다.

해상   창고 안에 없다면.. 저 안에 있는 거예요.

씬/31   N, 해상의 본가 건물 안 거실

'쾅' 문이 열리면서 들어서는 해상과 홍새.

홍새   정원에 묻어놨을 가능성은 없습니까?

해상   해마다 잔디를 다시 깔고 정원사도 수시로 드나들었어요. 그런
곳에 그렇게 중요한 물건을 놓지 않았을 거예요.

벽에 있는 스위치를 켜자 불이 들어오면서 드러나는 거실.
홍새, 생각보다 훨씬 화려한 거실을 놀라서 보다가

홍새   좋았겠어요. 이런 집에 살아서..

해상   좋았겠어요? 이런 집에 살아서?

씬/32   N, 해상의 본가 건물 안 서재

— '우르르' 바닥으로 떨어지는 책장 안의 책들. 책들을 떨어뜨린 뒤 책장
안을 훑어보는 해상.

해상   여길 거예요. 할머니가 제일 오래 머물던 곳이 서재예요.

홍새 역시 반대쪽의 책들을 아래로 끌어내린 뒤 책장을 훑어본다.

— 홍새, 책상 서랍째로 빼서 안에 있는 물건들을 바닥에 뒤집어엎어
내용물을 확인하고 책상 서랍 안 빈 공간도 다 확인한다.
— 금고 숫자를 맞춰서 열어보는 해상. 하지만 그 안은 텅 비어있다.

— 벽면에 걸린 중현, 승옥, 재우의 사진들을 내려 액자 안까지 샅샅이 훑는
　해상.
— 모든 책들과 물건들이 엉망으로 나뒹굴고 있는 서재 안. 서재에 설치된
　벽난로 안을 살펴보는 홍새. 다른 곳을 살펴보다가 그런 홍새를 힐긋 보는
　해상.

해상　　불과 관련된 곳은 아닐 겁니다. 부정한 것을 정화시키는 게
　　　　　 불이에요. 귀신과는 상극인 곳이죠.
홍새　　불과 상극이라구요. 그럼 그 손가락을 찾으면 태워버리면 되는
　　　　　 건가요?
해상　　맞아요.

　　　　　 홍새, 가라앉은 눈빛으로 엉망이 된 서재를 둘러보다가

홍새　　..찾지 못하면요?
해상　　(보는)
홍새　　찾지 못하면.. 구산영은 어떻게 됩니까?

　　　　　 해상의 낯빛, 어두워진다.

씬/33　N, 산영의 의식 안

　　　　　 골목의 어둠 속으로 산영을 끌고 가려는 검은 옷의 여자.
　　　　　 골목 구조물을 잡고 끌려가지 않으려고 안간힘을 써보는 산영의 힘들고
　　　　　 지친 눈빛. 그때 천천히 다가오는 또 다른 창백한 손. 구조물을 붙잡고
　　　　　 있는 산영의 손가락을 하나둘씩 펴기 시작한다.

결국 구조물을 놓치면서 골목 안 어둠 속으로 끌려들어 가는 산영. 모든 게 끝난 듯 조용해지는 골목 안. 산영도 여자들도 사라지고 아무도 없는 골목을 비추는 하늘 위 흑백 달.

씬/34   N, 현실, 산영의 방

거울을 바라보며 차갑게 미소 짓는 산영.
그때 밖에서 들려오는 현관문 열리는 소리.

씬/35   N, 산영의 방, 거실

방문 열리면서 나오는 산영. 두려운 얼굴로 거실로 들어서고 있는 경문이다.

산영   죽였어?

더욱 두려움에 차오르는 경문의 눈빛.
산영, 그런 경문을 바라보다가 그럴 줄 알았다는 듯

산영   못 죽였구나.

냉장고로 다가가 문을 열어 주스 병을 꺼내는 산영.
경문에게 등을 돌린 채 싱크대 위에서 컵에다 주스를 따르며

산영   그럴 줄 알았어. 너 옛날부터 잘하는 게 없었잖아. 맨날 미안해, 잘못했어. 징징거리기만 해대지. 귀찮게 됐네. 대신 죽여줬으면

좋았을 텐데..

경문, 그런 산영의 뒷모습을 겁에 질린 듯 바라보는데

산영   그래서 뭐래? 그 교수는?

경문   ...

산영   얘기해 봐. 너 지금 니 딸 살리려고 다시 기어들어 온 거잖아.

경문, 떨리는 눈빛으로 산영을 바라보다가..

경문   그 사람들이.. 니 손가락을 찾고 있어.

순간, 주스를 따르던 산영의 눈빛, 차갑게 식는다.

경문   그걸 찾으면 널 없앨 수 있다고.. 얘기해줬어.

천천히 뒤돌아 경문을 바라보는 산영.
경문, 두려운 듯 산영을 보다가 눈물이 터지면서 무너진다.

경문   산영이 살릴 수 있는 거 너밖에 없다면서.. 너한테 얘기하지
          말라고 했는데 얘기한 거야.. 그러니까.. 제발 내 딸.. 살려줘..

산영, 그런 경문 바라보다가 등을 돌려 식탁 위에 따라놓은 주스 잔에
뭔가를 콸콸 붓고는 뒤돌아 주스 잔을 경문에게 내민다.

산영   그럼 이거 마셔.

주스 잔을 든 산영의 등 뒤 싱크대 위에 보이는 자동차 부동액 용기를
바라보는 경문의 떨려오는 눈빛.

씬/36 N, 해상의 본가 건물 몽타주

— 서재를 모두 다 뒤진 듯 거실을 뒤지고 있는 해상과 홍새. 소파를
끌어내고 바닥을 살펴보는 홍새.
— 주방, 냉장고를 끌어내고 그 뒤를 살펴보는 해상.
— 거실, 소파 뒷면을 칼로 엑스자를 그어서 그 안을 살펴보는 홍새.
— 거실, 벽면을 훑어보는 홍새.
— 이층으로 올라가는 계단, 벽면을 툭툭 치면서 살펴보는 해상.

씬/37 N, 해상의 본가 건물 거실

아수라장이 된 거실 바닥에 앉아있는 해상,
벽면을 치다가 결국 포기하고 소파로 와서 앉는 홍새.

홍새   이 집 안에는 없는 것 같아요.
해상   아뇨.. 여기밖에 없어요.. 숨길 곳은.. 여기밖에 없는데..

그때 '띵' 울리는 홍새의 핸드폰 문자 메시지 착신음.
확인해 보면 발신자, 구산영 어머님 윤경문. '집으로 빨리 와주세요.
향이가 저를 죽이려고 해요.' 놀라서 바라보는 홍새.

씬/38 N, 해상의 본가 건물 밖

건물 밖에 주차된 홍새의 차로 뛰어나오는 해상과 홍새.

씬/39 N, 산영의 집 거실

바닥에 떨어져 있는 주스 잔, 그 옆에 숨진 듯 쓰러져 있는 경문. 그 옆에서
경문의 핸드폰으로 홍새에게 문자를 보낸 듯한 차가운 눈빛의 산영.
경문의 핸드폰 전원을 꺼버리고는, 바닥에 던져버리고 현관문을 열고 나간다.

씬/40 N, 거리 일각

도심의 소음 속, 차가운 표정으로 거리를 뚜벅뚜벅 걷고 있는 산영.

씬/41 N, 해상의 본가 건물 앞

무표정한 표정으로 한발 두발 건물로 다가서고 있는 산영.
급하게 나가느라 열려있는 듯한 대문을 바라보다가 천천히 문을 열고
들어간다.

씬/42 N, 해상의 본가 거실

끼이익 현관문이 열리면서 불 꺼진 거실로 들어서는 산영.

해상과 홍새가 뒤지느라 엉망이 된 텅 빈 거실 안으로 천천히 들어서서
가만히 주변을 둘러본다. 아무런 인기척도 느껴지지 않는다.
천천히 시선을 들어 앞을 바라보는 산영의 모습에서..

씬/43   N, 과거, 동장소

전 씬의 거실의 모습에서 서서히 과거 58년도의 거실로 변하는 화면.
현관문이 열리면서 들려오는 병희와 승옥.

병희   (승옥에게) 피곤하실 텐데 먼저 들어가세요. 나머지는 내가
알아서 할게요.

승옥, 알았다는 듯 고개 끄덕하고는 이층으로 올라간다.
그때 뒤쪽 현관문에서 들어서는 만월. 어깨 쪽에 검은 핏자국, 창백한
안색이다. 뒤돌아 만월을 바라보는 병희.

병희   수고했어. 약속한 돈은 보낼 테니까 그만 돌아가 봐.

만월, 병희를 보다가 창백한 얼굴로 흰 봉투를 건넨다.

만월   만에 하나 악귀를 없애시고 싶으실 때 이 방법대로 하시면 됩니다.

병희, 봉투를 건네받고 열어보는데 그 안에 '붉은 댕기' '푸른 옹기'
'흑고무줄' '초자병' '옥비녀'가 적혀있고, 그 아래 악귀의 이름 '李香伊'가
적혀있다.

만월	조심하세요. 그 안에 적힌 다섯 가지 물건과 이름. 하나라도 틀리면 악귀를 없애려는 사람에게 화가 미칠 겁니다.

병희, 종이를 다시 봉투 안에 넣으며

병희	왜 내가 그 귀신을 없애겠어. 우리 집에 돈을 갖다줄 텐데.

만월, 굳은 얼굴로 병희를 바라보는

만월	대대로 태자귀를 만들어 왔지만 이번에는 달라요. 애가 보통 질긴 게 아니에요. 사람한테 달라붙을 수도 있어요.

만월, 향이의 손가락이 든 작은 나무상자를 병희에게 건넨다.

만월	그땐 신체를 없애야 합니다.

작은 나무상자를 내려다보는 병희.

만월	언제나 볼 수 있는 곳. 하지만 아무도 찾지 못하는 곳에 두셔야 합니다.

씬/44   N, 과거, 서재

책상 아래 금고에 종이봉투를 넣는 병희. 손가락이 든 나무상자도 넣으려고 하다가 멈칫. 나무상자를 다시 꺼내고 금고문을 닫는다. 나무상자를 바라보다가 천천히 서재를 나선다.

씬/45   N, 과거, 거실

텅 빈 거실로 걸어 나오는 병희. 천천히 주변을 둘러보다가 벽난로를 향해
다가가는데..
화면 서서히 이층 쪽을 비추면 이층 어두운 난간에 서서 병희를
내려다보고 있는 승옥. 그런 승옥의 머리를 풀어헤친 그림자.

씬/46   N, 현재, 동장소

과거, 병희가 서 있던 그곳에 서서 어딘가를 바라보다가 천천히 벽면
중앙에 위치한 거대한 벽난로로 다가가는 산영.
벽난로 윗면의 장식물 뒤편에 손을 넣어 작은 나무상자를 꺼낸다. 가만히
상자를 바라보는데.. 뒤쪽에서 들려오는 '달칵' 문을 잠그는 소리.
산영, 굳은 눈빛으로 돌아보면 현관문을 잠그고 열쇠를 주머니에 넣으며
산영을 바라보는 해상이다.

해상   거기에 있었구나.

산영, 차갑게 식은 눈빛으로 해상을 바라보는데..

해상   놀랐어? 내가 여기 있어서?

산영에게 다가오는 해상.

해상   우리를 잘 유인했다고 생각했겠지.

— 인서트

— 39씬에 이어지는..

건물 밖에 주차된 차로 뛰어나오던 해상과 홍새. 해상, 차 문을 열려다가
멈칫하며 홍새에게

해상   잠깐만요. 문자가 정확히 어떻게 왔다구요?

홍새, 해상의 질문에 핸드폰을 꺼내 문자를 확인한다. 홍새 옆으로
다가와서 함께 문자를 확인하는 해상.
'집으로 빨리 와주세요. 향이가 저를 죽이려고 해요' 문자를 바라보던 해상.

해상   난 산영 씨 어머님한테 악귀의 이름을 얘기한 적이 없어요..

홍새, 멈칫해서 해상을 본다.

해상   이걸 보낸 건 산영 씨 어머님이 아닙니다. 악귀가 보낸 거예요.

— 다시 해상의 본가 거실로 돌아오면
산영을 바라보고 있는 해상.

해상   그래도 연락해줘서 고마웠어.

— 인서트

밤, 산영의 집. '쾅' 문 열리면서 들어서는 홍새. 바닥에 쓰러져 있는 경문을
발견하고 다급히 다가가 맥박을 확인하는데 들려오는 119의 사이렌 소리.

— 다시 해상의 본가 거실로 돌아오면

차가운 눈빛의 산영을 바라보며 얘기를 이어가고 있는 해상.

해상 산영 씨 어머님은 응급실로 옮긴 덕분에 무사하시대.

산영의 눈빛, 분노로 더욱 차갑게 식는다.
해상, 그런 산영이 들고 있는 나무상자를 바라보며

해상 그것도 고마워. 널 없앨 수 있는 또 다른 방법. 그걸 찾아줘서.

산영에게 다가와 손을 내미는 해상.

해상 내 놔. 니 손에 있는 거.

산영, 해상을 노려보다가

산영 우린.. 살려고 했어..
해상 (보는)
산영 먹을 게 없어서 나무껍질까지 벗겨먹고, 친자식까지
          팔아먹으면서도 어떻게든 살아보겠다고 발악을 했다구.
          그런데 너희는.. 죽고 싶어 하잖아. 구산영 이 기집애도 똑같아.
          외롭다고 힘들다고 죽고 싶어 했어. 진짜 외롭고 힘든 게 뭔지
          알지도 못하면서 내가 그렇게 원하던 인생이란 걸 포기하려고
          했다구.
해상 ...
산영 그냥 내가 살게. 열심히 살아볼게. 정말 치열하게 내가 하고
          싶은 거 다 해보면서 즐겁게 살아볼게.. 그러니까.. 날 살려줘..

해상, 절박한 눈빛의 산영을 바라보다가

해상   그걸 결정하는 건 내가 아냐. 너도 아니지. 죽을지 살지
선택하는 건 산영 씨의 몫이야. 그리고 난.. 산영 씨가 옳은
선택을 할 거라고 믿어.

해상, 산영에게 다가가 나무상자를 쥔 산영의 손목을 강하게 잡아챈다.
산영, 손목을 빼보려고 하지만 해상의 완력을 이겨낼 수 없다. 산영의
손에서 억지로 나무상자를 빼앗아 드는 해상. 분노와 죽을 수도 있다는
공포로 눈빛이 떨려오는 산영.
해상, 상자를 열어보는데 안에 놓여져 있는 향이의 손가락 뼈. 내용물을
확인한 뒤 다시 뚜껑을 닫는 해상. 주머니 안에서 휴대용 라이터 기름통을
꺼내 나무상자에 쏟아붓는다. 상자 아래에도 여기저기 떨어지는 기름.
모두 쏟아붓고 텅 빈 기름통을 바닥에 던진 뒤, 지포라이터를 꺼내는 해상.

해상   이제 넌 니가 가야 될 곳으로 가.

순간, 엉망진창이 된 바닥에 떨어져 있던 작은 석고상 장식품을 집어
들어 자신의 머리를 내려치는 산영. 석고상이 산산조각이 나며 붉은 피가
흘러내리는 산영의 얼굴.
해상, 멈칫 바라보며

해상   뭘 하는 거야.

또다시 옆에 놓인 유리로 된 소형 스탠드를 들어 올려 머리에 내려치는
산영. 더욱 피투성이가 된다.

산영   이 몸이 죽으면 구산영은 돌아올 수 없어.. 어떡할래..

해상, 그런 산영을 바라보지만 결심한 듯 '탁' 지포라이터를 켠다. 붉게
타오르는 지포라이터 불빛. 금방이라도 나무상자가 타오를 듯한데
산영, 순간 바닥에 떨어진 날카로운 유리를 집어들어 자신의 눈을
찍어버리려 한다. 순간 놀란 해상, 다급히

해상   그만해!!

아슬아슬, 눈 바로 앞에 유리 조각을 갖다 댄 산영, 해상을 노려보며

산영   내려놔.
해상   ...
산영   ..내려놓으라고!!

지포라이터를 끄는 해상.

해상   알았어.. 내려놓을 테니까. 그만해..

해상, 지포라이터와 나무상자를 바닥에 내려놓으려는데..
그 순간, 산영, 자신이 들고 있던 유리 조각으로 해상의 얼굴을
그어버린다. 붉은 피를 흘리며 비틀하는 해상의 어깨를 붙잡고 복부
쪽에 유리 조각을 꽂고 뒤로 물러서는 산영. 뒤로 물러서서 광기에
젖은 눈빛으로 웃으며 해상을 바라보는 산영. '툭툭' 바닥에 떨어지는
나무상자와 지포라이터.
해상, 떨리는 눈빛으로 자신의 배를 감싸 안으면 그사이로 흘러나오기
시작하는 붉은 피. '쿵' 무릎을 꿇고 무너지다가 쓰러진다. 정신을

잃어가는 듯 흐려지는 해상의 시선. 그런 해상을 차갑게 노려보는 산영.
해상이 내려놓은 나무상자를 들어 올린다. 해상, 어떻게든 막아보려
하지만 손이 움직이질 않는다. 그런 해상을 차갑게 내려다보는 산영.

산영   니가 감히 날 없애?

해상의 주머니에서 열쇠를 꺼내 들고 피를 뚝뚝 떨어뜨리면서 한 손에
나무상자를 쥐고 현관을 향해 걸어가는데 순간, 뭔가 이상한 듯 멈춰선다.
발이 더 이상 움직이지 않는다. 뭐지..? 불안한 눈빛으로 손목을 보는데
손목에 서서히 붉은 멍이 들기 시작한다.
놀라서 주변을 둘러보다가 한 벽면에 붙어있는 거울을 바라보는 산영.
(작가 주 — 이하 악귀로 칭함) 거울 안에 서 있는 진짜 산영과 눈이
마주치고 소스라치게 놀라 낯빛 굳어진다.

악귀   너.. 뭐야.. 넌.. 사라졌잖아..!

거울 안의 진짜 산영, 악귀를 바라보며

산영   아니.. 그럴 수 없었어.

씬/47   N, 산영의 의식 안

33씬, 정적 속의 골목의 어둠을 비추는 화면.
그런 어둠 속으로 끌려온 산영. 천천히 정신 차리고 주변을 둘러본다.
한 치 앞도 보이지 않는 어둠. 순간 그 속에서 튀어나오는 창백한 손이
산영을 넘어뜨린 뒤 산영의 목을 조르기 시작한다.

괴로움에 몸부림치는 산영, 저항을 하며 몸부림치다가 양손으로 여자의
얼굴을 가린 머리카락을 흩어놓는데 그사이로 보이는 여자의 얼굴.
눈빛엔 슬픔이 배어 있지만 입가에는 미소를 짓고 있는 산영, 자신의
얼굴이다.

산영(소리)   어둠 속으로 날 몰아세운 건 나였어. 내가 날 죽이고 있었어..

— 인서트
— 밤, 편의점 안. 대학생 산영이 돈이 든 봉투를 편의점 사장에게 건네며
사과를 하고 있다.

산영   죄송합니다. 엄마가 편의점 알바가 처음이라 냉장고 조작이
힘드셨나 봐요. 나머지 돈은 제가 다음 달까지 꼭 갚겠습니다.

사장, 어린 산영이 딱한 듯 보다가

사장   알겠으니까, 가봐요.

산영, 다시 고개 숙여 인사하고 돌아서는데 들려오는 사장의 목소리.

사장(소리)   어린애가 부모 잘못 만나서..

산영, 멈칫.. 멈춰 서는데 편의점 유리창 밖에 서 있는 경문. 눈물을 보이지
않으려는 듯 억지로 눈물을 참고 있다. 맘이 아프다.
그때 들려오는 사장의 목소리.

사장(소리)   기운 내요.

산영, 울컥하는 듯 눈빛 떨려오지만 꾹 참으며 미소 지으며 돌아보는데
산영을 위협하던 검은 옷을 입은 여자와 똑같은 얼굴이다.

산영　　　네. 감사합니다.

　　　— 밤, 거리 일각. 대리 콜을 받은 듯 어디론가 뛰어가고 있는 산영.
　　　저 앞쪽으로 보이는 차 한 대로 다가가

산영　　　대리 부르셨죠?

　　　차 주변에 서 있던 산영 또래로 보이는 여자들. 산영을 보다가

여자1　　　어, 너.. 구산영 아니니?
산영　　　(멈칫 보는)
여자1　　　어머, 너 또 알바하는 거야? 대단하다.

　　　— 밤, 주택가 일각에 멈춰 서는 자동차. 산영에게 돈을 건네는 여자1.

여자1　　　기운 내. 넌 씩씩하잖아.

　　　산영, 여자1을 보다가.. 미소 짓는다. 검은 옷의 여자와 똑같은 얼굴.

산영　　　응. 고마워.

　　　— 밤, 터덜터덜 한강 다리 위로 다가와 서는 산영.
　　　가만히 강물을 내려다보는 산영의 모습 위로 들려오는 각양각색의
　　　목소리. '불쌍해' '어린애가 짠하다' '어떻게 버텼어?' '힘들면 얘기해'

눈빛은 슬프지만 어떻게든 힘을 내보려는 듯 입가에 미소를 짓는 산영.
검은 옷의 여자와 똑같다.

산영(소리)   나는 한순간도 나를 위해 살아본 적이 없었어. 나만을 위한
선택을 해본 적도, 내가 가고 싶은 곳으로 걸어본 적도.. 나는 왜
누굴 위해 그렇게 스스로에게 가혹했을까.

— 다시 산영의 의식 안, 어둠으로 돌아오면
순간 자신의 목을 조르는 여자의 손을 붙잡는 산영. 그 손을 밀어내기
시작한다.

산영(소리)   그걸 깨닫고 나니 죽을 수가 없었어. 오직 나만을 위해 살아가는
것을 택할 거야. 엄마를 위해서도 그 누구를 위해서도 아닌
온전히 나의 의지로 살아가 볼 거야.

씬/48   N, 해상의 본가 거실

거울 안의 산영을 믿기지 않는 듯 바라보던 악귀. 서서히 부들부들 떨리는
몸으로 뒤돌아서서 해상이 떨어뜨린 지포라이터를 향해 다가간다.
해상, 흐린 눈빛으로 그런 산영을 바라보는..

악귀   안 돼.. 하지 마..

붉은 멍이 든 손목으로 지포라이터를 들어 올리는 악귀.

악귀   하지 마!!

지포라이터의 뚜껑을 들어 올려 불을 켠다. 붉게 타오르는 불. 부들부들
떨려오는 손으로 나무상자에 불을 붙이는 악귀. '으아아아악!' 거칠고
비통한 비명을 지르는 악귀.
불붙은 나무상자가 바닥에 떨어지고.. 그 주변에 떨어진 기름들로 화르륵
타오르기 시작하는 주변. 그 안에서 붉게 타오르는 나무상자를 바라보는
악귀의 마지막 눈빛 위로 빠르게 스치고 지나가는 영상.

— 인서트
— 11부, 62씬의 푸른 바다, 푸른 하늘, 반짝이던 햇볕.

— 현재, 해상의 본가 거실로 돌아오면
쿵 무릎을 꿇고 고개를 떨구는 악귀. 활활 타오르는 나무상자를 확인하는
해상. 그제서야 정신을 잃는 듯 눈을 감고..
천천히 고개를 들어 붉은 화염을 바라보는 산영. 거울을 비추면 그 안에
있던 산영의 모습은 어느새 사라져 있고. 점점 더 거세게 타오르는 화염을
가만히 바라보는 산영의 눈빛. 그 안에 일렁이는 불빛으로 화면 다가가며
암전.

씬/49   D, 산 일각 짚라인 하차장

암전된 화면 위로 들려오는 산영의 '아아아아아악' 비명 소리.
서서히 화면 밝아지면 녹음으로 뒤덮인 산. 짚라인을 타고 내려오고
있는 산영이다. 혼비백산 눈도 못 뜨고 하차장에 도착해 직원의 도움을
받으며 기구에서 내려서는 산영. 어질어질 걸어가 기둥을 붙잡고 정신을
차리려는데 뒤이어 환호성과 함께 내려서는 경문.

경문   산영아. 이거 너무 재밌다.

그 뒤를 이어 내려서는 세미.

세미   와! 겁나 재밌어.
경문   그치.

경문, 신나 하다가 한쪽에서 정신없는 산영 보고는

경문   너 왜 그래? 니가 타자며?
세미   그러니까요.

산영, 정신 차리고 일어서며 헬멧을 벗는데 이마에 아직 남아있는 붉은
흉터 자국.

산영   자 이제 다음 거 하러 갑시다.

씬/50   N, 전망대

전망대에 돗자리를 깔고 누워 하늘을 바라보고 있는 산영, 경문, 세미.

경문   진짜.. 이쁘네.

세 사람이 올려다보고 있는 밤하늘. 별이 가득하다.

세미   근데 산영아. 짚라인, 별 보기, 버킷리스트 다 좋은데. 그런 건

안 하고 싶어? 풀빌라 리조트에서 수영하기. 5성급 호텔에서 애프터눈 티 마시기.

산영   조용히 좀 해라. 언니 오랜만에 좋은 거 보는데.

그때, 경문, 뭔가 생각난 듯 벌떡 일어서며

경문   아! 깜박했네. 약 먹을 시간인데. 나 차에 좀 다녀올게.

산영, 몸을 일으키며

산영   내가 다녀올게.
경문   아냐. 내 약 내가 챙겨 먹어야지. 우리 딸은 좋은 구경 더 하고 있어.

일어나서 멀어지는 경문. 세미, 몸을 일으켜 그런 경문 바라보며

세미   어머님, 좀 변하신 것 같다.
산영   (옅은 미소로) 그러게.
세미   (다시 누우려다가) 아 맞다. 그 집 팔았어? 화원재인가 하는데. 내놓은 지 꽤 됐잖아?
산영   (기운 빠지며) 그게 산다는 사람이 없네.. 가격을 좀 더 깎을까 봐.
세미   혹시 거기 귀신 나오는 집이라구 소문난 거 아냐?

산영, 쉿 하면서 혹시 경문이 다시 오나 두리번거리는, 세미도 말실수했나 싶어 눈치 보다가

세미   왜? 아직도 어머니, 귀신 얘기만 들으면 발작하셔?

| 산영 | ..좋아지고 있는 중이야. 더 좋아지시겠지. |

세미, 산영을 보다가

| 세미 | 넌..? 괜찮아? |
| 산영 | ..(미소 지으며) 응. 괜찮아. |

씬/51   D, 카페 봄 외경

점심시간이 지난 듯 한산한 오후.

씬/52   D, 카페 안

활짝 열린 통창 너머로 따뜻한 봄이 느껴지는데..
손님 없이 텅 빈 카페. 주방 안에서 설거지를 마무리하고 있는 산영. 물이
튄 싱크대를 닦고 정리가 끝난 뒤 돌아서서 카페 안을 바라본다. 불어오는
바람, 따뜻한 햇볕에 반짝이는 카페를 바라보던 산영. 눈을 감고 천천히
하나둘씩 조심스레 물건들의 위치를 확인하기 시작한다. 카운터 포스기,
커피머신, 블렌더, 오븐, 믹서기, 도마, 칼의 위치, 깨끗하게 씻은 컵들을
조심스럽게 만져가는데..

| 홍새(소리) | 조심해. |

놀라서 눈을 뜨고 보면 컵 하나가 위태롭게 가장자리에 놓여있다. 산영,
안도의 한숨을 내쉬고는 컵을 안쪽으로 옮겨놓으며 뒤돌아 홍새를 바라보며

산영	아메리카노에 샷 하나만 따뜻하게 맞죠?
홍새	너도 같이 마시자. 내가 살게.

─ 시간 경과되면
테이블에 마주 앉아있는 산영과 홍새.

홍새	눈은 좀 어떠니?
산영	아직은 괜찮아요. 병원에서도 당장 실명하진 않는다고 했어요. 짧게는 2, 3년.. 길게는 5, 6년. 뭐.. 그 정도는 남았대요.
홍새	어머님한텐.. 아직 말씀 안 드린 거야?
산영	..엄마가 아직은 좀 불안장애가 있어서요. 좀 더 괜찮아지면 얘기할려구요.

담담하게 얘기하는 산영을 홍새, 가만히 보다가

홍새	염 교수님 할머님 변사사건. 단순 자살로 종결될 것 같아.

산영, 악귀를 떠올리는 듯 눈빛 가라앉다가

산영	그렇군요..

홍새, 산영을 보다가 커피 한잔을 마시고 내려놓으며

홍새	앞으로 어떻게 할 거니?
산영	..아직은 잘 모르겠어요. 천천히 생각해 보려구요. 지금까지 너무 급하게만 살아왔으니까.. 뭐가 되고 싶은지 뭘 하고 싶은지.. 고민도 해보면서 천천히 가볼려구요.

홍새, 산영을 바라보다가 옅게 미소 짓는다.

홍새   내가 틀렸었네.

산영   (보는)

홍새   넌 변하지 않았다구..

산영   ..내가 어떤 사람이었는데요?

홍새, 대답 없이 그저 미소 짓는데..
통창 너머에서 희끗 하나둘씩 날리기 시작하는 꽃잎들. 산영, 그런
꽃잎들을 보다가

산영   ..이쁘다.. 눈 같네요..

홍새   (산영을 따라 창밖을 보다가) 그러네.. 그날 같다.

산영, 무슨 얘기지? 문득 고개 돌려 홍새를 바라보고..
홍새, 말없이 창밖을 바라본다.

씬/53   D, 시골마을, 마을회관 전경

숯 봉지들이 가득 실린 상자들을 트럭에 싣고있는 등 부산하게 움직이고
있는 마을 사람들.

씬/54   D, 마을회관 안

정갈하게 의복을 갖춰 입은 마을 사람들이 마주 앉아 숯 봉지를 만들고 있다.

'사랑하는 어머님, 좋은 곳으로 가게 해주세요' '작은 손녀 대학 합격하게
해주세요' '가족들의 건강' '올해는 더 많이 웃자' '그곳에선 모두 행복하길'
각각의 소원이 적힌 흰 종이를 깔고 숯가루를 안에 넣은 뒤 양쪽 끝을
잡고 돌돌 말아서 모양을 만든 뒤 끝을 마 끈으로 묶고 있는 사람들.
조금 떨어진 곳에서 그런 모습들을 조심스럽게 사진에 담고 있는 해상.
함께 지역조사를 나온 듯한 해상의 제자들이 다른 할머니들의 작업을
둘러보고 있는데.. 해상, 둘러보다가 그런 학생들에게 다가가

| 해상 | 작업 휴식 틈틈이 할머니들 인터뷰도 해야 해요. 언제부터 이런 작업을 하셨는지, 선유줄불놀이에 대한 특별한 경험은 없으셨는지. |

그런 해상에게서 조금 떨어진 곳에서 사진을 찍고 있는 학생1의 옆구리를
툭툭 치는 학생2.

학생2	저 교수, 미쳤대.
학생1	알아. 미친 거.
학생2	그게 아니라 저 교수 엄청나게 부자였대. 이번에 기사에 났잖아. 전 재산이 몇천 억인데 그걸 다 사회에 환원했대.
학생1	(허걱) ..정말 미쳤구나?

그때 들려오는 해상의 목소리.

| 해상(소리) | 어이, 거기. |

학생들, 놀란 눈으로 해상을 바라보면

해상   나 안 미쳤어.

학생들, '아..예' 고개 끄덕이고는 어이없는 얼굴로 멀어진다.
해상, 그런 학생들 가만히 보다가 문득 시간을 확인하고는 옆에 있는
학생3에게

해상   여기 작업 마무리되면 현장에서 만나요.

해상, 나가려는데 마을 사람들 중 나이가 지긋해 보이는 할아버지, 해상을
부른다.

할아버지   염 교수님도 써야지. 귀신이 보인다며. 매년 올 때마다 그
귀신들 좋은 데 보내주겠다고 썼었잖아.

해상, 다가가 보면 흰 종이와 곁에 놓여있는 붓.

씬/55   D, 지방 읍내 기차역

자그마한 기차역 건물에서 걸어 나오는 산영.
저 앞쪽에서 차를 세우고 기다리고 있던 해상을 발견하고 다가간다.

산영   이번엔 여기로 지역조사 오신 거예요?
해상   예. 빨리 타요. 늦겠네.

시원하게 뚫린 강변을 끼고 달려가는 해상의 차.
차 안에서 울려 퍼지는 소리꾼의 창소리.

산영   이건 좀 새로운 레퍼토리네요.

해상   강에 배를 띄워 시를 짓는 선유줄불놀이에서 부르는
         시조창입니다. 조선 시대부터 전국 여러 곳에서 벌어졌던
         민속놀이로 품격 있는 양반 놀이문화의 정수죠.

산영   (갑갑한 건 여전하구나) 예. 양반.. 정수..

해상   아직도 귀신이 보이죠?

         산영, 잠시 낯빛 어두워지다가

산영   예..

         그때 저 멀리에서 들려오는 '낙화야' 쩌렁쩌렁 울리는 외침.

해상   벌써 시작됐네요.

줄불놀이를 구경하러 강변에 모여있는 사람들 뒤쪽으로 들어서는 산영과
해상. 강 건너편 절벽 위쪽에서 이쪽 편까지 연결된 긴 줄들에 매달린
수많은 숯 봉지들이 점화되어 강물 위로 불꽃들이 비처럼 쏟아지고 있다.
그 아래 강물 위, 배 위에 탄 소리꾼의 시창 소리가 함께 울려 퍼지고..

그 모습을 놀라서 바라보는 산영. 해상, 그런 산영을 보다가

해상 선유줄불놀이예요. 질병과 재액을 쫓고 경사를 부르는 벽사의 의미가 담겨있죠. 또한 길을 잃고 떠도는 귀신들을 좋은 곳으로 보내준다는 뜻도 담겨있어요. 수많은 흰 종이들과 불. 수많은 사람들의 염원이 담긴 거대한 정화의식이죠.

가만히 타오르는 불꽃을 바라보는 산영과 해상.

해상 보이죠? 귀신들이..?
산영 네..
해상 귀신을 보는 게 힘들 때.. 해마다 여길 왔었어요. 여기서 보는 귀신들은 모두 행복해 보였으니까..
산영 그러네요.. 모두.. 행복해 보여요.

강물 위에서 타오르는 불꽃을 바라보는 산영의 입가에 미소가 그려진다. 해상, 문득 고개 돌려 그런 산영을 보다가

해상 산영 씨도.. 행복해졌으면 좋겠어요..

해상, 고개 돌려 강가에 모인 사람들을 바라본다.

— 인서트
54씬에 이어지는.. 종이와 붓을 내려다보던 해상. 천천히 붓을 들어 소원을 적는다. '모든 이들의 소원이 이뤄지기를..'

— 다시 강변으로 돌아오면

강가의 사람들을 바라보는 해상.

해상　　여기 있는 모든 사람들도.. 다.. 그랬으면 좋겠어요..

점점 크게 들려오는 소리꾼의 시창 소리.

씬/58　N, 몽타주

— 카페 봄, 손님들이 여유로운 시간을 보내고 있다.
　경문, 능숙하게 커피와 음료를 내려서 손님들 테이블에 서빙을 하고
　바쁜 일상을 보내고 있는데 귓가에 들려오는 강모의 목소리.

강모(소리)　미안해..

뭐지? 문득 고개 들어 주변을 바라보지만 아무것도 보이지 않는다.
경문, 이상한 느낌에 생각에 잠기다가 한 팀의 손님이 카페에 들어서자
'어서 오세요' 다시 일상으로 돌아간다.

— 강수대 사무실. 자기 자리에 앉아서 사건조서를 확인 중인 홍새.
　그런 홍새의 귓가에 문득 들려오는 문춘의 목소리.

문춘(소리)　잘하고 있어..

홍새, 고개 들어 습관처럼 문춘의 자리를 본다. 아무도 없이 텅 빈 자리.
홍새, 문춘의 자리를 가만히 보다가 무슨 소리를 들은 거지? 생각하다가
문춘이 생각난 듯 잠시 엷은 미소를 짓는데 홍새의 등 쪽에 보이던 검은

얼룩이 옅어진다.

다시 조서를 내려다보면서 일에 열중하는 홍새의 모습에서..

씬/59   N, 강변

또다시 들려오는 '낙화야' 외침과 함께 또다시 붉게 타오르는 불꽃들.

강 위, 소리꾼의 시창도 점차 클라이맥스로 향한다.

강변으로 떨어지는 불꽃 비를 바라보는 구경꾼들의 웃음소리.

해상 역시 미소를 지으면서 바라보고.. 산영의 입가에도 웃음이 걸린다.

행복한 얼굴로 줄불놀이를 바라보는 산영의 눈빛에서 블랙 아웃되는 화면.

검은 화면 위로 정적이 흐르다가..

산영(소리)   살아보자.. 꿋꿋하게..

악귀 끝.

김
태
리

제가 생각하는 삶의 중요함은 '나의 색깔로 채워가는 삶'인 것 같습니다. 실수는
실수로 인정하고 옳은 것을 옳다고 믿으며, 내 주변 사랑하는 사람들을 나만의
방식으로 위하며, 나만의 방식으로 싸워나가는 것… 그 모두가 내 삶의 고유한
색깔을 만드는 일인 것 같습니다. 쉽게 말하자면 내 방식으로 살아가는 삶이
되겠지요. 지금은 그렇게 생각합니다.

김태리

Q. 〈악귀〉로 첫 장르물에 도전하셨고, 연기 변신에 성공했다는
평가를 받고 계신데요. 좋은 작품과 캐릭터를 선택하는 안목으로
'탁월한 선구안을 지닌 배우'라는 수식어를 가지고 계신 것으로 알고
있습니다. 평소 배우님만의 시나리오를 고르는 기준이 있을까요?

감독님 작가님 또 제가 맡을 캐릭터의 설득력 등 여러 가지를
고려하지만, 결국엔 마음이 가는 작품인가를 최우선으로
생각하는 것 같습니다. 대본이나 시나리오를 받아보면,
처음에는 일단 주욱 읽어보면서 첫인상을 봅니다. 이때 앞서
말한 설득력이라는 지점을 중요하게 생각하게 되는 것 같고,
전체 인물들과 상황 설정들이 설득력 있게 짜여 있는지를
읽습니다. 그다음, 맡을 인물에서 글 외적으로 내가 채워 넣어야
하는 부분을 가늠해봅니다. 이 부분이 너무 벅차면 주저하게
되고, 잘 그려지면 마음이 가는 편입니다.

Q. 처음 〈악귀〉 시나리오를 읽었을 때 어떠셨을지요? 〈악귀〉의
구산영 캐릭터를 선택하신 이유가 궁금합니다.

제가 받아본 〈악귀〉의 첫 글은, 짧은 분량의 트리트먼트였던
걸로 기억합니다. 짧은 글이었지만 구산영이란 인물이 가진
딜레마가 보였고 흥미로웠습니다. 가져본 적도 심지어
꿈꿔보지도 않았던 것을 얻게 된다는 것, 나의 주변 사람들의
불행을 계속해서 저울질하는 악귀와의 싸움, 더불어 나 자신과
계속 싸워야 하는 산영의 선택들을 상상해 보았습니다.
장르물로써도 또 제가 그려나갈 '나만의 캐릭터'로서도
구산영은 매력적인 인물이었습니다.

Q. 김은희 작가는 한 인터뷰에서 김태리 배우와의 첫 만남에 대해
"산영이와의 싱크로율은 1000% 정도다. 이미지와 영상을 봤는데,
'김태리는 진짜다'란 생각이 들었다"라고 말하기도 했는데요. 김은희
작가와의 첫 만남은 어떠셨나요?

김은희 작가님께 만나보고 싶다는 감사한 연락이 왔고, 몇
번의 미팅 끝에 〈악귀〉 합류를 결정했습니다. 처음 작가님께서
해주신 큰 틀의 이야기가 참 흥미로웠고, 아직 해보지 않은
장르라는 점도 크게 작용했던 것 같습니다. 무엇보다 첫
만남부터 작가님과 정말 많은 대화를 나눴고, 그 과정에서 이번
작업이 새롭고 재미있겠다는 기대감과 시너지를 낼 수 있겠다는
확신을 갖게 되었습니다.

Q. 김은희 작가님, 이정림 감독님과는 첫 호흡입니다. 회차를
거듭할수록 반전이 가득한 〈악귀〉였는데요. 김은희 작가님의 대본이
가진 특징이 있을지요?

작가님의 글의 특장점은 '구성 – 글의 짜임새'에서 온다고
생각합니다. 큰 틀 안에서 무엇에 집중해야 할지, 어떤 방향으로
나아가야 할지, 작가님께서 잘 알고 계셨기 때문에 12부의
드라마가 일관된 방향성을 가지고 힘 있게 나아갈 수 있었다고
생각합니다.
보통의 TV 드라마는 대본이 전부 나오지 않은 상태에서
촬영에 들어가기 때문에 앞으로 어떤 이야기가 진행될지에
대한 불안함이 늘 존재하는데, 그런 부분에서 작가님은 굉장히
신뢰감을 주시는 분이었습니다.

지문을 보다가 작가님께 무언가 해소되지 않는 지점에 대해
여쭤보면 '너를 위해 그곳을 빈 곳으로 남겨 두었다'는 얘기를
하셨습니다. 연기를 함에 있어 배우가 지문에 갇히지 않도록
가장 최소한의 텍스트를 쓰시는 작가님이셨고, 대본상에 이미
정해져 있는 감정이나 행동도 그 이유가 타당하다면 얼마든지
변경할 수 있도록 허락해 주셨습니다. 물론 작가님 본인의
생각도 분명히 있으셨고 설명을 해주실 때도 있었지만, 우선
'배우가 편해야 한다'는 지론을 가지고 계셔서 편안한 마음으로
작업할 수 있었습니다.

Q. 위의 질문에 이어서, 이정림 감독님과의 작업은 어떠셨을지
궁금합니다.

배우들의 질문에 답을 주시기 위해 굉장히 고민하셨고, 진심
어린 태도를 보여주셨습니다. 유연하면서도 자신만의 분명한
생각이 있으시고 또 누구보다 열정적인 분이라는 인상을
받았습니다. 감독님의 열정은, 남을 해치지 않는 열정이었고
함께 하는 내내 현장의 분위기를 밝게 만들어 주셨습니다.
　　배우의 연기에 있어서도 어떤 테이크의 어떤 것이 좋은지
혹은 어떤 것이 안 좋은지에 항상 분명한 이유를 알려주셨고,
다정하고 위트있게 설명해주셨습니다. 악귀 표현이 굉장히
어려운 대본이었는데 그 점을 잘 이해해주셨습니다. 작은 것
하나도 함께 고민하여 답을 찾아가면서 즐겁게 작업했습니다.

Q. 이정림 감독은 한 인터뷰에서 "〈악귀〉의 배우들과 대화를 나누다 보면 내가 지금 배우 본체와 대화하는지 극 중 인물과 대화하는지 헷갈릴 때가 있다"라고 하며 배역에 대한 완벽한 이해를 놓치지 않았다는 이야기를 남겼습니다. 작품 준비 혹은 진행 과정에서 이정림 감독님, 김은희 작가님과 어떤 논의를 주고받으셨을지도 궁금합니다.

초반 준비 과정에서 가장 중요한 것은 악귀가 오컬트 장르물이라는 점과 거기에 청춘의 이야기를 녹여야 한다는 점이었습니다. 특히 '청춘'이라는 키워드는 모든 시청자가 각자의 고유한 경험이 있을 것이기에 공감 형성에 있어 정말 조심스럽게 다가가야 했고, 가장 보통의 청춘을 그리고자 하는 작가님과 각자의 청춘—결국에 자신이 연기해야 할 인물의 그것이 되겠죠—에 대한 이야기를 전하고 싶은 배우들 사이에 많은 논의가 있었습니다. 보편적인 개념이었기에 더욱 여러 각도로 고민할 수밖에 없었고, 결국 인물이 가진 특수한 상황으로 그 부분을 해결해 나갔던 것 같습니다. 감독님은 대본이 모두 나오지 않은 상황에서도 '청춘'이라는 키워드를 절대 놓치고 가면 안 된다는 입장이셨고, 그러면서도 장르물다운 장르물을 만들고 싶다는 큰 목적을 가지고 계셨습니다. 모두가 그 공동의 목적에 동의하고 서로 아이디어를 주고받으며, 자유롭게 의견을 나누었습니다.

Q. 평소 인터뷰 내용을 보면 '자신을 사랑하는 사람'이라는 것이
느껴집니다. 한 인터뷰에서 에너지 원천이 무엇이냐는 질문에 '삶 그
자체'라고 답하시기도 했습니다. 〈악귀〉의 산영 역시 누구보다 열심히
살아가는 인물인데요. 혹시 산영과 공통점이 있다면 무엇이 있을까요?

산영이는 저와 너무 다른 인물이지만… 열심히 공통점을
찾아보자면 '충실하게 살아가는 것' 이 아닐까 싶습니다. 내가
채워가야 할 오늘을 충실히 채워 나가는 모습이 닮아 있는
것 같습니다. '산영이의 선택에 있어 나라면 어떤 선택을
했을까'를 생각해보자면… 글쎄요. 당연히 고민의 과정은
달랐을지라도 답은 같았을 것 같습니다. 내게 주어진 시간을
늘리려 욕심부리지 않고 내게 남은 시간을 소중히, 아주 소중히
사용하려 했을 것 같습니다.

Q. 58회 백상예술대상에서의 수상소감 중 "배움은 그 누구도
챙겨주지 않고 내가 훔쳐 먹는 것"이라는 말이 인상적이었습니다.
〈악귀〉의 구산영에게서 무엇을 얻으셨을지 궁금합니다.

새로운 작업 방식을 배웠습니다. 더 많은 대화와 소통으로 답을
찾아가는 것. 거기에 용기가 필요하단 것과 그 용기로 얻을 수
있는 것이 정말이지 크다는 것을 배웠습니다.

Q. 〈악귀〉에서 사실상 평범한 공시생 산영과 악귀에 씐 산영이라는
1인 2역을 연기하셨는데요. 표정부터 분위기까지 오싹한 온도
차를 보여주셨습니다. 특히 악귀에 씐 산영은, 특수분장 등의

효과나 도움 없이 오로지 김태리 배우의 연기력으로만 차별화를 만들어내야 했는데요. 참고한 캐릭터가 있으셨을지, 어려운 점은 무엇이셨을지요? 두 배역을 오가는 연기에서 가장 염두에 둔 부분이 무엇이었을지도 궁금합니다.

참고한 캐릭터는 딱히 없지만 어려웠던 점은 무수히 많습니다. 가장 어려웠던 것은 어떤 마음을 표현할 때 '이것이 과연 정답일까?' 하는 것이었습니다.

장르물의 특성상 현실 세계에서 일어나기 힘든 일이 연달아 벌어지고, 그 일들로 인해 인물에게 생겨나는 감정들은 정말이지 파고가 컸어요. 그걸 표현해야만 하는 저는 '내가 하고 있는 것이 맞을까?'라는 생각을 끝없이 하며 도무지 알 수 없는 답을 찾아가야 했습니다. 그런 점들이 불안했었습니다.

하지만 작가님, 감독님과 나눈 많은 대화 속에서 나름의 설정들을 만들어낼 수 있었고, 그 설정들을 일관성 있게 지켜내는 것에 노력을 기했습니다. 그 설정들이 '진짜'를 만들어 낼 수 있을 것이라는 확신은 드라마 중간 쯤부터 들었습니다.

그 이후로는 인물들 즉, 구산영과 악귀가 처한 각자의 사정 혹은 욕망에 집중하여 연기했습니다. 어느 순간부터는 큰 고민을 하지 않아도 악귀의 표정과 산영의 표정이 자연스럽게 구분되어 나왔던 것 같습니다. 초반에는 악귀의 전사(그 이전의 역사)가 설명되지 않으니 장르물 안에서 귀신의 역할을 잘 해내야 한다는 강박이 조금 있었습니다. 그러면서도 후에 드러날 악귀의 전사 또한 작게라도 초반부터 드러내고 싶었기에 그 사이에서 어려운 지점들이 있었지만, 후반으로 갈수록 악귀 캐릭터의 당위성이 설명되어지니 저도 연기할 때 훨씬 편해진 지점들이 있었습니다.

이번 작업을 하면서 정말 많은 대화를 했습니다. 저 혼자만의

노력이 아닌, 우리 모두가 함께 우리 드라마만의 고유한 귀신,
새로운 오컬트 장르를 만들어 낸 것 같아 성취감이 듭니다.

Q. 〈악귀〉에서 산영의 아버지 구강모 교수로 분한 진선규 배우님과는
'승리호'에서부터 돈독한 사이를 이어오신 것으로 알려져 있습니다.
〈악귀〉〉에서 진선규 배우를 비롯해 오정세 배우, 홍경 배우 등 다른
배우들과의 호흡은 어떠셨나요?

이루 말할 수 없이 좋았습니다. 설명이 필요 없이 좋았습니다.
좋은 배우들, 함께 할 때 마음이 편한 배우들과 함께 작업하는
즐거움과 행복 역시 이번 드라마로 얻은 배움이라고 말하고
싶습니다.

Q. 〈악귀〉에서 특별히 기억에 남거나 애정이 가는 장면이 있다면요?

다른 인터뷰에서도 말한 것처럼, 홍새와의 과거 고등학생 신에
애정이 많이 가는 것 같습니다. 왜인지는 잘 모르겠습니다.
홍새의 눈에 새겨진 산영이의 모습, 가장 산영이다운 그 모습이
좋았던 것 같습니다.
　　개인적으로 우리 드라마가 '내가 온전히 나로 존재하는
것'을 정성스럽게 그렸다고 생각하는데, 이 장면에서 산영은
내가 모르는 나, 네가 알던 나, 역설적으로 진짜 나일 수 있는…
한 점 부끄럼 없이 건강한 청춘으로 존재하는 것 같아서
좋았습니다. 말하다 보니 이유가 있네요. (웃음)

Q. 〈악귀〉는 민속학을 소재로 한 한국형 오컬트 미스터리 작품입니다.
방영 전 인터뷰에서 민속학은 '재미있는 이야기보따리'라고 표현해
주시기도 했는데요. 실제 촬영하면서 이 지점을 더욱 체감하셨을 것
같습니다. 민속학이 〈악귀〉의 스토리에 어떤 역할을 하고 있다고
생각하실지요?

중심 대들보의 역할을 해냈지요. 악귀의 탄생과 악귀를 없애는
방법, 그 과정에서 만난 다른 귀신들…. 악귀가 해상의 집안을
그렇게나 증오하면서도 해상이를 살려 놓은 연유가 바로
민속학에 박식해서였습니다. 모든 사건의 발생부터 과정과
마무리까지 민속학의 실제 사료들이 중심이 되어 만들어진 것이
우리 드라마라고 생각합니다.
　　　작가님이 1958년도의 유사한 실제 사건에서 모티브를
얻으셨던 것처럼, 이런 정말 끔찍한 사건들이 왜 발생했고 왜
그런 걸 믿게 됐는지 당시 민중들의 삶을 들여다볼 수 있고,
나아가 우리의 모습까지 비춰줄 수 있는 것이 민속학이라는
생각을 하게 됐습니다.

Q. 작품을 집필한 김은희 작가는 '어떤 삶이 가장 중요했는지를
역설적으로 보여줄 수 있는 게 악귀의 존재'라고 했습니다. 앞선
질문에서도 그렇듯 평소 '최선을 다해 사는 삶'이 에너지이자
원동력이라는 말씀해주셨는데요, 그렇다면 현재 배우님이 생각하는
중요한 삶이란 어떤 것일까요?

우선 아주 개인적인 부분이라 모두 다르게 생각할 수 있고
정답이 없는 질문이라는 생각이 드네요. 제가 생각하는 삶의

중요함은 '나의 색깔로 채워가는 삶'인 것 같습니다. 실수는
실수로 인정하고 옳은 것을 옳다고 믿으며, 내 주변 사랑하는
사람들을 나만의 방식으로 위하며, 나만의 방식으로 싸워나가는
것… 그 모두가 내 삶의 고유한 색깔을 만드는 일인 것 같습니다.
쉽게 말하자면 내 방식으로 살아나가는 삶이 되겠지요. 지금은
그렇게 생각합니다.

Q. 마지막 화에서 악귀 대신 거울에 갇힌 산영이, 그동안
사람들을 조종해왔던 악귀의 방식대로 되갚음 하는 장면은 정말
압권이었습니다. 그러나 가장 인상적이었던 장면은, 자신보다 타인을
위해 살아온 삶을 돌아보며 산영이 각성하는 장면이지 않을까
싶습니다. 산영의 대사 "온전히 나의 의지로 살아가 볼 거야."라는
메시지 안에 많은 의미가 담겨 있는 듯합니다. 현재를 살아가는
청춘인 김태리 배우에게 '청춘답게 살아간다'는 것은 무엇일까요?

청춘답게 살아간다는 것보다 그냥 우리의 삶에 대해 조심스럽게
생각해보면… 인생을 살면서 무수한 선택과 너무 많은 실수와
실패를 경험하겠지만, 그럴 때 중요한 것은 '다시 일어나는'
마음이 아닐까 생각합니다. '당신은 다시 일어날 수 있고, 다시
일어난 이후는 넘어지기 이전과 비교하여 크든 작든 반드시
성장할 거라는' 이야기를 하고 싶어요.
청춘에게 도전하는 용기도 중요하겠지만, 그 후 실패했을
때 더더욱 큰 용기를 내야 한다고… 결국 그 용기가 보다
청춘답게 나답게 만들어 주지 않을까, 라는 생각을 해봅니다.

Q. 산영은 긴 여정 끝에 자신의 일상을 되찾습니다. 모든 이야기의 주인공이 그렇듯 이때의 산영은 악귀를 만나기 이전의 산영과는 다른 인물이 되었을 텐데요. 작품 〈악귀〉를 만나기 전의 김태리 배우와 지금의 김태리 배우 역시 달라진 점이 있을 것 같습니다. 어떤 부분이 달라졌을까요?

조금은 더 유연해졌을까요. 그건 다음 작품을 만나봐야 알 수 있을 것 같습니다.

Q. 그리고 〈악귀〉는 김태리 배우에게 어떻게 기억될지요. 마지막으로 〈악귀〉 팀에게 하고 싶은 말이 있다면?

저의 세 번째 TV 드라마이자, 많은 것을 배운 작품으로 기억될 것 같습니다. 모두 건강하게 롱런을 마쳐 감사하고 또 감사한 마음입니다. 헤어질 때 스태프분들께 늘 나누는 말이 있는데, 그 말을 전하고 싶습니다. "그렇게 또 건강하게 지내다가 어디선가 만나 또 함께 일해요!"

Q. 김태리 배우를 응원하는 팬들에게도 한마디 남겨주신다면?

〈악귀〉를 사랑해주서서 감사합니다. 앞으로도 잘 부탁드려요!

배우 인터뷰

오
정
세

'이 세상에는 별거 아닌 작은 선한 행동들, 생각들, 인물들이 모여 더 살기 좋은 세상을
만들어 간다고 생각합니다. 눈이 많이 온 새벽 누군가 쓸어놓은 골목길, 가슴 아픈
사건 사고를 들었을 때 같이 아파하고 마음 쓰는 이들, 자신도 위험해질 수 있는
상황에서 본능적으로 누군가를 돕는 평범한 사람들, 거리의 쓰레기를 줍는 작은 손….
작든 크든 이런 선한 마음을 가진 아주 많은 사람 중에 '해상'이 속해 있다고
생각했습니다.

오정세

Q. 그동안 다양한 캐릭터를 소화해오셨지만 이번에 또 다른 새로운
모습을 보여주셨습니다. 배우님이 〈악귀〉에 합류하게 된 과정이
궁금합니다.

김은희 작가님과는 〈지리산〉으로 첫 인연을 맺었고, 김태리
배우와 함께하는 〈악귀〉라는 한국형 오컬트 드라마에 손 내밀어
주셔서 감사하게도 함께 할 수 있었습니다.

Q. 〈악귀〉 시나리오를 처음 읽었을 때 어떠셨을지, 그리고 배우님이
생각하는 염해상은 어떤 인물일지요? 캐릭터 설명을 해주신다면?

새벽에 안개 속을 혼자 걷는 느낌이다가 그 안개가 그치면
무심코 스쳐 지나왔던 공간, 소품, 인물들이 거대한 파도가 되어
다가오는 듯한 느낌을 받았습니다.
　'염해상'은 귀신을 보는 민속학 교수로 사회성이 조금
부족하며 외로움과 아픔이 있는 인물이라고 생각했습니다.
실생활에서 이런 인물을 만나면 고리타분하고 재미없고 지루할
수 있지만, 작가님이 써주신 거대한 서사를 잘 따라가다 보면
극 후반엔 해상만이 가지고 있는 매력을 찾을 수 있습니다.
특히나 해상은 가슴 따스한 인물이라 생각합니다. 악귀를
찾아 떠나는 여정 안에서 그냥 스쳐 지나갈 수 있음에도 많은
인물과 사건들을 그냥 지나치지 않는, 마음 따스한 인물이라
생각했습니다.
　이 세상에는 별거 아닌 작은 선한 행동들, 생각들, 인물들이
모여 더 살기 좋은 세상을 만들어 간다고 생각합니다. 눈이 많이

온 새벽 누군가 쓸어놓은 골목길, 가슴 아픈 사건 사고를 들었을 때 같이 아파하고 마음 쓰는 이들, 자신도 위험해질 수 있는 상황에서 본능적으로 누군가를 돕는 평범한 사람들, 거리의 쓰레기를 줍는 작은 손…. 작든 크든 이런 선한 마음을 가진 아주 많은 사람 중에 '해상'이 속해 있다고 생각했습니다.

또한 많은 과거사 중 아픈 기억이나 억울한 죽음을 당한 누군가를 다시 한번 생각하고, 기리고, 염원하는 것은 분명 가치 있는 일이라 생각했습니다. 해상은 본인의 생각을 누군가에게 강요하지 않으면서 몸소 실천하는 사람이고, 그런 마음이 자연스레 전달되는 인물로 해석했습니다. 저 또한 해상과 같은 마음으로 살려고 노력했고, 해상을 만난 이후로 누군가를 '기리다, 기억하다, 추모하다, 염원하다'라는 말의 무게와 깊이가 다르게 느껴집니다.

Q. 이정림 감독님은 한 인터뷰에서 "〈악귀〉의 배우들과 대화를 나누다 보면 내가 지금 배우 본체와 대화하는지 극 중 인물과 대화하는지 헷갈릴 때가 있다"며 배역에 대한 완벽한 이해를 놓치지 않았다는 이야기를 남겼습니다. 작품 준비 혹은 드라마 촬영 진행 과정에서 감독님(혹은 김은희 작가님)과 어떤 논의를 주고받으셨을지도 궁금합니다.

촘촘하고 거미줄 같은 대서사를 쫓아가는 데 있어 혹시 제가 놓치고 가는 부분이 생길까봐 작은 부분까지도 감독님과 작가님을 괴롭히며 질문했던 기억들이 있습니다. (웃음)

Q. 〈악귀〉에서 가장 많은 신을 함께 한 김태리, 홍경 배우와의 호흡은
어떠셨나요?

태리 배우는 마음이 건강한 배우입니다. 열정적인 배우입니다.
최선을 다하는 배우입니다. 저에게 도움을 많이 준 배우입니다.
그래서 고마운 배우입니다.
홍경 배우는 날것의 신선함을 가진 배우입니다. 여린
배우입니다. 하지만 단단한 배우입니다. 그 역시 열정적인
배우입니다. 현장에서 그의 태도들이 부러울 때가 있었습니다.

Q. 〈악귀〉의 장르 특성상 야간 촬영, 지방 촬영이 많았다고
들었습니다. 이정림 감독님의 촬영 후기를 보면 '날씨와 지독한
싸움이 이어지는 촬영'이라고도 표현해주셨는데요. 힘들었던 점이
있다면 무엇이었을지요?

11월부터 2월까지는 목폴라와 코트만으로 한파와 싸워야 했고,
3월부터 6월까지는 반대로 목폴라와 코트를 껴입고 더위와
싸워야 했습니다. (웃음)

Q. 대본집 8부에서는 염해상의 동거인이자 유일한 친구였던 '우진'이
해상 대신 '검은 손자국'에 의해 사라지는 장면이 등장합니다. 그보다
앞서 사건의 전말을 알게 된 해상은 "난 아무것도 아니었어, 내 건
아무것도 없었다구"라며 깊은 좌절에 빠집니다. 늘 절제된 모습을
보여주던 해상의 감정이 가장 크게 폭발하는 부분이어서, 안타깝고도
인상적인 장면입니다. 한 인터뷰에서 '해상의 정서'에 집중했다고

말씀해주셨는데요. 해상의 절제된 고독의 정서, 폭발하는 좌절의 정서 중 어떤 쪽의 표현이 더 어려웠을지요?

둘 다 어려웠습니다. 해상의 공허함에는 다가가려 노력했지만 쉽진 않았어요. 하지만 스태프분들이 마련해 주신 해상의 공간과 작가님이 써주신 해상의 대사 덕분에 찾아갈 수 있었습니다.

직접 표현하진 않지만 표현되기까지 많은 스태프분들의 도움이 있었습니다. 해상의 공허한 공간을 만들어주신 미술팀. 해상의 빛과 어둠을 만들어주신 조명팀, 딱딱한 인물이지만 자유로이 움직일 수 있게 날개 달아주신 촬영팀, 소품팀 등 주위의 많은 스태프분들의 도움을 받아 조금씩 해상에게 다가갈 수 있었던 것 같습니다.

폭발하는 좌절의 정서 같은 경우, 해상은 지금까지 누군가를 살리고 싶어 하고 돕지 못했을 때 힘들어하며 본인의 삶을 지탱해왔습니다. 그러나 자신의 집안이 한 아이를 죽였고, 그 대가로 지금까지 자신이 풍요롭게 살았다는 사실을 인지했을 때 오는 좌절은 그간 버텨왔던 삶의 끈을 끊어 버리고 싶을 정도의 좌절이었기에 표현하기 어려웠습니다.

Q. "조상을 위로하기 위해 제사를 지내야 합니다. 그게 어려우면 경건한 마음이라도 가지세요"라는 극 중 해상의 대사가 연기하는 데 중심을 잡아줬다는 인터뷰를 읽었습니다. "그들을 기억하고 기리는 행위가 가치 있는 일이라고 생각하는 캐릭터의 가치관이 개인적으로 공감됐다"고도 하셨는데요. '기억'은 김은희 작가님 작품의 일관된 키워드이기도 합니다. 〈악귀〉가 시청자에게 전하고 싶은 기억의

메시지는 무엇이라고 생각하실지요?

과거는 현재, 미래와 끊어진 것이 아니고 이어져 있다는 생각이
듭니다. 보이지 않지만 존재하는 것이 기억이고, 누군가의 작은
한마디가 상처 난 영혼을 어루만져 치유할 수 있듯이 누군가를
기억하는 것은 엄청난 힘을 가지고 있다고 생각합니다. 세상을
떠난 누군가에게 또 세상에 남겨진 누군가에게 '기억함'이라는
것은 너무나도 소중하고 귀하고 의미 있는 것 같습니다.

Q. 〈악귀〉에서 특별히 기억에 남거나 애정이 가는 장면이 있다면요?

'낙화놀이' 신이요. 지금까진 억울하게 죽었던 귀신들을
달래고 위로해왔던 해상이, 이제는 과거가 아니라 같이
현재를 살아가는 사람들이 더 행복해지기를 바라는 장면에서
해상의 작지만 큰 성장이 있었다고 생각됩니다. 또 그 여정에
산영이라는 친구가 있어 감사함을 느낀 신이라 개인적으로
기억에 남습니다.

Q. 〈악귀〉는 오정세 배우님에게 어떤 드라마로 남게 될까요?

악귀를 쫓는 여정 속에서 해상이 작은 성장을 이룬 것처럼,
〈악귀〉라는 작품 속 해상을 만나면서 저 자신도 조금
성장했다고 느낍니다. '기리다, 염원하다, 기억하다'의 의미를
다시 한번 되새겨준 작품이고 해상이라는 인물이 가진
마음가짐이 누군가에게 얼마나 큰 위로와 힘이 되는지는

모르지만, 이런 해상의 마음가짐 자체는 분명 가치 있고 필요한 것이라 생각됩니다. 여전히 미친 사람 소릴 듣고 있을지 모르지만, 해상을 멀리서 응원합니다.

Q. 마지막으로 〈악귀〉 팀에게 하고 싶은 말이 있다면?

어둡고 무섭고 아픈 이야기이지만 어느 현장보다 밝고, 가족 같고, 웃음이 많았습니다. 표현이 서툴러 많이 표현하지 못했지만 모든 스태프분들께 감사한 마음 가지고 촬영했고, 이 글을 쓰면서도 다시 한번 느낍니다. 스태프 여러분 고맙고 감사했습니다. 올해 여러분들이 소망하는 많은 일 중 꼭 하나는 이루어지길 염원합니다. ^^

배우 인터뷰

홍경

이홍새라는 캐릭터를 만날 수 있어서 좋았습니다. 그리고 지금껏 제가 믿고
생각해왔던 것과 더불어 어떤 것들이 더 필요하고 중요할 수 있는지를 알려준,
새로운 가지를 움트게 해준 작품인 것 같습니다.

홍경

Q. 〈악귀〉에 합류하게 된 과정이 궁금합니다.

작가님께서 〈악귀〉를 준비하신다고 들었을 땐 선배 배우님들께서
이미 확정이 된 후였습니다. 그렇게 아마 제가 제일 늦게 합류를
했던 것 같습니다. 은희 작가님 작품에 참여할 기회는 흔치 않을
것이라 생각했고, 태리·정세 선배님을 비롯 극 중 많은 선배님과
호흡할 수 있기에 도전해보고 싶다고 생각했습니다.

Q. 김은희 작가는 한 인터뷰에서 "홍경 배우의 소년처럼 맑은 얼굴이
인상적이었다. (…) 그런데 조곤조곤한 말투로 본인이 이해가 갈
때까지 끝까지 물고 늘어지더라. 그런 성격이 홍새처럼 경찰대 수석이
될 만하다는 느낌을 받았고, 그런 부분이 매우 좋았다."라는 말을
남기셨는데요. 김은희 작가와의 첫 만남은 어떠셨나요?

먼저 궁금했던 점이 많았던 것 같습니다. 그런 개인적인 궁금증과
더불어 작가님을 뵙는다는 사실만으로도 약간 긴장되었습니다.
모든 대본이 다 나온 것이 아니었기에 뒤로 가면서 홍새라는
인물이 어떻게 그려질 것인지에 대해, 또 제가 생각한 홍새에 대해
말씀드리며 대화를 나눴습니다. 작가님은 그 과정에서 대본에는
표현돼 있지 않지만, 인물을 그릴 때 생각했던 배경 및 환경,
관계성에 대해서 아주 세밀하게 말씀을 해주셨고 열린 자세로
같이 채워 나가주셨습니다.

Q. 〈악귀〉 시나리오를 처음 읽었을 때 어떠셨을지, 그리고 배우님이
생각하는 '홍새'는 어떤 인물일지요?

대본을 읽고 좋았던 점은, 미스터리하고 스산한 이야기 안에
인간의 욕망과 탐욕 등 감정이 잘 담겨 있다는 것이었습니다. 또
그 탐욕으로 인해 사람들이 피해를 입고, 대물림되기도 하는 그
일련의 과정이 제게는 흥미로웠던 것 같습니다.

사실, 홍새가 어떤 인물인지 이야기하는 것은 조금
조심스럽습니다. 조심스럽게 홍새에 대한 이야기를 해보면…
저의 가장 첫 고민은 '어떻게 다르게 표현할까' 였습니다. 그동안
여러 매체에 등장했던, 이제 막 일을 시작한 20대 형사와는
다르게 그려졌으면 싶었습니다. 또 제가 실제로 만나 뵌
형사님들은 TV나 영화 속 캐릭터들과는 다르다고 느꼈기에, 이때
발견했던 다른 지점들을 참고했습니다. 그렇게 '홍새'에게 있을
것 같은 마음과 모습들을 채워 나갔고, 매 순간 이 친구의 마음을
알아가려 노력했습니다.

어떤 순간순간에, 사회 초년생으로 경험이 많이 없을 때
뭔가를 시도하려 하면, 그것이 새로운 방향이 될 수 있음에도
불구하고 단지 경험이 부족하다는 이유만으로 "틀렸어" 혹은
"그건 아니야"라며 기존의 잣대에 가로막힐 때가 있습니다.
그러나 홍새는 다른 누군가가 자신을 좋지 않은 눈초리로
쳐다본다고 해도 절대 굽히지 않고 자신의 신념을 믿고 끝까지
밀어붙이는 친구였습니다.

Q. 〈악귀〉에서 이홍새는 MZ 신입 형사로, 베테랑 형사 서문춘과 경찰
콤비로 팀을 이뤄 범인을 잡기 위해 분투합니다. 서로 티격태격하면서도
누구보다 서로를 아끼고 존중하는 동료로 그려지는데요. 함께 하는 신이
가장 많았을 김원해 배우님과의 호흡은 어떠셨나요?

　　　　　김원해(서문춘) 선배님께서는 항상 현장에 있는 작은 소품이나 그
　　　　　공간, 장소에서 할 수 있을 법한 것들을 잘 활용하신다는 느낌을
　　　　　받았고 많이 배울 수 있었습니다. 더불어 후배 연기자인 제가
　　　　　연기하기 편하도록 항상 열린 자세로 함께 호흡해주셨습니다.

Q. 홍새는 경찰대 수석답게 사건을 수사하고 추리하는 데 냉철하고
이성적인 인물로 그려집니다. 하지만 선배 문춘과 고등학교 후배
산영에게는 은근히 편들어주고 걱정하는 등 츤데레(?)의 면모를
보이기도 하는데요. 배우님이 생각하는 홍새 캐릭터가 가장 잘
드러나는 장면이나 대사가 있다면 무엇일지요?

　　　　　홍새를 연기하기 위해 모든 순간 노력했기에 어떤 한 장면을
　　　　　뽑기는 힘들지만, 그래도 꼽아본다면… 6부에서 독단적인
　　　　　행동으로 경찰 집단에서 좋지 않은 눈초리를 받게 돼 답답해하고
　　　　　힘들어하는 장면. 7부에서 치원(중현캐피탈 부사장)이 찾아와
　　　　　문춘 선배가 무엇을 수사하고 있는지에 알려 달라고 하는 장면이
　　　　　떠오릅니다.
　　　　　　　그 이유는 홍새 이 친구에게는 분명한 선이라는 게 있는 것
　　　　　같았고 이 직업을 택함으로써 가져야 할 책임감과 소신 또한 갖고
　　　　　있다고 생각하는데, 이 세 부분이 잘 내포된 장면이라고 생각하기
　　　　　때문입니다.

Q. 김은희 작가는 한 인터뷰에서, 홍새는 산영과 더불어 청춘을 대변하는 인물이라고 말했습니다. 공시생 산영과 마찬가지로, 홍새는 경찰대 수석 입학이지만 졸업은 꼴찌라는 콤플렉스와 승진에 목을 매는 듯한 모습을 보이면서 '남들보다 뒤처질까 봐 불안해하는 젊은이'이자 '왜 어디로 달리는지도 모르다가 지쳐버린 사람'으로도 해석될 수 있을 것 같습니다.

그러다 선배 형사 문춘을 만나고 시간이 지나면서, '소신과 주관이 뚜렷하고 영민한' 자신의 본모습으로 중심을 잡아간다는 인상을 받았습니다. 이런 홍새의 성장과 변화에 대해 배우님의 관점에서 말씀해주신다면?

사실 모든 성장과 변화는, 수없이 많은 싸움과 부딪힘을 통해 일어난다고 생각합니다. 그 점에서 앞서 말씀드린 것과 같이, 생각도 일하는 방식도 달랐던 문춘 선배와의 부딪힘과 갈등을 피하지 않으려 했습니다.

두 사람 모두 자기 일에 대한 애정과 책임감을 가지고 있는 사람들이지, 무성의하거나 불성실한 마음을 가진 사람들이 아니었기에 통상적으로 떠올리는 갈등은 아니었다고 생각합니다. 서로 부딪히는 그런 순간들이 잘 쌓여야 이 친구(홍새)의 생각과 믿음, 문춘 선배와의 관계가 다른 가지로도 계속 뻗어 나갈 수 있다고 믿었습니다.

Q. 〈악귀〉 드라마 장면 중 배우님의 기억에 남는 명장면이 있다면요?

한 장면을 꼽기는 너무 어려운 것 같습니다. 그러나 직관적으로 이 글을 적고 있는 지금 떠오르는 장면은, 집으로 어항을 가져온 산영이 책상에 엎드려 그것을 바라보고 있는 장면입니다. 어두운

눈빛으로 어항 안의 헤엄치는 물고기를 뚫어지게 바라보는
신인데, 태리 선배님에게서 나오는 서늘하고 스산한 그리고 뭔가
기괴한 에너지를 느끼며 감탄했었습니다.

Q. 〈결백〉의 자폐 스펙트럼 장애인, 〈정말 먼 곳〉의 성소수자 시인,
〈D.P.〉의 군 가혹행위 가해자, 〈약한영웅 Class 1〉의 범석, 그리고
오컬트 미스터리 〈악귀〉의 이홍새까지. 변화무쌍한 연기 스펙트럼을
보여주셨는데, 배우로서 앞으로의 목표가 있다면?

목표라 하면 뭔가 뚜렷하게 쟁취해야 할 것처럼 느껴지네요. 그런
것보다 스스로 지켜나가고 싶은 것은, 제가 만나게 되는 작품이나
인물에 매 순간 충실하게 마음을 쏟아, 살아 있게 존재하고 싶습니다.

Q. 〈악귀〉는 홍경 배우에게 어떤 드라마로 남게 될까요?

이홍새라는 캐릭터를 만날 수 있어서 좋았습니다. 그리고 지금껏
제가 믿고 생각해왔던 것과 더불어 어떤 것들이 더 필요하고
중요할 수 있는지를 알려준, 새로운 가지를 움트게 해준 작품인 것
같습니다.

Q. 마지막으로 〈악귀〉 팀에게 하고 싶은 말이 있다면?

오들오들 추위에 떨었던 겨울부터, 무더워지는 여름 초입까지
고생 많으셨습니다. 만들어 주신 작품을 보면 크루분들의

모습들이 떠오릅니다. 또 열심히 각자의 길을 나아가다
새로운 프로젝트에서 만나, 또 같이 손잡고 달릴 수 있었으면
좋겠습니다. 감사합니다.

부록 一 다섯 가지 물건과 금줄

붉은 배씨댕기

"배씨댕기는 솜털이 나기 시작하는
어린 여자아이한테 해주던 댕기야."

― 해상

배씨댕기는 사각형(마름모꼴) 또는 원형의 비단 혹은 은이나 국화꽃
모양의 장식 등을 얹고 양옆에 끈을 달은 형태로, 끈을 머리카락과 함께
땋아 고정하던 댕기다. 여자아이들이 앞머리를 정리하고 머리를 땋을
때 장식용으로 사용하였다. 배씨댕기는 여아가 태어나서 처음 사용하는
장신구였으며, 아이의 건강과 운세를 위하여 병마와 액운을 막으려는
주술적 의미도 포함되었다.

〈악귀〉에서 '붉은 배씨댕기'는 과거 장진리에서 벌어진 한 아이의 죽음과
악귀의 실체를 밝히는 중요한 5가지 단서 중 하나다. 산영은 아버지의 장례식에
참석하기 위해 화원재에 갔다가 석란에게 아버지 유산으로 목각 상자에
든 배씨댕기를 받는다. 산영은 허름한 집 안 흐릿한 거울 앞에 앉은 어린
여자아이의 머리 위에 붉은 배씨댕기가 씌워지는 환상을 보고 악귀에 씐다.

푸른 옹기 조각

"교수님 댁에서 푸른 옹기 조각을 봤어요.
누군가 창고 안에서 죽임을 당하고 있었어요."

— 산영

악귀 2

과거, 어린아이의 매장법은 성인과 달랐다. 가족의 일원으로 인정받지 못해서 선산에 묻히지도 못했고, 관에 넣어 정식으로 매장하는 경우도 거의 없었다. 관 대신 독(푸른 옹기로 만들어진 항아리)에 담아 외진 곳에 비석도 없이 묻기도 하고 나무에 매달아 놓기도 했다.

〈악귀〉에서 '푸른 옹기 조각'은 과거 장진리에서 벌어진 한 아이의 죽음과 악귀의 실체를 밝히는 중요한 5가지 단서 중 하나다. 해상은 어린 시절에 본 적이 있었던 푸른 옹기 조각을 경문 모의 폐가에서 찾는다. 이후 해상의 집 서재에서 푸른 옹기 조각을 발견한 산영은 쓰러져 있는 듯한 파란 천 안의 시선이 창고의 창문 너머 보름달에 닿는 순간, 파란 천 위로 붉은 피가 흩뿌려지는 환상을 보고 악귀의 실체에 한 발 더 다가선다.

흑고무줄

"흑고무줄을 찾고 나서, 그 전보다 기억이 안 나는 시간들이 많아졌어요.
이젠 머가 나인지.. 악귀인지 모르겠어요."

— 산영

흔히 알고 있는 고무줄놀이는 처음에는 칡넝쿨이나 새끼줄 같은 자연물을
이용했다. 그러다가 고무줄이 등장하면서 그 탄성을 이용하는 것으로
놀이가 바뀐다. 고무줄도 처음에는 짧은 고무줄을 여러 개 연결하여
사용하다가 나중에는 자전거 바퀴를 자른 것 등을 사용하였고, 근래에는
검은 고무줄로 바뀌었다.

〈악귀〉에서 '흑고무줄'은 과거 장진리에서 벌어진 한 아이의 죽음과 악귀의
실체를 밝히는 중요한 5가지 단서 중 하나다. 해상과 함께 저수지에서
흑고무줄을 찾은 산영은 목을 맨 여자와 바다를 환상으로 보고, 악귀의
실체에 한 발 더 다가선다.

초
자
병

"여러 가지 색깔 가루들이 든 초자병들이 바닥에 떨어져서 산산조각이 났어요.
그리고 붉은색 가루가 담긴 초자병을 든 누군가가 교수님 집 앞에 서 있었어요."

— 산영

악귀 2

석영, 탄산 소다, 석회암을 섞어 높은 온도에서 녹인 다음 급히 냉각하여 만든 물질인 유리는 투명하고 단단하며 잘 깨지는 특성을 갖는다. 유리를 일컬어 초자(硝子) 혹은 파리(玻璃)라고도 한다. 자원의 순환성을 비롯한 여러 가지 특성 때문에 옛날부터 제조되어 왔고 귀중하게 다루어져 왔다.

〈악귀〉에서 붉은 안료가 든 '초자병'은 과거 장진리에서 벌어진 한 아이의 죽음과 악귀의 실체를 밝히는 중요한 5가지 단서 중 하나다. 대들보 위에 성주신의 신주단지를 모시는 '성주받이'에서 힌트를 얻은 해상과 산영은 폐건물 화장실 천장 공간에서 칼이 박힌 금줄에 묶인 초자병을 찾아낸다. 이때 산영은 땅바닥에 떨어져 산산조각이 나는 초자병들, 색색깔의 안료들이 바닥에 흩뿌려지는 환상을 보게 되고, 악귀의 실체에 한 발 더 다가선다.

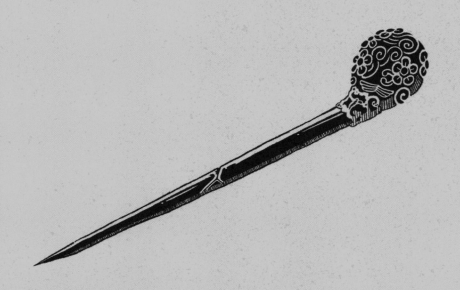

옥
비
녀

"다섯 가지 중 마지막 물건.. 산영 씨를 찾아야겠어요.
우리가.. 아니.. 내가 찾지 말아야 할 걸 찾은 것 같아요."

— 해상

옥비녀(玉簪)는 비녀 전체를 옥으로 만든 비녀 또는 비녀 끝을 금·은·보석 등
각종 재료로 장식하고 꽂는 막대기 부분을 옥으로 제작한 비녀를 의미한다.
쪽 찐 머리가 풀어지지 않도록 꽂거나, 가체(加髢) 등을 머리에 올린 후
고정하기 위해 꽂는 머리 장식품인 비녀의 일종이다.

〈악귀〉에서 '옥비녀'는 과거 장진리에서 벌어진 한 아이의 죽음과 악귀의
실체를 밝히는 중요한 5가지 단서 중 하나다. 도서관 사서 채서린이 투신한
아파트 재건축공사 현장사무소에서 반쪽짜리 옥비녀를 찾은 해상은 나머지
반쪽을 찾아다닌다. 그러다 무당 최만월의 가족이 제공한 사진 속에서 만월의
쪽 찐 머리에 꽂혀있는 옥비녀를 확인하며 악귀의 실체에 한 발 더 다가선다.

작은 칼이 박힌 금줄

"이건 금줄입니다. 보통 새끼줄은 오른쪽으로 꼬여져 있는데
이건 왼쪽으로 꼬여져 있어요. 부정을 막기 위한 금기 도구죠."

— 해상

금줄이란 부정(不淨) 타는 것을 막기 위해 사람이 드나들지 못하도록,
대문이나 마을 어귀, 장독대, 당집, 당나무 등에 치는 특별한 새끼줄로서,
아기의 출생 혹은 송아지의 출생처럼 새로운 생명체가 출생했을 때와
동제(洞祭), 기우제(祈雨祭), 성주 봉안 의례와 같은 제의를 할 때 사용하는
대표적인 의례용 장치다.

〈악귀〉에서 '금줄'은 악한 기운을 막는 장치로 활용되며 크게 2가지 형태로
등장한다. 하나는 화원재 별채의 강모 서재 방 안쪽 문 위에 걸려있던 금줄.
다른 하나는 과거 장진리에서 벌어진 한 아이의 죽음과 악귀의 실체를
밝히는 중요한 5가지 물건을 각각 묶고 있던, 작은 칼이 박힌 금줄이다.
해상은 칼이 박힌 금줄을 만든 경쟁이 은명을 찾아가 악귀의 실체에 한 발
더 다가선다.

부록

드라마 스틸컷

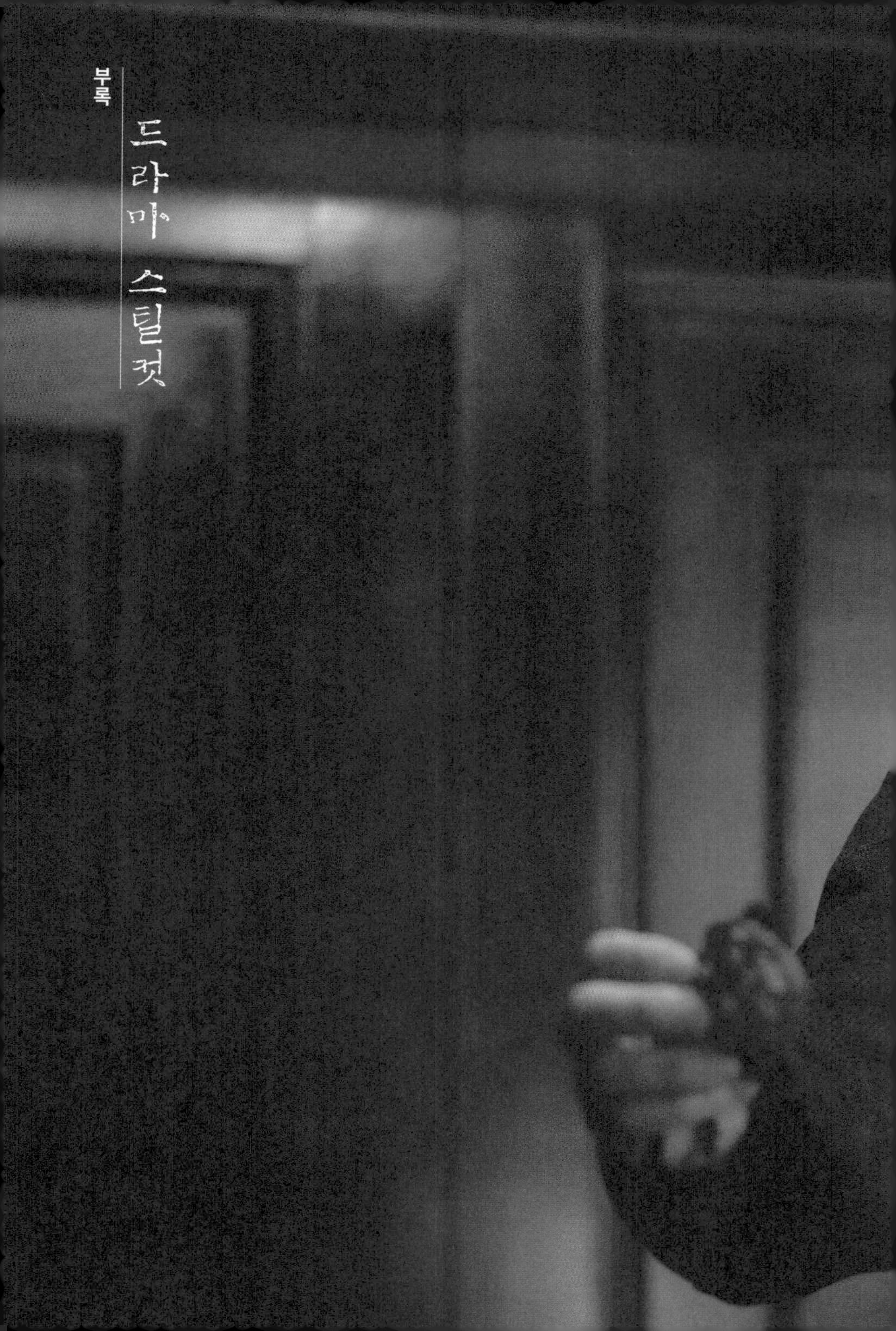

악귀 2

악귀 2

악귀 2

드라마 스틸컷

드라마 스틸컷

악귀 2

악귀 2

만든 사람들

배우 김태리 오정세 홍경 김해숙 박지영 김원해 양혜지 김신비 박소이 이규회 예수정 오연아
[특별출연] 진선규

극본 김은희 / 연출 이정림 김재홍

기획 스튜디오S / 제작 한정환 장원석 / 책임프로듀서 이옥규 / 프로듀서 김은혜 권령아 고진혁
/ 제작프로듀서 박시완 한진아 윤혜린 박재영 / 촬영감독 홍승혁 이정철 / 포커스풀러 이현석
박주현 / 촬영팀 김성인 이찬휘 김도희 권승혁 이두경 유 준 / 조명감독 [라이팅피플] 유용석 /
조명1st 조현진 / 조명팀 김주형 강동수 박치완 이유선 이아현 / 발전차 [제이앤케이] 전권형 /
그립팀장 [엠테크] 김대성 / 그립팀 우경준 나승주 김성진 / 동시녹음 [K.K Sound] 김해성 /
붐오퍼 진덕존 / 붐어시 장정윤 / 드론팀 [D.X.F] 이승규 박진국 / 미술 [스튜디오 사람들] /
미술감독 양홍삼 박지원 / 미술팀 이수연 이승혜 최윤지 김다스란 민소희 최지안 / 컨셉디자인
김예원 / 세트 [스튜디오 사람들] / 세트팀장 정 준 / 세트팀 주재훈 성지훈 / 작화 정경우 한가람
김완재 김예건 이가온 / 소품 [㈜ 더 공간] / 소품총괄 최병욱 / 소품팀장 한민주 / 소품팀 권우진
박종훈 곽승재 서한솔 김예원 / 소품인테리어 손유나 전승민 / 푸드팀 하리라 / 소품세팅지원
전세광 윤종훈 / 소품차량 원찬호 /특수소품 [율아트] / 의상 [SBS A&T] / 의상디자이너 송지현
정채윤 / 의상진행 이향봉 안혜리 박주승 / 팀코디 김미랑 / 분장실장 [박인수 아트] 박인수 /
분장 손승지 강우현 / 미용 한송이 김상희 / 무술 [㈜ 본 스턴트] / 무술감독 강영묵 / 무술지도
정동혁 / 안무감독 전 영 / 보조출연 [㈜ 라인엔터] 이현우 유성열 한영광 / 캐스팅 [페어콘텐츠]
김추석 전기창 / 아역캐스팅 [티아이] 노태민 이준성 / 소품차 [액션카] 고기석 / 렉카 [삼일렉카]
/ 특수효과 [디엔디라인] / 특수효과 디렉터 도광섭 / 특수효과 팀장 연승규 / 특수효과 팀원
이재경 이서호 이승학 / 편집감독 [C-47 Post Studio] 최민영 박경숙 / 편집팀 이지현 이동현 /
음악감독 [Movie Closer] 김준석 정세린 / 음악스텝 노유림 주인로 이루리 김정완 홍은지 심희진
정혜빈 강민구 김태진 손성락 윤현겸 이세연 / 음악믹싱 박승천 / 음악오퍼 홍가희 / 사운드믹스
[Soundin Studio] / 사운드슈퍼바이저 조계환 / 사운드에디터 김형태 조은영 김소연 허대호 /
OST 제작 [SBSCH] 서상희 서동욱 / 색보정 한종우 김현민 / 색보정 보조 진화인 김준서 / VFX
[BARUNSON DIGITAL IDEA] 박성진 이경재 김파랑 김지현 고정인 신주연 윤우현 / 타이틀

디자인 [Undesigned Museum] / 모션 그래픽 [Undesigned Museum] 조경훈 석지나 조재연 김다영 조연우 김수진 이재진 이은비 김은진 김다솜 /종합편집 손종석 / 종편자막 최호진 / [SBS] 콘텐츠프로모션 총괄 손영균 / 콘텐츠프로모션 정다솔 김다영 / 홍보영상, SNS 박조아 여수민 김가연 장지혜 / SBS 홍보사진 김연식 옥정식 정호성

[스튜디오S] 제작총괄 조성훈 / 제작회계 조은정 김다영 장준희 / 마케팅사업총괄 이미우/ 마케팅PD 이승재 / 부가사업/ 커머스 정기준 박가람 / OST 기획 정기준 홍민희 / 메이킹/ 홍보영상총괄 유지영 / 메이킹/홍보영상제작 이정하 / 메이킹/홍보영상촬영 배송이 / 마케팅대행사 [해냄커뮤니케이션] 진형준 김민선 / 홍보대행사 [블리스] 김호은 이보은 / 대본 [엔젤북스] 한동민 / 포스터 [빛나는] 박시영 / 로고팀 [스튜디오 펀데이] 한중수 / [SBSi] 웹기획 김연희 강민서 / 웹운영 박예은 / 웹디자인 김비치 정수현 / 웹콘텐츠 김지혜 서은경 / [SBS콘텐츠허브] 유통총괄 진해동 / 해외유통 이한수 임지경 노정현 권민경 김주리 김나현 오은정 노기석 김지상 고건 조수아 조영현 장현지 장보경 이수진 전윤지 / 국내유통 김웅열 장지희 윤준영 최승화 변은지 / [법률자문] 추지은 법무법인 광장 안혁 / 스텝버스 [신이여행사] 이경섭 / 차량배차 [빵빵] [미디어월드] / 연출차량 조성조 / 카메라차량A 이영중 / 카메라차량B 이성국 / 제작차량 방승희 / 진행차량 김성환 / 분장버스 [너나들이] 박형준 / 의상차량 홍창섭 윤통정 / 스틸 [Lux.H] 김하나 명지원 / 데이터매니저 [오온] 박준영 오호정 / 웹페이지 [디킴] 김해란 / 민속학자문 [국립민속박물관] 이관호 (전)민속연구과장님 [안동대학교] 이용범 민속학과교수님 이진교 민속학과교수님 배영동 민속학과교수님/ 경찰자문 [서울경찰청] 김한별 경감님 [서울마포경찰서] 송동현 경위님 [광주광산경찰서] 국은혜 경위님 / 의학자문 [안과] 배희철 안지혜 [흉부외과] 배성진 / 무속자문 손이화 만신 정우영 법사 /.기타자문 [충청북도교육청] 여몽련 주무관님 [광주광덕고등학교] 신희돈 선생님 [T라이브러리] 장윤지 사서님 [공무원] 여지현님 성지원님 / [사진제공] 최호식 사진가 / 목탄화 [강철] 강부영 [무이화실] 문균자 / 삽화 김철완 화백 / 로케이션 [상암의 부장들] 이준원 오태하 김길범 김태균 옥준호 이종신 / 스토리보드 조성환 박종원 / 보조작가 김믿음 / SCR 김성희 / FD 이재훈 김홍주 최진호 진 찬 김재현 / 내부조연출 김한글 강채민 / 조연출 이수민 김주영 전영규

[김태리팀] 강병주 박동찬 고수운 홍예서 배주희 / [오정세팀] 이성건 조윤서 / [홍경팀] 이재덕 임미령 / [김해숙팀] 김경아 안성은 한상희 이태선 홍혜린 / [박지영팀] 박연주 류수진 서연 권재이 / [김원해팀] 김이슬 / [양혜지팀] 윤태민 성찬희 이옥주 성유진 / [김신비팀] 최혜진 / [박소이팀] 김다혜 / [이규회팀] 정연준 / [예수정팀] 장시원 / [오연아팀] 최혜진 / [진선규팀] 김미례

악귀 2

초판 1쇄 인쇄 2023년 8월 10일
초판 1쇄 발행 2023년 9월 1일

지은이 김은희
펴낸이 최동혁

기획본부장 강훈
영업본부장 최후신
책임편집 이현진
기획편집 장보금 한윤지
디자인팀 유지혜 김진희
마케팅팀 김영훈 김유현 양우희 심우정 백현주
영상제작 김예진 박정호
물류제작 김두홍
재무회계 권은미
인사경영 조현희 양희조
디자인 팟
일러스트 김예진

펴낸곳 ㈜세계사컨텐츠그룹
주소 06071 서울시 강남구 도산대로 542 8,9층(청담동, 542빌딩)
이메일 plan@segyesa.co.kr
홈페이지 www.segyesa.co.kr
출판등록 1988년 12월 7일(제 406-2004-003호)
인쇄·제본 예림

© 스튜디오S 주식회사, 2023
본 도서의 출판권은 '스튜디오S'와 출판 계약을 맺은 '㈜세계사컨텐츠그룹'에 있습니다.

ISBN 978-89-338-7228-4 (1권)
     978-89-338-7229-1 (2권)
     978-89-338-7227-7 (세트)

세계사
40th Anniversary

앞으로 채워질 당신의 책꽂이가 궁금합니다.

마흔 살의 세계사는 더욱 섬세해진 통찰력으로
당신의 삶을 빛내줄 귀한 책을 소개하겠습니다.

무언가에 설레하는 당신,
언제까지고 청춘이리—!

청춘들에게…

우리 무조건 행복하자구요 ···

해쌍이가.

우리가 생각하는게 틀리지 않았으니,

이미 알고, 믿고 나아가자.

이봉재, 총경!